# Les croisades

AVEC LES CONTRIBUTIONS DE :

Michel Balard

Geneviève Bresc-Bautier

Philippe Contamine

Robert Delort

Charles-Emmanuel Dufourcq

Jean Favier

Claude Gauvard

Michel Kaplan

Françoise Micheau

Cécile Morrisson

Michel Parisse

Michel Pastoureau

Évelyne Patlagean

Peter Raedts

Jean Richard

Pierre-André Sigal

Mohamed Talbi

André Vauchez

L'HISTOIRE

# Les Croisades

PRÉSENTÉ PAR
ROBERT DELORT

*Éditions du Seuil*

COLLECTION « POINTS HISTOIRE »
FONDÉE PAR MICHEL WINOCK
DIRIGÉE PAR RICHARD FIGUIER

ISBN 2-02-009996-9

© SOCIÉTÉ D'ÉDITIONS SCIENTIFIQUES, MARS 1988

# Introduction

Les croisades restent dans notre mémoire collective, nourrie de littérature et de cinéma, l'une des grandes épopées, à épisodes multiples, de l'histoire universelle. Le souvenir, transformé par la légende, en est resté si vivace que le mot a fini par désigner dans le vocabulaire occidental toute entreprise menée au nom d'un idéal commun contre un ennemi commun.

Il est évident qu'on ne veut envisager ici que les croisades *stricto sensu* : celles, en principe purement religieuses, entreprises avec l'accord du Saint-Siège, qui eurent pour but précis de conquérir le tombeau du Christ à Jérusalem et dont le symbole fut la croix, portée sur les habits des participants.

Ce grand ébranlement doit d'abord être classiquement replacé dans le contexte démographique et social de l'Occident chrétien au XIᵉ siècle. Vient de se terminer la « crise », accentuée par les invasions des Sarrasins, des Normands, enfin des Hongrois, lesquelles ont plus démoralisé et appauvri que dépeuplé un ensemble hétérogène de populations dont la seule caractéristique commune est qu'elles sont chrétiennes et qu'elles reconnaissent comme chef (au spirituel) le pape de Rome. La paix relative établie par les forces féodales et la disparition des agressions extérieures ont, entre autres causes, permis le démarrage, l'essor démographique de l'Occident : du XIᵉ au XIIIᵉ siècle, l'Angleterre voit, par exemple, sa population presque tripler ; maintes régions de France (Ile-de-France, Flandre...), d'Allemagne (pays rhénans...), d'Italie (plaine lombarde...) ont connu encore plus tôt un accroissement semblable. Certains paysans, échappant à l'« encellulement » et vivant difficilement sur des lopins trop petits, ont accru leur mobilité. Par ailleurs, la classe chevaleresque entretenait avec davantage de peine des héritiers plus nombreux sur une terre plus morcelée : l'ordre de progéniture, sans encore s'établir partout, ne donnait aux cadets d'autre choix que l'Église ou le métier des armes. Dans différentes régions, comme en Bourgogne, le patrimoine n'était pas partagé mais géré par l'ensemble des héritiers (frères, oncles, neveux) : la frérèche ; mais, là encore, la seule solution viable exigeait qu'une partie des membres ne se mariât point, partît pour l'Église ou sur les grands chemins...

Les croisades ont donc pu offrir à ces guerriers inoccupés, voire à certains paysans, une possibilité d'améliorer leur situation, de reconstituer une fortune par le partage du butin, le pillage ou, pour ceux qui étaient restés, par une meilleure répartition des propriétés. Peut-être aussi le départ des combattants professionnels, turbulents et avides, permettait-il de mieux gérer les trêves de Dieu et de maintenir la paix en Occident en leur fournissant outre-mer l'occasion d'employer leur énergie.

Au combat, parfaitement défendu par son casque (heaume), sa cotte de maille ou sa cuirasse (broigne, haubert), son bouclier (écu), le guerrier occidental est peu vulnérable aux armes de jet traditionnelles (flèches, javelot). Dans le corps à corps suivant le choc des lances, il dispose d'armes redoutables, aptes à briser les armures (hache, épée trempée...). Bien assis sur une selle haute, calé par ses forts étriers, emporté par le lourd galop d'un robuste cheval bien entraîné, un tel combattant est redoutable surtout contre un adversaire moins pesamment armé qui ne peut éviter la charge. Et, quoi qu'il en soit, vu sa protection, le chevalier est rarement tué au cours de la bataille : il est, au pire, blessé et fait prisonnier, amené de ce fait à payer rançon et à acquérir un nouvel équipement pour pouvoir recommencer. Ces considérables dépenses sont payées par les paysans, amenés à souhaiter peut-être et à espérer sans retour le départ du jeune chevalier vers l'aventure orientale.

Parmi les Occidentaux, certains avaient l'adversaire (païen) à leur porte et combattaient donc près de leurs foyers : ainsi les Allemands sur les marges de l'Est ou les Espagnols sur leurs frontières méridionales... En revanche, les chevaliers français, issus du royaume le plus peuplé d'Occident, entouré de pays chrétiens pas toujours belliqueux, se voyaient de plus réfrénés dans leur ardeur combative par l'extension des trêves de Dieu, ou paix de Dieu, que tentait de leur imposer l'Église. Ils devaient donc aller plus loin. Les Normands, après leur rapide conquête de l'Angleterre (1066), partirent pour l'Italie du Sud ou la Sicile (1071 : prise de Palerme). Bourguignons, Champenois, Toulousains, Aquitains passèrent les Pyrénées pour aider les petits États chrétiens (Léon, Galice, Castille, Navarre, Aragon, comté de Barcelone) à pousser la *Reconquista* aux dépens des royaumes de Taifas nés de l'émiettement du califat de Cordoue. L'orchestration clunisienne du pèlerinage de Compostelle et du mythe de Roland attire l'attention de la chrétienté sur ces pays d'Outremont, et l'armée du duc d'Aquitaine, encouragée par le pape, arrache Barbastro (1064) pour le compte du roi d'Aragon. La Castille récupère en 1085 Tolède, l'antique capitale, siège du primat d'Espagne. Il est vrai que la réaction musulmane, menée par les Almoravides, arrête pour des décennies les chrétiens sur le Tage.

En Sicile, la conquête normande a commencé dès 1060 grâce à Roger, frère de Robert Guiscard, qui organise le considérable duché des Pouilles acquis aux dépens des Byzantins et des princes lombards du Sud. La fin du siècle (1091) ne consacre pas seulement l'expulsion définitive des Sarrasins mais aussi la destruction des nids de

pirates et l'ouverture du détroit de Sicile aux flottes chrétiennes du bassin occidental de la Méditerranée, de Gênes
et de Pise, les premières à aider les croisés. Par ailleurs,
les visées normandes se portent maintenant vers l'est.
Robert a passé l'Adriatique, battu l'empereur byzantin
Alexis Comnène à Durazzo : en 1085, Bohémond de
Tarente semble vouloir marcher sur Constantinople ; chez
les chevaliers occidentaux se répand l'idée que les Grecs
sont riches, et fourbes et lâches au combat.

De fait, en cette fin du XIᵉ siècle, Byzance est en bien
mauvaise posture dans la mesure où sa puissance économique, commerciale, agricole, guerrière est grignotée à
l'est par les progrès des peuples nomades, les Turcs, tant
vers l'Anatolie (Seldjoukides) que sur les bords de la mer
Noire (Petchénègues, Polovtsy) : ainsi se coupent peu à
peu les routes du commerce nord-sud, de la Baltique à la
Crimée, ou est-ouest, depuis la Chine ou le cœur de l'Asie.

L'économie terrienne prend alors de plus en plus d'importance et le pouvoir, dans l'Empire, passe aux mains de la
grande aristocratie foncière. Mais, leur armée durablement
écrasée par les Turcs à Mantzikert (1071), les Grecs doivent
faire appel à des mercenaires, occidentaux et même normands, comme Roussel de Bailleul, dont les armes, le courage, la cohésion paraissent seuls capables de contenir
l'ennemi. Essayer d'attirer en masse et à titre gratuit ces
excellents guerriers au nom de la solidarité chrétienne et des
malheurs subis pouvait permettre de récupérer dans leur sillage, à moindres frais, les territoires récemment perdus
jusqu'à Antioche. D'autant que le grand Empire turc, constitué par Malik Chah, se disloque à la mort de son chef
(1092) ; en restent des noyaux relativement fermes en Anatolie et autour de Mossoul, entre les chrétientés plus ou
moins autonomes de Cilicie, de Petite Arménie, d'Édesse…
Ajoutons que des luttes intestines affaiblissent considérablement le monde musulman ; témoin la lutte des Turcs contre les Égyptiens : la Palestine, enlevée en 1078, est récupérée
par les Fatimides du Caire en 1098 !

Ces crises, comme ailleurs, sont temporaires, et le nombre, la force, la valeur guerrière des Turcs, la possibilité de conciliation ou d'entente entre les musulmans, la renaissance du djihad, guerre sainte contre les infidèles, font que la croisade, même si elle est un instant victorieuse, ne peut jamais l'être définitivement et doit être en permanence portée par l'effort occidental. Bref, à la fin du XIe siècle, un certain nombre de conditions étaient réunies pour rendre possibles le départ et quelques succès initiaux d'armées occidentales en direction des pays musulmans du Proche-Orient.

Mais, bien entendu, la cristallisation sur Jérusalem et la Terre sainte est un fait d'ordre entièrement différent. Les causes directes de la croisade sont essentiellement religieuses et psychosociologiques ; elles se reflètent dans les nombreuses composantes du si difficilement cernable esprit de croisade.

Au commencement était le pèlerinage... Et parmi tous les lieux particulièrement saints à visiter, en dehors de l'Occident où Rome et Compostelle attiraient des masses de plus en plus nombreuses, s'imposaient Jérusalem et les Lieux saints, ceux que déjà Constantin avait privilégiés et sur lesquels il avait dépêché, en 326, sa sainte mère Hélène pour exécuter les fouilles et construire les bâtiments que l'on sait (découverte de la « vraie » Croix et érection de la basilique de la Résurrection).

Le sens du pèlerinage, à la fois pénitence et accession au pardon des péchés par l'approche du tombeau et des reliques d'un saint personnage, se répand en Occident grâce aux pénitentiels diffusés par saint Colomban (à la fin du XIe siècle) et s'épanouit à partir de l'an mil, durant tout le début du XIe siècle, dans cette ambiance « millénariste » de crainte de la fin du monde que semblaient annoncer, outre la « crise du Xe siècle », les famines, les épidémies, les morts convulsives et terrifiantes des « ardents », empoisonnés par l'ergot du seigle. Raoul Glaber a décrit cette « foule innombrable se mettant à converger du monde entier vers le sépulcre du Sauveur à Jérusalem », issue de toutes les couches de la société, jusqu'aux plus grands, seigneurs, rois, prélats, les plus nobles femmes mêlées aux plus pauvres. La vénération grandissante envers ces Lieux saints rendait d'autant moins supportable le fait qu'ils étaient aux mains des infidèles, en danger perpétuel d'être profanés...

Parmi les motivations de ce très long voyage et à côté de la fièvre religieuse ou de l'épanouissement dans le renoncement, on peut déceler une aspiration vers un idéal de purification et probablement la joie du sacrifice et, sinon du martyre, du moins de la mort et donc du salut sur les lieux mêmes où avait souffert, était mort et avait été enterré le Christ, le Rédempteur. Cette Jérusalem terrestre, si difficile et épuisante à atteindre, n'était pas forcément distinguée de la Jérusalem céleste, celle de l'Apocalypse, où accèdent les élus et où Dieu se tient parmi les Justes. Par ailleurs, le sentiment que le pèlerinage en lui-même permettait non la seule rémission des peines encourues par les péchés, mais la rémission absolue de ces péchés, ce qui assurait donc le salut, était plus ou moins consciemment présent dans des esprits souvent frustes, incapables de discerner les limites théologiques des amples indulgences dispensées par le pape. Et l'effet matériel de sa protection sur les biens des absents, sur l'aide aux croisés par le moratoire des dettes ou le privilège du for, pouvait faire supposer, sans forcément la formuler, la force des effets spirituels.

L'importance du pape lui-même est à cet égard fondamentale. Il est inutile de rappeler son influence politique grandissante au cours de la querelle des Investitures, surtout après Grégoire VII († 1085), tandis que la féodalisation, les révoltés, les foudres canoniques affaiblissent les principaux souverains d'Occident, par ailleurs excommuniés (empereur Henri IV, roi de France Philippe I$^{er}$) ou en passe de l'être (roi d'Angleterre, Guillaume le Roux)... Dirigées au nom du pape, ces expéditions non seulement soulignent l'unité de l'Occident autour de Rome et renforcent cette unité par la solidarité en vue d'une action extérieure menée en commun, mais encore elles tendent la main à l'autre partie de la chrétienté, récemment séparée par le schisme de 1054, mais considérée toujours comme une sœur à aider contre les païens et susceptible de manifester sa reconnaissance, par l'intermédiaire de son césar, fût-ce contre le césar germanique.

Mais surtout le Saint-Siège est l'un des responsables de la théorie d'une « guerre sainte », jusque-là apanage de la grande religion adverse, qui la pratique contre tous ceux qui refusent la (vraie) foi de Mahomet. En fait, saint Augustin parlait déjà d'une guerre « juste » quand, menée par l'autorité légitime, elle permettait de se défendre contre un agresseur ou de récupérer un bien. Peu à peu, à partir d'Isidore de Séville ou de Grégoire le Grand, se sont précisées les notions de guerre juste, d'illégitimité relative de la guerre entre chrétiens, du combattant qui par sa vaillance mérite le ciel.

Ajoutons l'exemple de Charlemagne, combattant pour Dieu, la propagation de la foi, le baptême imposé aux Saxons comme aux Avars... et l'influence de *la Chanson de Roland*, très vraisemblablement mise par écrit à la fin du XIᵉ siècle. Mais, par-dessus tout, la fonction de guerrier est spiritualisée, le « soldat du Christ » peut légitimement aider le pape, qui a le « droit de glaive » dans sa totalité, à lutter contre ses ennemis extérieurs ou intérieurs. S'il tombe au champ d'honneur, il est sauvé et, s'il participe à la campagne, il a différents privilèges dont, en Espagne par exemple, la rémission des pénitences exigées par ses péchés. Alexandre II a de même béni les guerres contre les musulmans de Sicile et conforté les Normands (« Jésus-Christ avec nous »). Le pouvoir pontifical en a été symétriquement renforcé puisque ces pays combattants se sont reconnus ses fidèles et vassaux.

Sens du pèlerinage et notion de guerre sainte, déjà parallèles mais encore distincts en Espagne du Nord, commen-

cent à s'unir en direction de Jérusalem quand les masses
de pèlerins, qui se comptent parfois par milliers et, col-
lectivement, peuvent réunir et constituer un ensemble de
richesses dont sont avides les Bédouins pillards, sont ame-
nées – contrairement à leur volonté initiale – à s'armer
pour atteindre leur but et éviter d'être dispersées sur les
marchés d'esclaves. L'insécurité des chemins jadis byzantins a crû depuis que l'Anatolie est devenue turque ; inver-
sement, la masse croissante des pèlerins a pu éveiller des
craintes chez les nouveaux maîtres du sol...

Bref, l'appel de Clermont, en 1095, a eu un tel retentissement d'abord parce qu'il donnait une expression à maintes tendances plus ou moins obscures de la société
occidentale, et ensuite parce que la situation en Méditerranée orientale était relativement favorable à sa mise en
œuvre. Mais il est évident que la réussite de la Première
Croisade pose une difficile énigme à ceux qui ne se bor-
nent pas à en décrire le déroulement ; de même, d'ailleurs,
l'établissement et la survie biséculaire des États latins
d'Orient...

Le problème des communications, du ravitaillement, des
renforts et, partiellement, du financement a été résolu par
l'intervention rapide et continue des flottes italiennes, maî-
tresses de la mer. Non seulement elles ont aidé à la prise
des villes côtières, non seulement elles ont acheminé pèlerins, touristes, croisés, armes, chevaux... mais encore elles
ont trouvé leur profit en ramenant, outre les pèlerins, les
marchandises d'Extrême-Orient (épices d'Inde ou d'Insu-
linde, voire soie de Chine) transitées par caravanes depuis
le golfe Persique ou le Turkestan, plus des produits locaux,
étoffes, verre, pourpre, indigo, vin, sucre, olives, noix...
Se renforcèrent ainsi, se développèrent et persistèrent, bien
après l'expulsion des derniers croisés, un voyage et des
échanges rentables, surtout avec le détour par Alexandrie
ou par Constantinople, preuve évidente que les questions
économiques et commerciales n'étaient nullement confon-
dues avec les questions politiques et religieuses.

En ce qui concerne le problème crucial des effectifs combattants, toujours restreints par rapport aux disponibilités immédiates du monde islamique, ils étaient certes renforcés par le flot annuel des chevaliers occidentaux : mais ceux-ci, venant pour se battre, comprenaient mal les alliances locales ou la diplomatie, et contribuaient souvent par leur impatience à envenimer des situations délicates ; par ailleurs ils s'en allaient, leur vœu accompli, sans aucun souci d'un intérêt autre que leur intérêt personnel.

Le noyau des armées chrétiennes, des chevaliers, sergents, mercenaires était donc recruté et levé sur place, grâce à un service féodal très strict, de lourdes contributions des paysans autochtones, une fiscalité sévère sur les activités économiques et l'afflux des « dons » occidentaux.

Mais, de plus en plus, ce furent les ordres militaires, hospitaliers, templiers et teutoniques, qui fournirent le fer de lance des chrétiens ; disciplinés, bien entraînés, bien équipés grâce aux ressources tirées en grande partie de leurs possessions en Occident, ces religieux, dont la vocation était entre autres le combat, pouvaient aligner des centaines de chevaliers, des milliers de sergents ou de mercenaires sur les champs de bataille. Par ailleurs, ces ressources permettaient de construire des dizaines de châteaux quasi inexpugnables qui retardèrent d'un siècle l'irrésistible reconquête musulmane...

La croisade a occupé l'Occident pendant plus de deux siècles et ses conséquences les plus lointaines sont arrivées jusqu'à nous. Elle a contribué à faire prendre conscience à l'Occident de son unité, de l'insertion de la chevalerie dans l'Église, du droit à la parole et à l'action pour des masses pauvres et désarmées, éprises d'une société fraternelle et juste. Elle a pu également renforcer le prestige et le pouvoir du pape, ou la force des monarchies en l'absence de turbulents vassaux ; ont été simplifiées diverses successions dans les lignages chevaleresques et parfois facilitée la pacification des campagnes.

La croisade a aussi permis la circulation accélérée des

capitaux, la déthésaurisation des églises, le transfert de liquidités provenant de la vente de biens seigneuriaux et de dons multiples acheminés vers la Terre sainte par les soins des templiers, banquiers de l'Occident. A été considérablement élargi le marché des produits orientaux ou extrême-orientaux : épices, soieries, cotonnades, fourrures précieuses... Des procédés architecturaux, des thèmes de romans, de chansons de geste, repris dans l'iconographie, sont plus sûrement attribuables au courant des croisades que la transmission de la boussole, des chiffres « arabes », de la carte marine ou de l'abricot. Bien des événements présentent des aspects initialement favorables à la chrétienté suivis de conséquences désolantes ; ainsi l'arrêt temporaire des Turcs en Anatolie (XIIe siècle) ou l'établissement des « empires » coloniaux vénitien ou génois dans l'espace byzantin. Car les chrétiens d'Orient un instant libérés de la menace turque ont été foudroyés par la prise et le sac de Constantinople (1204) ; et la haine, née au cœur des Grecs, a rendu le schisme définitif et inexpiable. Quant aux chrétiens d'Arménie et de Cilicie, ils ont été traités avec plus de rigueur après la reconquête turque, tandis que les communautés juives du cœur de l'Occident, définitivement rejetées comme déicides dans le contexte d'une exaltation de la Croix et de la Passion du Sauveur, ont été étroitement surveillées, tracassées, inquiétées, parfois martyrisées.

Le pape lui-même, après son triomphe, a vu son autorité durement atteinte par l'abus des foudres canoniques ou des indulgences, la déviation des croisades contre les hérétiques ou même contre de simples adversaires politiques, et les débuts d'une fiscalité avide.

Mais le plus négatif reste, et par-dessus tout, l'attitude envers l'islam, complètement méconnu, travesti, ignoré jusque dans son livre sacré, ses structures politiques, ses nuances locales, sa culture et sa langue. Les croisades ont durablement traumatisé le monde musulman et présenté à juste titre le « Franc » comme le massacreur de Jérusalem, l'emprisonneur des pèlerins de La Mecque, le monstre d'intolérance bornée et l'infidèle contre lequel s'est réveillée l'idée un peu assoupie du djihad, de la guerre sainte. Et l'irrésistible avance du Turc a bloqué pour des siècles l'expansion européenne vers l'est.

Certes, des missionnaires, des voyageurs, des commerçants ont pu contourner le Turc ou le Mameluk par le Nord, vers l'Orient mongol et chinois ; et la Russie orthodoxe a pu reprendre son élan au XVIe siècle. Mais la chrétienté occidentale, celle de la Méditerranée et des croisades, a dû, lors de sa deuxième expansion, prendre le chemin de Séville et de l'Atlantique, la route du sud avec Vasco de Gama et la route de l'ouest avec Christophe Colomb tandis que l'islam vainqueur allait pousser jusqu'à Vienne et au Kahlenberg (1683).

*Robert Delort.*

# I

# L'aventure des croisés

# 1

# L'impossible voyage
# en Terre sainte

## Charles-Emmanuel Dufourcq

Pendant près de deux siècles, une immense vague emporte des masses humaines de l'Europe vers la Palestine. Des villages entiers prennent la route. En 1096, lors de la Première Croisade, « le départ est fixé à la mi-août, après la fin des moissons, quand les granges seront pleines et qu'on pourra faire des provisions pour le voyage [1] ».

Dans un premier temps, ces migrations armées empruntent surtout des chemins terrestres. De France et de Lorraine, de Flandre et de Germanie, d'humbles croyants se mettent en chemin vers l'est, vers le sud-est, en direction du Danube. Ils partent en famille, hommes et femmes, encombrés de quelques coffres contenant leurs modestes biens. Le chroniqueur Guibert de Nogent le raconte : « Rien de plus touchant que ces pauvres hères ayant ferré leurs bœufs comme des chevaux et les ayant attelés à une charrette à deux roues sur laquelle ils ont placé leurs bagages miséreux et les plus jeunes enfants. » Chaque fois qu'un château est en vue ou qu'ils aperçoivent une ville, ces simples demandent si c'est là Jérusalem. Pour se donner du courage, ils chantent des cantiques, notamment celui « de l'Oultremer » : *Que le Saint-Sépulcre soit notre sauvegarde !*

Aux XIIᵉ et XIIIᵉ siècles, d'étranges migrations ont lieu sous l'influence d'ermites appelant le peuple à prendre la

croix, après des sermons ou harangues que les paysans
écoutent assis dans un pré, quand l'église voisine ne peut
tous les contenir : c'est le cas en Frise en 1214[2]. Entraînés par les prédicateurs qui vont pieds nus et vêtus d'une
simple tunique de laine, ces groupes de manants avancent,
plus ou moins en haillons – au moins après quelques
semaines de marche – et armés seulement de haches, de
pelles et d'épieux[3]. D'ordinaire, ces cohues sont encadrées de quelques clercs et chevaliers, et la plus extraordinaire de ces tentatives de marche vers la Terre sainte est
la « Croisade des enfants » de 1212.

## Des pillards sans scrupule

Toutes ces émouvantes et pitoyables « armées » impro-
visées, « cheminant la route », se nourrissant de mysticisme
élémentaire, s'évanouissent les unes après les autres dans
les mirages de leurs cantiques, dégénérant parfois en cortèges d'aventuriers et de pillards sans scrupule.

Alternant avec ces marches insensées de familles paysannes et de bandes juvéniles, des armées véritables se lan-
cent aussi, durant deux siècles, vers la Terre sainte, passant
le plus souvent – au moins au début – à travers l'Europe
centrale. Telles furent les expéditions de Godefroy de
Bouillon, qui s'empare de Jérusalem en 1099, ou de Frédéric Barberousse lors de la Troisième Croisade décidée
en 1187. Lorsque Saladin eut repris Jérusalem aux chrétiens en 1187, l'empereur décida en effet de mettre une
armée sur pied pour gagner l'Orient par voie de terre. Il
édicta à cette occasion un ensemble de mesures qui nous
révèlent ce que devaient être les pratiques courantes lors
de ses grandes expéditions militaires. Il fut interdit désormais de proférer des blasphèmes, de jouer aux dés (jeu
d'argent), de porter des vêtements somptueux, des fourrures et des bijoux, d'être accompagné de femmes, à deux

exceptions près : les blanchisseuses parce qu'elles sont indispensables, et les « vieilles » parce que leur présence ne peut induire les hommes en tentation. Quant aux guerriers, on ne les enrôlerait que s'ils avaient de quoi fournir en armes et en vivres, pour deux ans, eux-mêmes, leurs servants et des artisans nécessaires pour des besognes matérielles.

Quel fut le trajet emprunté par ces grandes armées organisées ? En règle générale, ces troupes sont arrivées à destination en parcourant un trajet « classique » : le cours du Rhin, du nord au sud ; celui du Danube, d'ouest en est ; la plaine de Hongrie, dont les habitants sont chrétiens depuis le début du XIe siècle. Enfin, les Balkans en passant par Belgrade, Sofia et Andrinople, jusqu'aux Dardanelles, la rive de la mer de Marmara ou le Bosphore, aux abords de Constantinople. Mais d'autres itinéraires sont possibles : dès la Première Croisade en 1096, les Français du Midi, ceux de langue d'oc, choisissent de partir à travers les Alpes, l'Italie du Nord et la Dalmatie. De là, au printemps 1097, ils gagnent Durazzo (Durrës), sur la côte de l'actuelle Albanie, vers l'entrée du canal d'Otrante.

La marche reprend ensuite, d'ouest en est, par la vieille voie romaine Egnatia, qui unit Durazzo à Constantinople. Il y a une autre route terrestre : celle que pratiquent, dès la fin du XIe siècle, les croisés anglo-normands. Cette fois, elle traverse la France, les Alpes et l'Italie jusqu'en Pouille, où se trouvent, face à la côte de Durazzo, des ports de l'État siculo-normand : Bari et Brindisi. C'est l'itinéraire que choisissent, en 1190, Philippe Auguste, roi de France, et son rival Richard Cœur de Lion, roi d'Angleterre, duc d'Aquitaine, qui se sont croisés en même temps que Frédéric Barberousse. Philippe est passé par Gênes, Richard par Marseille, mais tous deux ont bifurqué ensuite à travers l'Italie normande, vers la Calabre, jusqu'au détroit de Messine. Qu'il s'agïsse des croisades populaires paysannes ou des expéditions armées bien encadrées, les problèmes du voyage sont pour tous les mêmes.

Le trajet est long. Les quelques chevaliers partis de Rhénanie vers avril-mai 1096 ne parviennent qu'à l'automne
sur les rives de la mer de Marmara, avec une troupe qui
s'amenuise de jour en jour. Lors de la Première Croisade,
l'armée de Godefroy de Bouillon, modèle d'organisation,
met quatre mois et demi, elle, pour aller de la Moselle à
Constantinople : d'août à décembre 1096. Lors de la
Deuxième Croisade, les troupes de l'empereur Conrad III
quittent Nuremberg en avril 1147 vers Ratisbonne, sur le
Danube, pour arriver cinq mois plus tard aux portes de
Byzance, tandis que le roi de France Louis VII, parti de
Metz en juin 1147, y parvient en octobre, après avoir suivi
le même trajet. Lors de la Troisième Croisade, l'armée de
Frédéric Barberousse progresse plus lentement : elle a
besoin de dix mois pour aller de Ratisbonne aux Darda-
nelles (mai 1189 - mars 1190).

## Infortunes sur terre et sur mer

La longueur des voyages s'explique par les difficultés
matérielles rencontrées. Si l'on excepte celles des grands
seigneurs, les montures sont souvent médiocres ou le
deviennent après plusieurs mois de voyage : chevaux,
mules et bêtes de somme nécessitent des soins constants.
Les chaussées romaines, plus ou moins bien entretenues,
ne se trouvent point partout. La traversée des montagnes
impose des étapes brèves à la montée – de l'ordre de
vingt kilomètres à peine par jour au maximum –, même
s'il arrive de parcourir plus de trente kilomètres en un jour
à la descente. En plaine, tout est variable : il faut éviter
les vallées marécageuses exposées à des crues soudaines,
singulièrement en Italie. On utilise souvent des sentiers,
notamment à travers les collines. Les pluies et la neige s'en
mêlent aussi parfois : l'hiver de 1096-1097, particulièrement rigoureux, freine la progresssion des croisés à travers les Alpes dinariques et illyriennes. Les ponts, en

dehors des grandes villes, sont rares. Ailleurs, pour franchir fleuves ou rivières, il faut trouver des gués, fabriquer des radeaux, passer à la nage [4]. Frédéric Barberousse se noie en juin 1190 aux portes de la Terre sainte.

La quête de la nourriture est souvent une obsession. Les chevaliers chassent, quand ils le peuvent, mais des accidents se produisent : tel seigneur, voyant un sanglier, fonce sur lui, tend son arc jusqu'au fer de flèche, mais se blesse à la main en décochant. Or la pointe de l'arc est empoisonnée et le malheureux meurt car il refuse de se laisser amputer d'un bras.

Ces bandes armées deviennent parfois un véritable fléau pour les pays qu'elles traversent. On livre bataille aux Juifs, aux Slaves. En Hongrie, dans l'été 1096, pour se nourrir, les bandes populaires allemandes et françaises commettent des exactions : le roi hongrois riposte, attaque ces manants, les anéantit ou les disperse. Quand l'armée de Godefroy de Bouillon arrive peu après, craignant que cette troupe-là ne se livre aussi à des excès, le roi pose des conditions à la traversée de son pays et se fait remettre des otages qu'il choisit lui-même – dont un frère de Godefroy de Bouillon –, lesquels répondront des déprédations, s'il s'en commet. De semblables négociations se répètent ensuite avec les autres armées de la Croix.

Enfin, il faut négocier un droit de passage en terre byzantine. Avant même le heurt frontal qui, au début du XIIIe siècle, transforme la Quatrième Croisade en guerre contre Byzance, les chocs sont parfois très graves entre Grecs et Latins, qui ne s'aiment guère. En 1182, le petit peuple byzantin s'en prend à un légat du pape, arrivé isolé. Il est pris et « outragé », puis décapité. Sa tête est attachée à la queue d'un grand chien qu'on fait courir à travers la ville en l'excitant par des cris, comme l'a raconté Guillaume de Tyr, l'un des historiens des croisades.

Bien entendu, pour aller d'Europe en Palestine, la traversée de la mer est inévitable. Elle se réduit parfois au franchissement des Dardanelles sur des bateaux byzantins,

ou à celui du canal d'Otrante sur des navires siculo-
normands. Mais on va aussi en Terre sainte par mer depuis
l'Occident. Au reste, ce sont ces liaisons maritimes qui ont
permis au royaume de Jérusalem de survivre en y amenant des renforts, des armes et du ravitaillement. Dès 1099,
la ville de Pise monte une flotte de cent vingt navires pour
participer à la Première Croisade sous les ordres de son
archevêque. Celle-ci n'arrive à bon port qu'après la prise
de Jérusalem (1099), mais les liaisons maritimes fonction-
nent entre l'Italie et les ports que les croisés conquièrent :
Tortose, dans le nord de la Syrie, dès 1098, puis Haïfa
en 1100, Acre en 1104, Tripoli en 1109, Beyrouth et Sidon
en 1110, Tyr en 1124. Dès 1099, quelques bateaux génois
ont participé à l'expédition pisane. Les Vénitiens envoient
une flotte de dix navires en 1100, une autre de trois cents
bâtiments sous les ordres de leur doge en 1122. Les Normands de Sicile, devenus maîtres de la principauté d'Antioche, arrachent aux Byzantins, dès 1102, la ville de Lattakié,
alias Laodicée, qui devient la base navale de leur nouvel
État asiatique. Durant deux siècles, le voyage maritime
s'effectue désormais sans discontinuer entre l'Europe occidentale et la Terre sainte.

Les bateaux italiens ne sont pas les seuls à effectuer le
voyage. Au début de l'été 1190, par exemple, une escadre
anglaise part des ports de la Manche, arrive fin septembre à Messine, où s'embarque Richard Cœur de Lion, et
en repart en avril 1191 pour atteindre Tyr en juin, après
avoir, au passage, pris Chypre aux Byzantins. De son côté,
Philippe Auguste, embarqué lui aussi à Messine le 30 mars
1191, touche terre à Acre dès le 20 avril. En 1241,
Saint Louis fonde Aigues-Mortes, et c'est de là qu'il
s'embarque pour l'Égypte en 1248, puis pour la croisade
de Tunis en 1270. La durée des voyages sur mer est très
aléatoire : il faut vingt jours pour effectuer la traversée
entre Marseille et Alexandrie, quarante jours entre Marseille et Acre, trente-trois jours pour faire la jonction entre
Aigues-Mortes et Chypre, qui, une fois tombée sous la

domination des Latins, deviendra une escale régulière.

Sur les navires, les croisés sont entassés. On compte parfois près de mille hommes ou plus sur une seule nef, qui d'ordinaire a deux ponts, mesure une trentaine de mètres de long, une douzaine de large et quelque cinq mètres de haut. Dans les superstructures, dites « châteaux », se trouvant l'une à la poupe, l'autre – moins stable – à la proue, sont placés les passagers de plus grande qualité. Les autres sont installés dans un espace très restreint, et de plus en plus inconfortable au fur et à mesure que l'on descend vers le fond de la cale : sur le pont supérieur, dans l'entrepont ou tout en bas, là où les passagers sont mêlés aux animaux. Dans tous les cas, la nuit, les voyageurs sont disposés tête-bêche, avec une couette et une ou deux couvertures pour chaque homme. Il devient donc très difficile de se lever pour aller « se vider ». Seuls les passagers les plus notables ont droit à de vrais repas, sous les « châteaux », à l'appel des trompettes. Mais les cambusiers, eux, ne peuvent guère varier la nourriture [5]. Dans la journée, les croisés qui n'ont pas le mal de mer s'accroupissent pour jouer aux dés ou aux osselets malgré l'interdiction... Mais la principale occupation des voyageurs, c'est chanter et prier.

Sur certains navires appelés « huissières », on charge tout spécialement les chevaux : une grande porte – ou huis – y est pratiquée, généralement vers la poupe, pour faciliter l'embarquement. A l'intérieur, les bêtes sont suspendues par des sangles passées sous le poitrail et sous le ventre pour empêcher les chutes dues au mouvement du navire [6]. La traversée est émaillée d'incidents. Il arrive que le navire s'échoue sur un banc de sable : le capitaine fait alors sonder le fond et des plongeurs vont examiner l'état de la coque. Et puis il y a la tempête, tant redoutée : en septembre 1269 par exemple, l'état de la mer disperse en quelques heures une escadre rassemblée en Catalogne par Jacques le Conquérant, qui avait conçu une nouvelle croisade pour délivrer Jérusalem. Il faut parfois livrer bataille sur mer, fuir par une savante manœuvre pour échapper à des navires infidèles supérieurs en nombre, ou à l'occasion participer au blocus d'un port musulman qu'il faut conquérir [7]. Parfois, l'on n'échappe pas à la catastrophe, mais le croisé – le croyant – s'en remet toujours à la volonté de Dieu.

Lorsque, par voie de terre ou de mer, on est arrivé en Asie, il faut de nouveau prendre la route, longuement parfois : Barberousse met trois mois pour aller des Dardanelles au nord de la Palestine (mars-juin 1190). Le pays et son climat surprennent. Les musulmans utilisent le grand vent, les ronces, les buissons pour encercler de flammes les envahisseurs, en recourant au feu grégeois qui se répand de touffe en touffe. De cruelles maladies frappent les croisés. Le décès de Saint Louis, mort pestiféré, en 1270, sous les murs de Tunis, est connu de tous. Plus émouvante encore est la figure du « roi lépreux », Baudoin IV de Jérusalem (1174-1185), mort à vingt-quatre ans après une longue et lente agonie, supportée, dit-on, avec la piété fervente d'un véritable saint.

## Les sortilèges de l'Orient

Cela n'empêche pas bien des croisés de céder aux sortilèges de l'Orient. Le comte Thibaut de Champagne, roi de Navarre par sa mère, chansonnier, amoureux platonique de l'austère Blanche de Castille, et ses amis (Philippe de Nanteuil, un sire de Montmorency, un comte de Bretagne et le duc capétien de Bourgogne, Hugues IV) tentent en 1239 une folle équipée, qui tourne court, après le massacre des troupes du comte de Bar, qui avait poussé trop avant dans les collines sablonneuses de la côte aux environs de Gaza, dans l'espoir d'une belle razzia, se réduisant à des chevauchées fantaisistes dans la griserie de l'Orient : c'est la « Croisade des poètes ».

Tout politique qu'il soit, le grand empereur Frédéric II de Hohenstaufen (qui est aussi roi de Sicile et devient roi de Jérusalem) n'en est pas moins amoureux de cet Orient. Quand, en 1226, grâce à son amitié avec le sultan d'Égypte, ce prince, croisé excommunié, se fait rendre à l'amiable Jérusalem par les musulmans, il va y faire un séjour, qui est peut-être plus celui d'un esthète que d'un pèlerin. Et lorsque, par déférence envers lui, les muezzins s'abstiennent d'appeler à la prière du haut des minarets, alors même que le traité conclu stipulait qu'ils le feraient librement dans la ville redevenue chrétienne, l'empereur convoque le cadi pour lui reprocher ce silence : « L'un des motifs de mon voyage à Jérusalem, lui dit-il, était d'avoir l'occasion d'entendre ces hommes appeler à la prière en leur chaude langue, par l'invocation d'Allah, sous les étoiles, dans le silence de la nuit. » ∝ La sainteté de la terre du Christ est ainsi parfois éclipsée par la fascination de l'Orient, pour ceux des croisés dont l'esprit n'est pas tout entier occupé par la foi. Cette déviation de la portée du saint voyage se retrouve chez Éléonore d'Aquitaine, partie pour la Deuxième Croisade avec son mari d'alors, le roi Louis VII de France, en un voyage qui devait être la préface de leur divorce. La légende va jusqu'à dire qu'Éléonore eut un musulman pour amant en Terre sainte. Cela ne repose sur aucune source, mais il est vraisemblable que, conjointement avec ses chers et beaux cousins de la maison comtale de Toulouse, cette reine, petite-fille du premier en date des troubadours, le duc Guillaume d'Aquitaine, s'est enthousiasmée pour le climat, les senteurs, le luxe, les fêtes, la luminosité, l'air tantôt ensoleillé, tantôt étoilé, et tous les autres charmes du royaume de Jérusalem.

Pour certains donc, le voyage en Terre sainte s'est mué en cueillette de plaisirs, dans une sorte de paradis d'Allah. Mais ces visions de nourritures terrestres ne doivent pas nous faire oublier la foi, l'abnégation et la course courageuse vers la mort, qui furent le lot de bien d'autres émules de Godefroy de Bouillon.

## Les croisades
## et la poussée démographique

Il est impossible de chiffrer la population qui se déplaça d'ouest en est et s'établit en Terre sainte. Même importante, elle représenta un apport insuffisant, eu égard aux immenses besoins des États latins. Elle se contenta d'occuper les villes et la campagne environnante. Les possibilités gigantesques qui étaient offertes par les terres conquises n'apparaissaient que tardivement aux pèlerins, qui décidaient soudain de rester alors qu'ils escomptaient faire un aller-retour. Il y eut certes des volontaires pour s'installer outre-mer, mais la pression démographique en Europe n'était pas telle que ce pays n'aurait pu l'absorber.

L'idée de « cadets démunis », candidats au départ, n'a pas surgi spontanément et sans preuve dans l'esprit de certains historiens, mais elle ne doit ni être généralisée ni être surestimée. J. Prawer, dans son *Histoire du royaume latin de Jérusalem* (Éd. du CNRS), déclare, au contraire, que le droit d'aînesse n'était pas encore institué, que le problème de cadets sans ressources ne se posait pas encore. Certes, il ne se posait pas, mais surtout parce qu'il y avait encore de la place à prendre en Occident. On se serrait dans les châteaux où cohabitaient plusieurs familles de chevaliers. Ceux-ci pouvaient satisfaire leur goût du combat dans les tournois, les guerres et dans les croisades, mais ces dernières ne semblent pas avoir offert un attrait exceptionnel, et le pape fut heureux de ce que saint Bernard l'aide, à partir de 1145, à convaincre seigneurs et chevaliers de faire un effort particulier pour aider les Occidentaux de Terre sainte. C'est seulement quand un roi, un duc ou un comte se croisait qu'un fort contingent de chevaliers partait avec lui. Certes, chaque année, des pèlerins s'embarquaient, mais il n'y avait pas de motifs économiques et de crise démographique assez puissants pour leur faire quitter la France en grand nombre. Ce n'est pas une mutation sociale qui pressa les Occidentaux outre-mer, mais leur foi, et la part du goût pour l'aventure fut assez mince si l'on tient compte de la proportion de chevaliers qui partirent et de ceux qui restèrent chez eux.

*Michel Parisse.*

## Notes

1. J. Prawer, *Histoire du royaume latin de Jérusalem*, Paris, CNRS, 1969, t. I, p. 178.
2. Cf. E. Baratier, « Une prédication de croisade », *Économies, Sociétés, Civilisations, Mélanges Éd. Perroy*, Paris, Publications de la Sorbonne, 1973, p. 696.
3. Cf. G. Fourquin, *Les Soulèvements populaires*, Paris, PUF, 1972, p. 115.
4. Cf. Y. Renouard, *Études d'histoire médiévale*, Paris, SEVPEN, 1968, t. II, p. 677-713.
5. Cf. J. Merrine, *La Vie quotidienne des marins au Moyen Age*, Paris, Hachette, 1969, p. 163 *sq.*
6. *Ibid.*
7. J. Richard, « Les gens de mer vus par les croisés », communication au Congrès d'histoire maritime de Naples, 1980.

## Pour en savoir plus

*Pèlerinages antérieurs aux croisades et liaisons maritimes en général :*

E.-R. Labande, « Recherches sur les pèlerins dans l'Europe des XIᵉ et XIIIᵉ siècles », *Cahiers de civilisation médiévale*, vol. I, Poitiers, Centre d'études supérieures de civilisation médiévale, 24, rue de la Chaîne, 1958.
M. Mollat, « Problèmes maritimes de l'histoire des croisades », *ibid.*, t. X, 1967.
F. Micheau, « Les itinéraires maritimes et continentaux des pèlerinages vers Jérusalem », *Occident et Orient au Xᵉ siècle* (Actes du congrès de Dijon, 1978), Paris, Société des Belles Lettres, 95, bd Raspail, Publications de l'université de Dijon, vol. LVII, 1979.

*Voir aussi la bibliographie générale, en fin d'ouvrage.*

# 2

# *Godefroy de Bouillon,*
# *le croisé exemplaire*

**Michel Parisse**

Quand les émirs musulmans eurent compris que les Francs étaient les plus forts et que la prise de Jérusalem, en 1099, n'était pas un accident, ils acceptèrent de se soumettre à l'autorité du chef élu par les croisés, le duc Godefroy de Bouillon. Mais, reçus sous sa tente, ils furent très étonnés de le voir seul, sans l'escorte de gens armés, habillé simplement et assis sur la terre, sans tapis de soie. Une telle ascèse rappelait Mahomet lui-même, forçait le respect et l'admiration. Mais qui était donc Godefroy de Bouillon ?

Godefroy appartient à l'une de ces familles qualifiées par les contemporains de « très nobles et très illustres », ce que justifient une parenté royale et l'éclat de la vie de ses ancêtres : le grand-père du duc lorrain était Godefroy le Barbu qui, révolté d'abord contre son roi, devint ensuite et pour dix ans un ferme soutien de la papauté comme marquis de Toscane. Cette même famille comptait parmi les siens le pape Étienne IX, grand-oncle de Godefroy de Bouillon. Ce dernier appartient donc à un clan de ducs, comtes et évêques, à un groupe aristocratique qui gouvernait la Lotharingie depuis 950 au moins. Il n'était que le second fils du comte Eustache de Boulogne et d'Ida, mais son oncle, le duc Godefroy le Bossu, connaissait sa valeur, et à sa mort, en février 1076, il le désigna pour être son successeur à la tête du duché de Basse-Lotharingie. Toutefois, le roi décidait seul et le jeune homme ne reçut que la région d'Anvers, constituée en marche. Il dut attendre les premiers mois de 1087 pour se voir donner le duché de son oncle. Déjà ses mérites étaient connus, et son acharnement à conserver le château de Bouillon lui valait de porter le nom de cette forteresse.

Godefroy exerça les prérogatives ducales avec fermeté, et les historiens belges, tels que H. Dorchy et G. Despy, ont pu montrer qu'il avait tenu sa place avec dignité et énergie, comme ses prédécesseurs. Son duché s'étendait entre la France et le Rhin, et couvrait Brabant, Hainaut, Limbourg, Namurois, Luxembourg, une partie de la Flandre. Il contenait tout ou partie des évêchés de Cologne, Trèves, Liège, Cambrai. Dans cette terre d'Empire, le souverain germanique intervenait fréquemment et possédait des biens : c'était une terre riche avec un axe fréquenté, la Meuse, une région où brillaient les écoles liégeoises et l'art mosan, un pays, enfin, où l'on parlait wallon (roman) d'un côté et thiois (allemand) de l'autre. (Le bilinguisme de Godefroy lui rendit bien service à la croisade.) Outre sa fonction ducale en Basse-Lotharingie, Godefroy avait hérité de son oncle la fonction comtale qui fit de lui, grand avoué, le protecteur de l'église de Verdun. La veuve de Godefroy le Bossu, la fameuse comtesse Mathilde, marquise de Toscane, dame de Canossa, qui fut un indéfectible défenseur de la papauté face à l'empereur, essaya bien de garder pour elle ce titre et cette charge de comte de Verdun ; ce fut en vain, et Godefroy sut défendre ses intérêts. Au reste, il se consacra entièrement à son duché et respecta ses engagements à l'égard de l'empereur.

C'est dans le cœur d'un chrétien fervent que retentit l'appel que le pape Urbain II lança en 1095 depuis Clermont pour faire délivrer le Saint-Sépulcre de l'emprise turque. En Occident, on ne savait pas bien ce qu'était réellement la conquête musulmane, mais on apprit avec stupeur que le pèlerinage de Jérusalem, si ardemment entrepris au XIe siècle, n'était plus possible, et que le

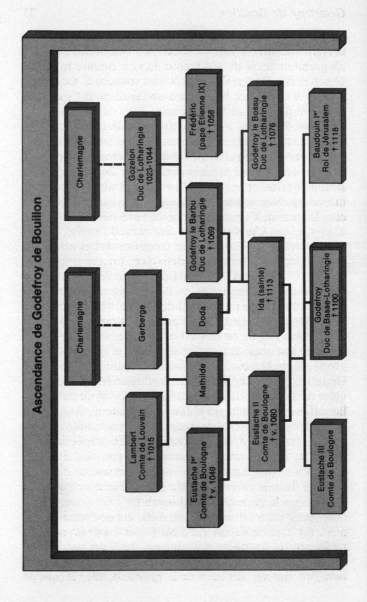

## Ascendance de Godefroy de Bouillon

Charlemagne

Charlemagne

Gerberge

Gozelon
Duc de Lotharingie
1023-1044

Lambert
Comte de Louvain
† 1015

Mathilde

Frédéric
(pape Étienne IX)
† 1058

Godefroy le Barbu
Duc de Lotharingie
† 1069

Doda

Eustache Ier
Comte de Boulogne
† v. 1049

Eustache II
Comte de Boulogne
† v. 1080

Ida (sainte)
† 1113

Godefroy le Bossu
Duc de Lotharingie
† 1076

Baudouin Ier
Roi de Jérusalem
† 1118

Eustache III
Comte de Boulogne

Godefroy
Duc de Basse-Lotharingie
† 1100

païen, le Sarrasin, s'était emparé du tombeau du Christ et en interdisait l'accès aux chrétiens. Des prédicateurs en répandirent le bruit et répercutèrent l'appel pontifical. Comme beaucoup de grands du royaume, Godefroy hésita : c'était leur devoir de combattre pour l'Église et de s'engager vers la Terre sainte, d'y accompagner leur suzerain. Et puis il y avait l'espoir du butin, ou simplement l'attrait de parcourir des pays inconnus. Mais aucun roi ne bougea : leur rôle était de gouverner leur pays et de le maintenir en ordre, non d'aller faire la guerre au loin. Beaucoup de ducs et marquis réagirent sans doute de la même manière à l'heure où les petites principautés se construisaient. Ceux qui partirent facilement étaient des cadets de grandes familles et des chevaliers, par centaines, par milliers. Mais les comtes qui se croisaient furent peu nombreux. Un seul en Allemagne, Émichon ; ceux de Flandre et de Normandie. Au sud de la France, la décision qui lança vers l'est le comte Raymond de Provence et le comte Bohémond de Tarente avait d'autres motifs : la Terre sainte se trouvait à l'autre bout de la Méditerranée, leur mer.

Au nord de la France, Godefroy fut l'un des rares princes à partir. Il s'organisa, réunit son conseil, convoqua ses gens, assembla ses chevaliers, assura son voyage. Comme beaucoup d'autres, il lui fallut, pour obtenir des liquidités, monnayer ses biens. A l'évêque de Verdun, il vendit Stenay ; à celui de Liège, il engagea son château de Bouillon pour avoir de l'or, de l'argent, des pièces, ce qui lui sera nécessaire pour acheter des vivres, des chevaux, des armes, faire des cadeaux, tenir son rang. Beaucoup de nobles durent faire de même, car on n'était pas encore en pleine économie monétaire.

Godefroy part à la mi-août 1096, entouré de Saxons, d'Alamans et de Teutons, ou du moins du peu que fournit l'Empire, complété plus tard par des Bavarois, assisté surtout de Lotharingiens, chevaliers du Hainaut, du Brabant, de Flandre, du nord de la France et de la région de

Bouillon. La Lorraine n'est guère représentée. Mais Renard et Pierre de Toul suivent fidèlement le duc. Les premières difficultés surgissent en Hongrie : le roi craint le retour des excès causés par la troupe inorganisée de Pierre l'Ermite, passée par là l'année d'avant. Mais, dès les premiers jours, le duc tient parfaitement son rôle de chef de l'expédition, envoie des messagers, parlemente, entre en rapports directs avec le souverain local, impose la considération et fait respecter par ses gens la parole donnée. Son armée descend vers Andrinople, puis se dirige vers Constantinople. Une fois à Constantinople, il faut franchir les détroits : les discussions durent longtemps, l'empereur byzantin Alexis Comnène voulant profiter de la puissance militaire des Occidentaux pour reconquérir une partie de son pays envahi par les Turcs. Constantinople est un lieu de rencontre : on y voit bientôt arriver Bohémond de Tarente, qui a suivi la vieille via Egnatia depuis Durazzo, et puis Robert, comte de Flandre, Raymond de Saint-Gilles, comte de Provence, Robert Courteheuse, duc de Normandie, Étienne de Blois, comte de Champagne. Le comte de Boulogne, Eustache, frère aîné de Godefroy, débarque également. Ainsi se retrouvent les trois fils de la comtesse Ida, car le jeune frère du duc, Baudouin, l'a suivi depuis le début.

C'est Godefroy qui, le premier, accepte de prêter serment à Alexis, s'engageant ainsi à rendre les territoires qu'il arracherait aux Turcs. Les discussions, les combats qui ont lieu entre Francs et Grecs, les retrouvailles, les traités ont retardé le voyage jusqu'au-delà de Pâques 1097. Finalement les détroits sont passés et l'immense armée s'engage à travers la péninsule turque vers Nicée. Pendant le long siège de Nicée, Raymond de Saint-Gilles, Godefroy de Bouillon et Bohémond se distinguent car ils sont les plus riches en hommes et en argent, les plus vaillants aussi. Et ils sont tous entourés de combattants courageux.

## Le miracle de la Sainte-Lance

Le long chemin se poursuit à travers des défilés dangereux : bien des embuscades accablent une troupe disparate, en proie à la soif. Antioche, enfin atteinte, représente une nouvelle et longue épreuve. Impossible d'avancer sans avoir soumis cette ville puissante, cette forteresse redoutée que les Byzantins considèrent comme une partie intégrante de leur Empire. Le siège, déjà pénible, est aggravé par une forte disette. Les chefs se disputent fréquemment car nul ne veut céder la première place. Enfin, une trahison permet aux Occidentaux d'entrer dans la citadelle et de s'y implanter. Ils se trouvent bientôt assiégés à leur tour par les infidèles. C'est là que se situe l'épisode de la Sainte-Lance, cette arme miraculeuse avec laquelle Longin perça le cœur du Christ. Cette découverte donne aux combattants les forces nécessaires pour se dégager de l'ennemi. Il reste à atteindre Jérusalem. Peu semblent s'y intéresser encore : Baudouin, le frère de Godefroy, s'attarde à Édesse et Bohémond semble surtout désireux de garder Antioche. Le duc est un des plus ardents à demander qu'on reprenne la route. Il faudra alors s'arrêter devant plusieurs villes et s'en emparer avant de poursuivre. Le comte de Provence veut s'installer à Acre ; Godefroy l'en empêche, puis cède lui-même au mirage et prétend garder Giblet et s'y implanter ; mais lui aussi se le voit interdire.

L'arrivée devant Jérusalem, en juin 1099, presque trois ans après le départ, marque la fin de ce pèlerinage d'un caractère exceptionnel. La Ville sainte est enlevée plus vite qu'on ne l'avait pensé. L'assaut à l'aide des machines de siège est vigoureusement conduit et Godefroy de Bouillon combat au premier rang. Si Raymond de Saint-Gilles prend la tour de David, citadelle de la ville, le duc, pour sa part, qui manie à la perfection l'arc et l'épée, fait la percée décisive le 14 juillet.

Massacre, sang, sueur, épouvante, vengeance, le tableau dépeint par les historiens de l'époque est horrible. Tancrède, un neveu de Bohémond, un fidèle compagnon de Godefroy, pille le Temple ; deux jours après, il en partage les trésors avec le duc, qui pendant ce temps songeait plutôt à prier, selon le chroniqueur allemand Albert d'Aix qui écrivait peu après 1100 : « Tandis que tout le peuple chrétien [...] faisait un affreux ravage des Sarrasins, le duc Godefroy, s'abstenant de tout massacre, [...] dépouilla sa cuirasse et, s'enveloppant d'un vêtement de laine, sortit pieds nus hors des murailles et, suivant l'enceinte extérieure de la ville en toute humilité, rentrant ensuite par la porte qui fait face à la montagne des Oliviers, il alla se présenter devant le sépulcre de Notre Seigneur Jésus-Christ, fils du Dieu vivant, versant des larmes, prononçant des prières, chantant des louanges de Dieu et lui rendant grâces pour avoir été jugé digne de voir ce qu'il avait toujours si ardemment désiré. »

Cette description lyrique de la piété de Godefroy n'est pas excès du chroniqueur. Le comportement du croisé Godefroy de Bouillon dénote tout au long de son voyage une piété sans défaillance et une volonté inébranlable de se sacrifier. Un de ses familiers aurait eu, dès avant l'expédition, une vision de son maître qu'une longue échelle menait directement vers la cour céleste... A plusieurs reprises, le duc avait manifesté sa croyance et son ferme désir d'atteindre Jérusalem. Quand, à Antioche, le découragement tombait sur ses soldats, Godefroy les exhortait à mettre leur espoir dans le nom du Seigneur, à se confier à la main de Dieu, capable de détruire d'un coup des milliers de païens. Alors que certains chevaliers hésitaient à grimper de nuit l'échelle qui devait leur permettre d'entrer dans la ville, Godefroy leur rappelait qu'ils avaient renoncé à la vie terrestre pour l'amour de Jésus-Christ et les incitait à offrir leur vie à Dieu, « sachant bien qu'il appartient à l'amour de Dieu de sacrifier sa vie pour ses amis ». Pour lui, la foi du croisé devait être aveugle et entraîner le don de soi. Sa piété était sans faille : récitation des prières, assistance à la messe, sacrifice personnel. Les clercs de son entourage se plaignaient de ses prières et saintes lectures excessivement prolongées dans les églises après la messe, au point que le repas en était gâté.

Sa foi totale dans le Christ s'accompagnait d'une intolérance aussi totale à l'égard du mécréant. Les récits d'actes de cruauté ne manquent pas, prouvant que l'on s'excitait constamment à tuer les Sarrasins. On vit, à chaque prise de ville, à chaque embuscade, combien la guerre était dure et sans pitié. Or Godefroy de Bouillon, par son ardeur au combat, sa résistance, son habileté, pouvait être considéré comme un chevalier accompli et un guerrier émérite. Bien des exemples de sa force physique sont répétés à l'envi. Un jour, Godefroy défend un pèlerin attaqué par un ours. Il combat la bête à cheval puis à pied, au corps à corps enfin, se blesse gravement avec son coutelas, est sauvé *in extremis* par un compagnon. Un autre jour, près d'Antioche, dans la chaleur d'une empoignade où il fait tomber beaucoup de têtes, « chose incroyable ! il frappa du tranchant de son glaive et coupa en deux un Turc revêtu de sa cuirasse ».

Ces exploits dénotent une force peu commune, même s'ils ne sont pas exceptionnels dans les récits du temps. Après la conquête de Jérusalem, un chef musulman amena un chameau devant le duc en le priant de lui trancher le cou avec son épée car il avait entendu parler de ses prouesses : Godefroy le fit « aussi légèrement que s'il s'était agi d'une oie ». On rapporte encore que, d'une seule flèche, il aurait transpercé trois aigles. C'est cet épisode qui conduisit les ducs de Haute-Lorraine à mettre sur une bande de leur écu les trois alérions (petits aigles) qui rappelaient l'exploit de celui qu'ils se donnaient (à tort) pour ancêtre. Godefroy, il est vrai, est un soldat accompli, un cavalier expert, un combattant particulièrement exercé : il manie l'arc en virtuose et on donne maints exemples de son adresse ; l'épée est entre ses mains une arme terrible. En tout cela, il a hérité de ses aïeux des qualités reconnues. Devant Jérusalem enfin, il anime le siège, monte sur la machine de bois qui domine les remparts, combat en première ligne, résiste aux traits et aux pierres, invente des stratagèmes. Si la légende a exagéré, elle a aussi pris appui sur des faits réels.

Un dimanche de juillet 1099, il fallut élire celui qui gouvernerait le royaume de Jérusalem. C'est le comte de Provence, Raymond de Saint-Gilles, habile diplomate, riche et respecté, valeureux chef de guerre pour le trajet d'Antioche à Jérusalem, qui fut le premier sollicité. Le plus ambitieux était Bohémond de Tarente, mais celui-ci avait fondé sa principauté à Antioche et ne se souciait pas de Jérusalem. On connaissait surtout sa superbe et son autorité. Raymond craignait-il une forte opposition à sa politique organisatrice ? Avait-il le désir de revenir sur ses terres ? Il refusa. Le groupe des barons et des chevaliers se tourna alors vers Godefroy. Les autres candidats possibles, le comte de Flandre ou le duc de Normandie, ne parlaient que de rejoindre l'Europe. Le Lorrain refusa spontanément. Il ne voulait pas être roi. Lorsqu'il accepta finalement le choix de ses pairs, ce fut pour devenir simplement l'avoué du Saint-Sépulcre. Le choix de Godefroy signifiait que pour lui la Terre sainte, Jérusalem surtout, était propriété du Christ et donc du Siège apostolique, qu'il ne pouvait être lui-même qu'un gérant, mettant son bras au service de l'Église. Dans l'Empire germanique, en effet, l'avouerie, garde et protection des églises, se muait souvent en seigneurie, tout en maintenant le respect de l'autorité ecclésiastique.

La charge qui incombait à Godefroy en tant qu'avoué du Saint-Sépulcre était simple : il s'agissait de garder la ville conquise et le tombeau du Christ. Le projet comprenait aussi la distribution de terres aux chevaliers, la conquête des villes aux alentours, la pacification, l'exercice de la justice, la remise en route de la vie économique du pays. Godefroy agit en roi, comme il l'avait fait en duc dans son pays, et avec une autorité qui, faible et peu exigeante au début, se renforça progressivement. Il s'attri-

bua, non sans mal, la tour de David, que Raymond de
Saint-Gilles avait conquise et voulait conserver pour lui-
même ; il constitua un trésor, créa des fiefs, partit à la
conquête d'autres forteresses, eut des entrevues avec les
chefs musulmans impressionnés par son prestige. Il ne put
mener longtemps son programme à bien. Tombé malade
après avoir, écrit Albert d'Aix, mangé une pomme de
cèdre, il ne se remit pas et mourut le 18 juillet 1100, un
an après être entré dans la Ville sainte. Les intrigues qui
devaient confier le royaume à Bohémond de Tarente
échouèrent : c'est à un héritier du même sang que les fidèles s'adressèrent : Baudoin, frère de Godefroy, abandonna
Édesse pour se faire sacrer et couronner à Bethléem, le
25 décembre.

Dès le jour de sa mort, Godefroy entra dans la légende,
et sa mémoire fut honorée d'un respect exceptionnel.
Albert d'Aix, qui regrette de ne pouvoir aller en Terre
sainte, reconstitue vers 1100-1110 l'itinéraire et les hauts
faits du duc. *L'Histoire d'Éraclès*, traduite au XIIIe siècle
en français par Guillaume de Tyr, apporte sa contribu-
tion en soulignant la piété et la vaillance du défunt avoué.

En Occident, il devint ainsi le modèle du croisé parce
qu'il avait été le premier roi de Jérusalem, même s'il n'en
avait jamais porté le titre. Sa gloire rejaillit sur sa mère,
la bienheureuse comtesse Ida, qui, vénérée pour sa piété,
eut pour mérite principal d'avoir donné au monde Godefroy dont une vision prémonitoire lui avait révélé le destin exceptionnel. Bientôt les romans chevaleresques
s'emparèrent de son image. *La Chanson d'Antioche*[1],
composée moins de cinquante ans après la mort de Godefroy, avait le duc pour héros ; elle entra dans le cycle de
la croisade et le seigneur de Bouillon devint le chevalier
au cygne que l'on retrouve dans *Lohengrin*.

L'histoire s'est ensuite emparée avec ferveur du personnage de Godefroy de Bouillon. Méfiants devant les excès
de la tradition, les historiens ont voulu voir dans le personnage un baron favorisé par la chance ou même un

médiocre qui aurait tiré son succès des discordes entre les
véritables chefs. Il faut considérer les choses avec sérénité.
Un point est assuré : Godefroy n'était pas un faible ; il
appartenait à une lignée prestigieuse d'hommes de grande
capacité politique et militaire. Sa piété, qui confinait à la
bigoterie, contrastait certes avec la foi ordinaire de ses
compagnons. Sa force physique est mieux attestée que son
habileté diplomatique, ce qui n'est pas le cas de Bohémond
de Tarente ou de Raymond de Saint-Gilles. Mais on ne
peut mettre en doute son ascendant sur les hommes, ses
qualités de chef lors de l'expédition danubienne. S'il
s'effaça partiellement quand ses deux concurrents se montrèrent plus actifs, il démontra de réelles qualités dans son
gouvernement.

En peu de mois, Godefroy sut amorcer une organisation que paracheva son frère Baudouin, premier roi en titre
et plus « politique ». Il comprit aussi l'intérêt d'un rapprochement avec les chefs musulmans que sa foi profonde
lui avait fait considérer d'abord comme des ennemis irré-
ductibles. Des raisons économiques évidentes justifiaient
au premier chef une telle entente avec les chefs musulmans : les chrétiens avaient besoin de garder les ports
conquis, de faciliter aux pèlerins l'accès à Jérusalem et
d'avoir un approvisionnement régulier ; les musulmans,
de leur côté, souhaitaient conserver une liaison permanente
entre leurs ports et leurs terres de l'intérieur, rétablir le
trafic des caravanes, obtenir l'accès des marchés chrétiens.
Le bon sens politique commandait la prudence : spontanément, les émirs admettaient la supériorité de l'avoué du
Saint-Sépulcre, mais ils auraient peut-être songé à se grou-
per et à faire l'unité sacrée si le comportement des chrétiens n'avait pas été compréhensif. Tous les Francs ne
l'entendaient pas de la sorte et on voyait dès le premier
jour que les qualités et l'intelligence du chef joueraient un
rôle décisif dans le maintien en place des conquérants de
la Palestine.

## Note

1. Poème composé au début du XII<sup>e</sup> siècle par le pèlerin Richard, *la Chanson d'Antioche* a été reprise et renouvelée sous le règne de Philippe Auguste.

## Pour en savoir plus

*La famille :*

M. Parisse, « Généalogie de la Maison d'Ardenne », *Bulletin de l'Institut grand-ducal de Luxembourg*, 1981, en fait une récapitulation récente.

F. Ducatel, *Vie de sainte Ide de Lorraine*, Tournai, 1900.

*La vie :*

Marcel Lobet, *Godefroy de Bouillon. Essai de biographie antilégendaire*, Bruxelles-Paris, 1943. Cet ouvrage tente d'éliminer les aspects trop légendaires pour reprendre l'étude sous un angle historique. Il a suscité des précisions de la part des érudits belges.

H. Glaesener, « Godefroy de Bouillon était-il un ''médiocre'' ? », *Revue d'histoire ecclésiastique*, 1943, p. 309-341.

H. Dorchy, « Godefroy de Bouillon, duc de Basse-Lotharingie », *Revue belge de philologie et d'histoire*, 46, 1948, p. 961-1000.

G. Despy, « La date de l'accession de Godefroy de Bouillon au duché de Basse-Lotharingie », *Revue belge de philologie et d'histoire*, 36, 1958, p. 1275-1284.

G. Despy, « Godefroy de Bouillon et l'abbaye de Saint-Hubert en 1095 », *Saint-Hubert, Cahiers d'histoire*, n° 1, 1977, p. 45-50.

*La légende :*

*Le Chevalier au cygne et Godefroy de Bouillon*, publié par de

Reiffenberg et d'autres, Commission royale d'histoire, Bruxelles, 1846-1859, 4 vol.

*La Chanson d'Antioche*, publiée par Paulin Paris (éd.), Paris, 1948, 2 vol. (roman des douze pairs de France).

La participation de Godefroy de Bouillon à la croisade et les événements de celle-ci sont mentionnés dans tous les ouvrages traitant de la Première Croisade. On peut toujours se reporter, pour les précisions chronologiques, au tome I de l'*Histoire des croisades et du royaume franc de Jérusalem* de R. Grousset, Paris, Plon ; Cf. également, du même auteur, *L'Épopée des croisades*, Paris, Marabout, rééd. 1981.

*Voir aussi la bibliographie générale, en fin d'ouvrage.*

# 3

# *Saint Bernard,*
# *un prédicateur irrésistible*

**André Vauchez**

Le nom de saint Bernard est lié de façon indissociable à l'histoire de la Deuxième Croisade (1146-1149). A juste titre, puisque c'est sous son impulsion que les chevaliers chrétiens, conduits par le roi de France Louis VII et l'empereur Conrad III, partirent une nouvelle fois vers l'Orient. Exploitant l'émotion qu'avait suscitée en Occident la chute d'Édesse entre les mains des musulmans à la fin de 1144, l'abbé de Clairvaux se fit l'infatigable animateur et l'organisateur d'une expédition militaire qui s'ébranla vers la Terre sainte en 1147. C'est par le fameux sermon de Vézelay qu'il invita ses auditeurs à écrire une nouvelle page des *Gesta Dei per Francos* [1] en se portant au secours du Roi des Cieux dont les infidèles menaçaient la patrie charnelle.

L'intervention publique de ce religieux dans les affaires de l'Église et les problèmes militaires peut paraître surprenante. Mais saint Bernard n'était pas un moine ordinaire. Depuis 1130 environ, il était devenu, en raison de son prestige spirituel et de son ascendant, une sorte d'arbitre de la chrétienté. Né en 1091 dans une famille seigneuriale du nord-est de la Bourgogne, il entra à Cîteaux en 1112 et ne tarda pas à donner un éclat singulier à ce monastère où l'on cherchait à restaurer la vie monastique sous le signe de l'austérité et de la fuite du monde. Abbé de Clairvaux en 1115, Bernard se consacra à la réforme des abbayes qui se placèrent sous sa direction, et surtout aux fondations nouvelles qui essaimèrent dans toute la chrétienté. Ainsi naquit l'ordre cistercien qui fut bientôt une des forces spirituelles et temporelles les plus considérables de l'Occident. De ce fait, saint Bernard fut amené à intervenir dans les grandes affaires de son temps.

En 1128, il fit officiellement reconnaître l'ordre des Templiers dont il avait inspiré la règle. En 1130, il apporta au pape Innocent II l'appui de l'Église de France contre son compétiteur Anaclet, contribuant ainsi à faire triompher sa cause. En 1140, il obtint du concile de Sens la condamnation d'Abélard, dont les hardiesses de pensée l'inquiétaient, et en 1145 il eut la satisfaction de voir un de ses fils spirituels devenir pape sous le nom d'Eugène III. Ainsi ancré dans son temps, il est naturel qu'il se soit senti concerné par l'appel lancé par les chrétiens de Terre sainte menacés par la poussée musulmane. Et là encore son intervention fut décisive : quand Louis VII décida de prendre la croix en 1145, son initiative ne suscita pas l'enthousiasme de ses vassaux. Le pape lui-même tarda à envoyer la bulle prescrivant l'organisation de la croisade, et semble avoir envisagé, dans un premier temps tout au moins, de ne l'adresser qu'aux sujets du roi de France.

## La prédication fait merveille

Mais l'intervention de saint Bernard donna à l'entreprise une tout autre dimension : à Vézelay (Pâques 1146), son éloquence enflammée fit merveille et les réticences initiales de l'aristocratie firent place à un enthousiasme communicatif qui gagna toutes les classes de la société. Lui-même décrivit ainsi, non sans une certaine emphase, l'effet de sa prédication : « J'ai ouvert la bouche, j'ai parlé et aussitôt les croisés se sont multipliés à l'infini. Les villages et les bourgs sont déserts. Vous trouverez difficilement un homme entre sept femmes. On ne voit partout que des veuves dont les maris sont encore vivants [2]. »

Dans la réalité, cependant, les choses ne furent pas aussi simples. L'abbé de Clairvaux n'était pas le seul à prêcher la croisade : dans les pays rhénans, un ermite français nommé Raoul, qui se disait moine cistercien et jouissait de l'appui de certains milieux ecclésiastiques, obtenait un grand succès auprès des foules. Autour de ce prédicateur errant se recréait le climat eschatologique de la Première Croisade. Comme au temps de Pierre l'Ermite et de Gautier sans Avoir, une exaltation collective s'emparait des fidèles. Brandissant des lettres qui lui auraient été apportées du ciel par l'archange Gabriel, Raoul les appelait à se rendre à Jérusalem pour y attendre le retour imminent du Christ, et à purifier le monde de tout ce qui pouvait faire obstacle à sa venue, à commencer par les Juifs nombreux dans les villes de la vallée du Rhin : « Vengeons notre Dieu, disait-il, de ses ennemis qui sont devant nous et ensuite partons ! »

Pour mettre fin au massacre des Juifs, l'archevêque de Mayence fit appel à saint Bernard et lui demanda de prendre position vis-à-vis de la prédication de Raoul. Sa réponse ne se fit pas attendre et fut très ferme. Contrairement à certains de ses contemporains – parmi lesquels se trouvait le très orthodoxe saint Norbert, fondateur de l'ordre de Prémontré –, l'abbé de Clairvaux ne croyait pas à la venue imminente de l'Antéchrist et rien ne lui était plus étranger que le climat apocalyptique de la croisade populaire. Aussi condamna-t-il sévèrement l'attitude de Raoul « qui n'a reçu mission ni de Dieu ni des hommes [...]. S'il prétend avoir reçu mission de prêcher par cela seul qu'il est moine ou ermite, qu'il sache que l'office d'un moine n'est pas d'enseigner mais de pleurer ! »

Après lui avoir reproché de braver l'autorité des évêques, il critiqua avec une virulence particulière son attitude à l'égard des Juifs et ses appels au meurtre qui, selon lui, attestaient bien que l'action de Raoul n'était pas inspirée par Dieu mais par le démon, « le père du mensonge qui fut homicide dès le commencement [3] ». Dans une autre lettre adressée aux fidèles de Spire, il précisa les raisons pour lesquelles les chrétiens ne devaient pas céder à la tentation de l'antisémitisme violent : « Pourquoi tourner votre zèle et votre fureur contre les Juifs ? Ils sont les images vivantes de la passion du Sauveur. Il n'est donc pas permis de les persécuter, pas même de les chasser [...]. Ce n'est pas eux qu'il faut frapper du glaive mais les Gentils [4]. » Ces admonestations épistolaires n'ayant guère eu d'effet, Bernard se rendit lui-même en Flandre, Lorraine et Rhénanie dans les derniers mois de 1146. Bien qu'il ne parlât pas l'allemand, son succès fut considérable et il réussit à reprendre en main le mouvement de la croisade, réduisant Raoul à l'obéissance et mettant fin aux massacres. Les sources juives de l'époque lui rendent un vibrant hommage : « Le Seigneur eut pitié d'eux [les Juifs]. Il envoya vers ces vauriens [les croisés] saint Bernard de Clairvaux en France, qui leur dit : ''Allons et montons vers Sion au tombeau de notre Sauveur. Mais gardez-vous de vous en prendre aux Juifs ! Les toucher, c'est toucher la prunelle de l'œil de Jésus, car ils sont ses os et sa chair [...].'' Si la miséricorde de Dieu n'avait envoyé ce prêtre, il n'en serait pas resté un seul qui se fût échappé [5]. »

Mais saint Bernard, lors de sa grande campagne de prédication dans les pays germaniques, ne se contenta pas de condamner les excès populaires. Il proposa à ses auditeurs, avec une conviction communicative appuyée par plusieurs guérisons miraculeuses, sa propre conception de la croisade. Contre les Sarrasins, il appelle à la guerre sainte, non pour les convertir – car il croit à la liberté de l'acte de foi –, mais pour les empêcher de nuire aux chrétiens. « Tuer les païens, avait-il écrit quelques années plus tôt dans son *Éloge des templiers*, serait interdit si on pouvait s'opposer de quelque manière à leurs irruptions et leur ôter les moyens d'opprimer les fidèles. Mais aujourd'hui il vaut mieux les massacrer afin que leur épée ne reste pas suspendue sur la tête des justes [6]. »

L'enjeu de ce combat, qu'il assimile à celui des forces du Bien contre les puissances des Ténèbres, c'est la Terre sainte, le pays de Jésus. La profonde dévotion de saint Bernard à l'humanité du Christ se traduit par un attachement ému à ces lieux « où l'on a vu le Verbe du Père instruire les hommes et vivre au milieu d'eux dans sa forme humaine pendant trente ans ». Lorsqu'il évoque Jérusalem, le ton se fait lyrique et véhément : « C'est la contrée qu'il a illustrée par ses miracles, arrosée de son sang, embellie des premières fleurs de la résurrection. Aujourd'hui vos péchés l'ont fait tomber aux mains des fiers et sacrilèges ennemis de la Croix. Bientôt, hélas, si on ne s'oppose à leur fureur, ils s'abattront sur la ville de Dieu, renversant les monuments sacrés de notre rédemption, souillant les lieux saints que le sang de l'Agneau sans tache a arrosés[7]. »

## Une « catharsis » collective

Pour lui, cependant, la croisade demeure avant tout une aventure spirituelle. L'Église offre aux fidèles, en ce temps de grâce, une occasion exceptionnelle de faire leur salut puisque tous ceux qui prennent la croix sont assurés d'obtenir, s'ils se sont confessés, la rémission pleine et entière de leurs péchés. Devant ses auditeurs hésitants ou sceptiques, saint Bernard fait miroiter le profit qu'ils pourront retirer de l'indulgence de croisade : « Je vous propose un marché avantageux, leur lance-t-il. Prenez cette croix [d'étoffe] ; la matière coûte peu. Mais elle est d'un grand prix : elle vaut le Royaume de Dieu ! » Dans son esprit, l'expédition de Terre sainte n'est pas d'abord un ensemble d'opérations militaires ayant pour but de vaincre les musulmans et d'aider les chrétiens d'Orient : il s'agit d'un pèlerinage sanctifiant qui doit permettre à la chrétienté occidentale de se purifier en rompant avec le péché sous toutes ses formes. Son appel s'adresse en priorité aux guerriers que, par un de ces jeux de mots que l'on trouve fréquemment sous sa plume, il invite à passer de la *malitia* – c'est-à-dire les querelles féodales et les luttes intestines – à la *militia Christi*, c'est-à-dire au service armé du Christ, à la suite des templiers qui constituent à ses yeux l'avant-garde d'une nouvelle chevalerie chrétienne.

Mais, fidèle en cela à l'esprit de la Première Croisade, il se tourne aussi vers les autres : les pauvres, les ribauds, les femmes. Certes, il les invite à ne pas suivre l'exemple de Pierre l'Ermite et à partir pour l'Orient en compagnie des souverains et des gens d'armes. Mais il ne les exclut pas du privilège de l'indulgence et souligne même au contraire que la croisade sera surtout profitable aux mauvais sujets : voleurs, adultères, trublions et autres ennemis de la paix publique. Ce n'est qu'en versant leur sang pour le Christ que ces derniers pourront faire oublier l'énormité de leurs fautes. Cet appel à la « catharsis » individuelle et collective fut largement suivi et on évalue à près de deux cent mille personnes – dont soixante mille hors d'état de porter les armes – le nombre de ceux qui partirent d'Allemagne en 1147, sous la direction de Conrad III.

Cette fidélité même de saint Bernard à l'idéal de la croisade, conçu en termes de sacrement et de liturgie pénitentielle, allait être à l'origine de bien des déboires. Dès leur entrée dans l'Empire byzantin, les croisés germaniques se distinguèrent par leur indiscipline et leur comportement scandaleux, se mettant à dos les populations locales, pourtant chrétiennes elles aussi. Entre les Français, mieux tenus en main par Louis VII, et les Allemands, une forte hostilité ne tarda pas à s'établir, qui rendit difficile toute collaboration ultérieure. Au sein même de chaque armée, de vives tensions se manifestèrent entre les riches et les pauvres, les chevaliers et les pèlerins sans armes. Après plusieurs échecs en Asie Mineure où ils ne purent franchir le barrage opposé par les Turcs, les souverains finirent par abandonner la piétaille, qui fut bientôt massacrée, pour gagner la Terre sainte par voie de mer avec leurs vassaux. Lorsqu'ils y furent parvenus non sans difficultés, ils ne surent pas employer à bon escient les troupes qui leur restaient. Alors qu'il aurait fallu, du point de vue de l'efficacité militaire, attaquer Alep pour délivrer Édesse, Conrad III et Louis VII, se comportant en pèlerins plus qu'en chefs de guerre, se laissèrent entraîner à Jérusalem et perdirent leur temps et leurs forces dans une vaine expédition contre Damas. L'empereur d'Allemagne tira la leçon de cet échec et regagna l'Allemagne dès 1148. Louis VII continua encore quelque temps à guerroyer mais finit par rentrer en France en 1149, en compagnie de son épouse Aliénor d'Aquitaine, qui venait de demander l'annulation de leur mariage.

Saint Bernard fut directement touché par l'issue lamentable de la croisade. Certains n'hésitèrent pas à lui en imputer la responsabilité. Tout en soulignant qu'il n'avait agi que sur l'ordre du pape et à la requête de Louis VII, il ne se déroba pas devant les attaques. Dans le traité *De la considération* qu'il composa entre 1149 et 1152 à l'intention du pape Eugène III, ne déclare-t-il pas fièrement : « Je consens à être privé de gloire pourvu qu'on ne touche pas à la gloire de Dieu. Ce m'est un honneur d'entrer en union avec Jésus-Christ dont on disait : "Les opprobres de ceux qui vous outrageaient sont tombés sur moi" [8]. » Mais il n'en resta pas là et, dans le même ouvrage, il indique quelles furent les causes de l'échec. Celui-ci, à l'en croire, était imputable aux fautes des chrétiens, en particulier des princes qui s'étaient laissés aller à la discorde et à la haine. « C'est pour châtier le péché de l'homme que Dieu a agi comme s'il ne se souvenait plus de sa miséricorde. » Justification un peu courte à nos yeux, car, après tout, les participants à la Première Croisade n'étaient pas non plus des saints et leurs chefs n'avaient pas toujours donné l'exemple de la bonne entente, ce qui ne les avait pas empêchés de prendre Jérusalem. Certes, saint Bernard ne pouvait être tenu pour coupable du fiasco final puisque, après avoir prêché la croisade, il s'était hâté de rentrer dans son monastère pour y retrouver la paix du cloître. Mais peut-être n'y est-il pas aussi étranger qu'il l'a prétendu...

## Responsable de l'échec ?

En spiritualisant l'idéal de la croisade sans se soucier des conséquences de l'ébranlement qu'il avait contribué à créer, en manifestant même une certaine indifférence vis-à-vis des objectifs concrets d'une expédition dont il aurait dû logiquement prendre la tête en tant que légat pontifical, n'a-t-il pas contribué indirectement à sa faillite ? En dépit de certaines apparences, saint Bernard, qui se méfiait de la religion populaire, n'était pas un fanatique de la croisade. Pour ce contemplatif, il était plus important de souffrir pour le Christ et de mourir pour lui que d'atteindre en vainqueur la Jérusalem terrestre. Le passage en Terre sainte pouvait être salutaire pour les laïcs et surtout pour les grands pécheurs auxquels il fournissait une occasion de se racheter. Mais les âmes d'élite, ou simplement de qualité, n'avaient pas besoin de ce rite pour revenir à Dieu. N'a-t-il pas révélé le fond de sa pensée le jour où il écrivit, à propos d'un pèlerin anglais qui, s'étant arrêté à Clairvaux sur le chemin de l'Orient, y était resté comme moine au lieu d'accomplir son vœu : « Il a jeté l'ancre au port même du salut. Son pied foule déjà le pavé de la sainte Jérusalem. Cette Jérusalem qui est alliée à la Jérusalem céleste et qui se confond avec elle par tous les sentiments de son cœur [...], c'est Clairvaux[9]. » La vraie Terre promise, c'est le cloître. Défendre le pays où avait vécu le Christ selon la chair était certes une noble cause. Mais rien ne valait l'entrée dans le monastère cistercien où l'on pouvait s'unir à lui en esprit et participer à l'assemblée des saints, anticipation *hic et nunc* du royaume des cieux.

Si la Deuxième Croisade a connu un tel insuccès, c'est sans doute parce que l'idée de croisade avait perdu sa cohérence interne. Entre les rêves millénaristes des foules, les ambitions dynastiques ou nationales des princes et les conceptions intériorisées d'un saint Bernard, il manquait un dénominateur commun. Il y aura encore de nombreuses croisades jusqu'à la fin du Moyen Age. Mais il ne se trouvera plus personne pour renouer les fils de l'écheveau, et les échecs qui se succéderont montreront combien il était vain de vouloir ressusciter un idéal qui, dès l'époque de saint Bernard, n'était plus qu'un mythe.

## Notes

1. Actions de Dieu par l'intermédiaire des Francs. L'expression a été fréquemment utilisée par les chroniqueurs des croisades pour décrire l'intervention de Dieu dans l'histoire et désigner le nouveau « peuple élu », dont le rôle et les prérogatives étaient comparables à ceux d'Israël dans l'Ancien Testament.

2. Saint Bernard, « Lettre 257 », dans la *Patrologie latine* (*PL*), t. 182, col. 447.

3. Saint Bernard, « Lettre 365 », *PL*, 182, 570.

4. Saint Bernard, « Lettre 363 », *PL*, 182, 564.

5. Rabi Joseph ben Maïr, cité par Joseph Ha Cohen, *La Vallée des pleurs* (XVIᵉ siècle), éd. et trad. J. Sée, Paris, 1881, p. 33.

6. Saint Bernard, « De laude novae militiae », III, 4-5, *PL*, 182, 921-940.

7. Saint Bernard, « Lettre 363 », *PL*, 182, 565.

8. Saint Bernard, « De consideratione », II, 2-3, *PL*, 182, 760.

9. Saint Bernard, « Lettre 64 », *PL*, 182, 169-170.

## *Pour en savoir plus*

G. Duby, *Saint Bernard. L'art cistercien*, Paris, Flammarion, 1979.
J. Richard, *L'Esprit de la croisade*, Paris, Éd. du Cerf, 1969.
J. Leclercq, *Saint Bernard et l'Esprit cistercien*, Paris, Éd. du Seuil, 1966.
Saint Bernard de Clairvaux, *Les Combats de Dieu*, textes choisis et traduits par H. Rochais, Paris, Stock, 1981.

*Voir aussi la bibliographie générale, en fin d'ouvrage.*

# 4

# *La Croisade des enfants a-t-elle eu lieu ?*

**Peter Raedts**

En 1212, l'attention des chroniqueurs est attirée par un phénomène qui paraît transcender l'ordre normal des choses : une croisade qui ne ressemble à aucune de celles qui ont précédé, un mouvement populaire qui déconcerte les auteurs du temps, tant il échappe à tous les schémas habituels. Écoutons ce chroniqueur de Trèves : « Le monde connut en ce temps-là maints événements miraculeux. L'un surtout mérite d'être commémoré, dont l'histoire ne connaît point d'autre exemple. Laboureurs et manouvriers, mus par l'inspiration divine, affluèrent de toutes les régions d'Allemagne vers certains lieux, et se mirent en route pour Jérusalem. »

## Dieu nous soutiendra

Dans certaines chroniques, c'est même le seul événement mentionné pour l'année 1212. Reconstituer les faits n'est pourtant pas chose aisée : nos informations sont fragmentaires, et nul n'a été témoin du mouvement de bout en bout. Ce qui n'empêcha pas les imaginations de s'enflammer : dans diverses annales, des petits poèmes de deux ou trois vers sont consacrés à l'événement, qui trouve donc sa place dans les récits populaires. Une renommée somme toute légendaire qui, loin de s'estomper avec le temps, a survécu jusqu'à nos jours.

Le mouvement est né en Allemagne, dans la région de Cologne, entre Pâques et la Pentecôte (le 25 mars et le 13 mai respectivement) de l'année 1212. Des milliers de personnes, abandonnant soudain troupeaux et charrues, se mettent en marche vers Jérusalem. Rien ne permet de dire qu'ils y aient été incités par qui que ce fût. Leur demandait-on ce qui les avait poussés à se lancer dans une aussi audacieuse entreprise, ils répondaient qu'ils ne faisaient que suivre la volonté de Dieu et que leur intention était de traverser la mer pour aller reconquérir le Saint-Sépulcre, car, disaient-ils, preuve était faite que rois et princes étaient incapables d'y parvenir. Pourtant, le mouvement ne regroupait pas que des idéalistes : un chroniqueur de Cologne rapporte que des gens mal intentionnés marchaient de compagnie avec les pèlerins, s'employant à leur dérober les dons qu'ils recevaient en chemin. L'un de ces brigands fut d'ailleurs emprisonné et pendu à Cologne.

Le chef du mouvement est un certain Nicolas. A ses troupes, il déclarait avoir eu une vision dans laquelle un ange lui annonçait que lui et ceux qui le suivaient étaient appelés à délivrer le Saint-Sépulcre des païens. Nicolas prétendait encore que Dieu leur apporterait son soutien, comme Il l'avait fait autrefois pour les israélites. Il fendrait la mer pour leur permettre d'atteindre la Terre sainte à pied sec. Ayant vu Nicolas à l'œuvre, le chroniqueur de Trèves rapporte que « le chef de l'expédition était Nicolas, un brassier des environs de Cologne. Il portait à la main un signe semblable à une croix, de la forme d'un *tau*, symbole de sa sainteté et de ses pouvoirs miraculeux. Il n'était pas aisé, toutefois, de savoir dans quel métal il était taillé ».

Partis de Cologne, ces croisés d'un nouveau genre atteignent Spire le 25 juillet et, de là, se dirigent vers l'Alsace. Voyage qui dut être éprouvant quand on sait l'exceptionnelle canicule de cette première quinzaine de juillet : beaucoup périrent de faim et de soif avant même d'avoir franchi les Alpes. Heureusement, les croisés furent presque partout chaleureusement reçus et nourris ; seul le clergé se montra réticent. Il dénonça vigoureusement ces hôtes et accusa le peuple de crédulité et de goût immodéré pour le sensationnel.

Il est impossible de savoir avec précision quel chemin fut emprunté pour se rendre d'Alsace en Italie. Mais la mention qu'en font la plupart des chroniques autrichiennes laisse penser que, très probablement, la troupe a franchi les Alpes en Autriche, vraisemblablement par le col du Brenner. Plaisance fut traversée en toute hâte le lundi 20 août, et l'on atteignit la mer à Gênes le samedi 25, où l'arrivée des croisés nous est contée par un témoin. L'heure avait sonné du miracle tant attendu. Mais tout ce qu'ajoute notre témoin, c'est que, le lendemain déjà, la plupart des pèlerins repartaient, sous le coup sans doute d'une déception profonde. Un certain nombre d'entre eux, cependant, restèrent à Gênes.

Après la débâcle génoise, les croisés, de toute évidence, se scindèrent. Certains se rendirent à Marseille, d'autres à Rome, où ils espéraient pouvoir se faire relever par le pape de leur vœu de croisade. D'autres enfin parvinrent plus au sud, à Brindisi, où l'évêque, qui soupçonnait le père de Nicolas de les avoir vendus aux infidèles, leur interdit d'embarquer. Il semble qu'un autre groupe ait réussi à prendre le bateau (où exactement, nous ne le savons pas), mais ses membres furent capturés par des pirates qui les vendirent aux Sarrasins. En fait, tous les auteurs sont d'accord sur un point : sur les milliers de personnes parties joyeusement pour l'Italie, très peu revinrent : « C'est ainsi, déçus et confus, qu'ils prirent le chemin du retour. Eux qui, naguère, avaient coutume de traverser les provinces en troupe, chantant toujours le ciel, voici maintenant qu'ils revenaient un par un, silencieux, nu-pieds et faméliques, aux yeux de tous des sots. Plus d'une jeune fille avait perdu la fleur de sa pudeur. »

## L'embarras de Philippe Auguste

Sur le mouvement de masse un peu semblable qui, en
France, soulevait des milliers de pèlerins, nous ne possédons que fort peu de documents. En juin 1212, surgit à
Cloyes-sur-le-Loir un jeune berger nommé Étienne, qui
prétend que le Christ lui est apparu sous les traits d'un
pauvre pèlerin et lui a demandé du pain avant de lui remettre une lettre destinée au roi de France. Aussitôt, des
cohortes entières affluent vers lui de tous les coins de
France ; trente mille personnes peut-être en tout. Cette
troupe se rend à Saint-Denis, où Étienne accomplit des
miracles en grand nombre. Philippe Auguste, embarrassé,
consulte les maîtres des écoles de Paris, puis, courageusement, décide de renvoyer chez eux les pèlerins qui, sans
tarder, s'exécutent. Dans plusieurs autres villes de France
se déroulent à la même époque des processions où l'on
porte cierges et croix en chantant cet hymne : « Seigneur
Dieu, lève le peuple chrétien et rends-nous la vraie Croix. »
Aucune source française ne fait état de la moindre tentative pour se rendre en Terre sainte et libérer Jérusalem.
Tous les chroniqueurs, au contraire, rapportent que, malgré une certaine agitation, les participants se lassèrent vite
de l'entreprise et rentrèrent chez eux.

Voilà ce que nous apprennent les sources les plus anciennes et les plus dignes de foi. Mais l'histoire ne s'arrête pas
là. Un demi-siècle plus tard, vers 1250-1252, une nouvelle
génération de chroniqueurs rassemble tous les éléments
épars pour en faire une histoire cohérente, qui raconte
comment, dans la France et l'Allemagne tout entières, des
enfants se rassemblèrent autour d'un jeune prophète et
se rendirent sous sa conduite jusqu'en Terre sainte.
Comment, chantant et priant, ils franchirent les Alpes et
atteignirent la Méditerranée, devant laquelle, dans leur
candeur puérile, ils attendirent que Dieu fendît les eaux
pour leur permettre de traverser à pied sec. Et comment,

en fin de compte, à l'attente du miracle ayant succédé une amère déconvenue, ils tombèrent entre les mains de malfaiteurs qui les chargèrent sur des navires et les vendirent sur les marchés d'esclaves de l'Afrique du Nord. C'est sous cette forme que la « Croisade des enfants » est passée dans la culture européenne, et c'est cette vulgate qui a inspiré certains poèmes et romans, tel celui de Marcel Schwob ou plus récemment nombre de romans historiques.

Vulgate dont l'authenticité s'est trouvée sérieusement mise en doute depuis une vingtaine d'années [1]. Un examen minutieux des sources a en effet montré que la chronique d'Albéric, le plus souvent citée pour cette touchante histoire, est hautement sujette à caution. La chronique d'Albéric, moine à l'abbaye cistercienne de Troisfontaines, près de Châlons-sur-Marne, date de 1240 environ. Mais il n'est pas certain que le passage consacré à la Croisade des enfants soit de sa plume, certains indices sérieux donnant plutôt à penser qu'il fut ajouté lors d'une révision du texte effectuée à l'abbaye de Neufmoûtier sur la Meuse, près de Huy, en Belgique, entre 1260 et 1295. Point le plus faible du récit d'Albéric : il postule un déplacement de masse des croisés français entre Saint-Denis et Marseille. Or aucune chronique, au sud de la Loire, ne fait mention d'un tel déplacement, et il paraît bien improbable qu'un événement d'une telle importance ait pu échapper à l'attention des chroniqueurs. Pour toutes ces raisons, le récit d'Albéric semble définitivement rejeté par les historiens d'aujourd'hui.

## Une erreur de traduction

Reste la découverte la plus étonnante, qui ressort de l'examen attentif des sources par opposition aux récits tel celui d'Albéric : nulle part il n'est dit que les participants à cette croisade aient effectivement été des enfants. Plusieurs noms leur sont donnés : pèlerins, pauvres, ou sim-

plement : hommes et femmes. La plupart des chroniques
françaises indiquent que les participants étaient surtout
des bergers. Presque toutes, pourtant, utilisent pour les
désigner le mot latin *pueri*, généralement traduit par
« enfants » ou « jeunes garçons ». Mais cette traduction fait
problème : le chroniqueur de l'abbaye de Marbach, en
Alsace, explique en effet que par le terme *pueri* il entend
les « enfants » aussi bien mineurs qu'adultes. La diversité
des termes employés par les chroniqueurs pour désigner
les participants et l'existence, semble-t-il, d'une catégorie
d'« enfants » adultes amènent à se demander si les auteurs
de l'époque, lorsqu'ils emploient le mot *pueri*, désignent
vraiment une tranche d'âge donnée ou s'ils ne font pas
plutôt référence à toute autre catégorie de personnes. C'est
à cette dernière conclusion qu'aboutissent les récents travaux de Philippe Ariès et Georges Duby. Pour le premier,
le mot *puer* renvoie non pas à un groupe d'âge, mais à
une classe sociale ; il servait à désigner quiconque se trouvait en situation de dépendance ou de servilité : domestiques, etc. [2].

Georges Duby va plus loin encore [3]. Il pense que le
terme fut principalement utilisé dans les campagnes pour
désigner les laboureurs et les ruraux salariés, ainsi que les
fils puînés, qui, étant exclus de l'héritage familial, se trouvaient dans l'obligation d'aller gagner leur vie ailleurs ; en
somme, une classe entièrement nouvelle, composée
d'exclus de la révolution économique du XIIe siècle. Ils
vivaient en marge, souvent dans un grand dénuement, et
constituaient un élément remuant de la population rurale.
La forte poussée démographique postérieure à 950, le
renouveau des échanges et l'accroissement de la circulation monétaire avaient opéré un changement radical dans
les rapports sociaux à la campagne. Avant 1100, les paysans formaient une classe relativement homogène, mais
la croissance économique intensifiait maintenant la
concurrence.

De cette évolution, les paysans les plus pauvres furent

vite les perdants : manquant du capital nécessaire pour améliorer leur rendement, ils se trouvèrent dans l'incapacité de produire quelque excédent que ce soit pour le marché. Le plus souvent, ils durent vendre leurs terres et se louer à leur seigneur ou à un paysan plus aisé, comme gardiens de troupeau ou saisonniers. A moins, bien sûr, de se résoudre à la mendicité. Toutes les sources donnent à penser que les participants à la croisade dite des enfants faisaient partie de cette nouvelle catégorie sociale. Un chroniqueur de Cologne, on l'a vu, rapporte que les croisés, pour se rendre en Terre sainte, avaient abandonné charrue et bétail. Le chroniqueur de l'abbaye d'Ebersheim observe qu'il s'agissait essentiellement de domestiques, hommes et femmes. Elle devait être bien démunie, en effet, cette multitude en route vers le sud, pour que tout le long du chemin elle ait dû vivre des aumônes de ceux qui croyaient en sa mission ! C'est bien aux couches les plus humbles de la société rurale qu'elle appartenait, victimes de la révolution socio-économique. A cet égard, il n'est peut-être pas sans intérêt de noter que c'est précisément dans les régions d'Europe touchées les premières par cette révolution – Rhénanie et nord de la France– que naquit cette croisade.

## Échapper à la misère

Pour ces gens, partir était sans doute un moyen d'échapper à la misère. Mais, si l'évolution que nous avons retracée à grands traits explique pour une large part la Croisade des enfants, elle n'en est pourtant pas la seule cause. Le Moyen Age a connu bien des explosions de mécontentement, bien des soulèvements de désespoir, dus à la pauvreté, qui n'ont pas débouché pour autant sur une longue marche vers la Terre sainte. D'autres causes, d'autres idéaux ont également dû jouer pour que les plus démunis se sentent ainsi poussés à tout abandonner et acceptent de se lancer dans une aventure au mieux incertaine, au pire totalement insensée.

La poussée de fièvre de 1212 n'est pas un événement isolé. Elle plonge ses racines au plus profond de ce vaste mouvement de l'Occident chrétien pour arracher Jérusalem et le Saint-Sépulcre à la domination païenne. Cependant, pour le petit peuple qui se rendait en Palestine, la croisade n'était pas, comme pour les chevaliers, une guerre sainte au service de l'Église. Ses espoirs, son attente étaient tournés vers Jérusalem même, la ville, certes, où le Christ était mort et ressuscité, mais celle surtout où Il était censé devoir revenir à la fin des temps pour juger les vivants et les morts, le lieu de la nouvelle Jérusalem « descendant du ciel envoyée par Dieu » (Apocalypse 21, 10). La libération de la Ville sainte devait marquer, pour eux, le début du dernier âge, l'accomplissement des promesses divines, la fin de toute la misère et de toutes les souffrances qui écrasent l'humanité. La Jérusalem céleste, ce serait « la demeure de Dieu avec les hommes, Il habitera avec eux, et ils seront son peuple, et Dieu Lui-même sera avec eux. Il essuiera toute larme de leurs yeux, et la mort ne sera plus, et il n'y aura plus ni deuil, ni cri, ni douleur ; car les premières choses ont disparu » (Apocalypse 21, 3-4).

Sur le thème de la fin du monde, avaient fleuri de nombreux récits et légendes qui hantaient l'esprit de l'homme médiéval, surtout celui qui n'avait guère à espérer de ce bas monde. Dans tous ces récits revenait comme un leitmotiv l'idée que, lorsque le temps en serait venu, Jérusalem deviendrait le lieu d'événements considérables, marquant pour les pauvres et les opprimés l'aube d'une ère nouvelle, toute de paix et de prospérité. Cette tendance apocalyptique joua un grand rôle lors de la Première Croisade[4].

## Une lettre du Christ

Ce n'était pas un chef militaire que suivaient ces masses inorganisées, mais des chefs charismatiques capables de les entraîner par leurs talents de rhéteurs et de prédicateurs. Des « prophètes » qui prétendaient tenir leur mission d'une révélation ou d'une vision dans laquelle Dieu ou un saint leur était apparu, ou encore d'une missive divine qu'ils auraient mystérieusement reçue. Ainsi disait-on de Pierre l'Ermite, le plus important de tous les chefs populaires de la Première Croisade, qu'il avait reçu, alors qu'il priait devant le Saint-Sépulcre à Jérusalem, une lettre des mains mêmes du Christ. Pour faire la preuve de leur élection divine, ces hommes accomplissaient des miracles et guérissaient les malades partout où ils passaient. Les mérites exceptionnels du chef rejaillissaient d'ailleurs sur ses troupes. C'est ce qui ressort à l'évidence du comportement des « Tafurs » cette effroyable armée de mendiants dont la sauvagerie aveugle, durant la Première Croisade, terrifia autant les chevaliers chrétiens que leur ennemi musulman, mais que les pauvres tenaient pourtant en grande estime.

C'est dans cette tradition populaire que s'inscrit la Croisade des enfants. Les masses parties pour la Palestine en 1212 avaient leurs prophètes : Nicolas pour les Allemands, Étienne pour les Français. Les chroniques montrent clairement aussi que Nicolas se prétendait l'envoyé de Dieu et affirmait détenir son autorité d'une révélation personnelle. Il se faisait fort, en outre, de faire traverser la Méditerranée à pied sec à ses troupes. Le chroniqueur de Trèves, on l'a vu, rapporte que Nicolas tenait une croix en forme de *tau*, emblème du pèlerin, de l'errant et du faiseur de miracles – cette même croix que portaient les prédicateurs itinérants, suivant l'exemple de leur saint patron, l'ermite Antoine. Quant au thème de la lettre reçue du ciel, il parcourt l'histoire du berger français Étienne. Et les grands miracles accomplis par ce dernier à Saint-Denis se retrouvent dans bien des chroniques.

## Le Bien contre le Mal

Selon Rénier de Liège, les participants à la Croisade des enfants se croyaient capables, puisqu'ils étaient les élus de Dieu, d'accomplir ce que n'avaient pu faire les armées de chevaliers envoyées par le pape. D'autres sources, telle la chronique de Marbach, confirment que les croisés avaient la ferme conviction d'agir sur ordre de Dieu : « Beaucoup voyaient en ceci l'effet non d'un entraînement irréfléchi, mais de l'inspiration divine. » C'est donc bien de croisade populaire qu'il s'agit. La libération de Jérusalem et celle de la Terre sainte devaient, en fait, être des idéaux profondément ancrés dans la piété populaire. Comment expliquer sinon qu'après les déconvenues, le désastre même des Troisième et Quatrième Croisades, Nicolas ait pu encore rassembler des milliers et des milliers de personnes prêtes à braver tous les dangers dans le seul but de rendre Jérusalem à la chrétienté ?

Mais la Croisade des enfants n'est pas une croisade populaire comme les autres.

Force est de constater d'abord que pour la première fois les pauvres ne se sont pas mis en route dans le sillage d'une armée de chevaliers, mais de leur propre initiative. La participation des pauvres aux croisades avait sérieusement faibli au cours du XIIe siècle. Lors de la Première Croisade (1096-1099), l'enthousiasme populaire avait été tel que la foule des pauvres conduits par Pierre l'Ermite était partie sans même attendre le rassemblement de l'armée officielle. Mais les pauvres furent totalement absents de la Troisième Croisade (1189-1192). Le prédicateur populaire Foulques de Neuilly réussit à ranimer les énergies pour la Quatrième Croisade (1202-1204), et en 1212, pour la première fois, les pauvres partirent sans attendre l'appel pontifical.

D'autre part, on ne retrouve pas, dans la Croisade des enfants, la violence qui caractérisait les croisades popu-

laires antérieures : cette fois, apparemment, la libération
de Jérusalem n'est plus considérée comme l'aube d'une
ère nouvelle dans l'histoire de l'humanité, avec pour pré-
lude la lutte à mort entre les bons, serviteurs du Christ,
et les méchants, serviteurs de l'Antéchrist, c'est-à-dire les
Juifs d'abord.

Même le chroniqueur le plus hostile ne relève ici aucun
excès commis contre les Juifs ou le clergé. Sans doute
ressort-il de son récit que les relations entre laïcs et clercs
étaient plutôt tendues, les premiers reprochant aux seconds
de s'opposer à la croisade moins par amour de la vérité
et de la justice que par envie et cupidité. Mais il n'est dit
nulle part que cette tension ait dégénéré en conflit ouvert
entre le peuple et le clergé. D'où l'on peut conclure, me
semble-t-il, que l'eschatologie a joué dans la Croisade des
enfants – croisade des pauvres s'il en fût – un rôle tout
à fait négligeable.

Comment expliquer le renouveau de la croisade populaire après la désastreuse Troisième Croisade ? Et pourquoi, lors de ce renouveau, les mythes apocalyptiques
ont-ils joué un rôle aussi secondaire ? Pour y répondre,
il nous faut faire appel à deux éminents lettrés qui, tous
deux secoués par l'issue terrible de la Troisième Croisade,
cherchèrent des voies nouvelles à l'action. Pierre de Blois
d'abord, archidiacre de Bath en Angleterre, secrétaire de
la reine Aliénor d'Aquitaine et auteur d'un *Traité* dans
lequel il examine les raisons de l'échec de la croisade et
propose des moyens propres à ranimer les enthousiasmes.
Il dit l'espoir né dans son cœur lorsqu'il apprit que les
plus puissants princes de la chrétienté – le saint empereur
romain, le roi de France et le roi d'Angleterre – avaient
pris la croix et s'étaient mis en route pour Jérusalem.
Hélas, sa déception fut à la mesure de son enthousiasme.
Les princes, poursuit-il, se sont déshonorés et, en se dis-
putant un royaume terrestre au lieu de faire cause commune contre les infidèles, ils se sont montrés indignes du
royaume de Dieu. Leur richesse les a rendus inaptes à ser-

vir Celui dont la règle est précisément de servir. Écartant les riches, Pierre de Blois se tourne vers les pauvres. Eux seuls pourront délivrer la Terre sainte, car Dieu conquiert non par la force, mais par la faiblesse. D'eux seuls, qui ne possèdent que leur foi en Dieu, peut désormais venir la libération de Jérusalem.

C'est le même discours que tient Alain de Lille, dans un sermon sur la fête de l'Exaltation de la Croix. Selon lui, si la croisade peut être sauvée, ce sera par les pauvres car, à l'instar du Fils de l'homme, ils n'ont pas où reposer leur tête (cf. Luc, 9, 58).

Le premier à proposer la mise en œuvre de ces nobles théories fut le prédicateur populaire Foulques, curé de Neuilly, qui commença à prêcher la croisade en 1198. « Ses sermons, rapporte un chroniqueur, exhortaient une énorme foule de pauvres à venger l'outrage fait à la Croix dans l'Église d'Orient, et c'est à eux qu'il faisait le signe de la croix, jugeant les riches indignes d'un tel bienfait. » D'autres encore partageaient le même idéal, et parmi eux saint François d'Assise [5]. Celui-ci part à trois reprises pour la Terre sainte (en 1212, 1217 et 1219), mais chaque fois il échoue. Son dernier voyage l'amène devant la ville égyptienne de Damiette, alors assiégée par une armée de croisés. Sans hésiter, il se fait conduire auprès du sultan, à qui il prêche la parole de Dieu, bien persuadé que son martyre est proche. Mais le sultan, de toute évidence un homme civilisé, écoute avec bienveillance le petit prédicateur, puis le renvoie au camp des croisés couvert de cadeaux.

Saint François était en réalité l'incarnation sublime des paroles de Pierre de Blois affirmant que le Seigneur n'a nul besoin de nos biens car il vaincra par la faiblesse et l'impuissance bien plus que par la force. Pas question pour l'homme des *Fioretti* de jeter l'anathème contre les musulmans, ni de les massacrer. Ce qu'il veut, c'est les rallier au Christ en prêchant l'Évangile et en recevant la couronne du martyr. Car c'est le sang des martyrs, et non celui des chevaliers, qui doit, selon lui, amener la délivrance de Jérusalem.

Était-ce bien là les idées des croisés de 1212? Les sources sont assez discrètes sur leurs motivations, mais, des rares allusions faites à ce sujet, on peut conclure que les participants à la Croisade des enfants partaient fermement convaincus que Dieu haïssait les riches, les puissants et leurs armées et avait décidé que la libération de Jérusalem s'accomplirait par la faiblesse des pauvres. C'est cette croyance qui explique l'étonnante confiance en soi manifestée par les participants à cette croisade. Puisque, de toute façon, Dieu avait renié les grands de ce monde et leurs armées, pourquoi attendre un ordre du pape ou la levée d'une nouvelle armée de chevaliers?

### Retour à la pauvreté apostolique

La Croisade des enfants permet ainsi de prendre la mesure des violentes aspirations à la réforme qui secouaient l'Église au XIIe siècle. Alain de Lille, Pierre de Blois, Foulques de Neuilly et saint François d'Assise, qui semblent, au premier abord, n'avoir que peu de points communs, sont unis par leur volonté commune de réforme fondamentale de l'Église, d'un retour à la pauvreté apostolique et au mode de vie des premières communautés chrétiennes. Tous quatre s'inscrivent dans le grand courant réformateur qui secoue l'Église de fond en comble à partir de 1100 environ. La réforme grégorienne de la fin du XIe siècle s'efforçait de combattre la déchéance morale de l'Église, surtout parmi les clercs, en restreignant les pouvoirs excessifs des laïcs en matière de nominations. Les réformateurs du XIIe siècle, eux, étaient persuadés que le problème des investitures par le pouvoir temporel n'était qu'un symptôme et que la cause réelle du mal était dans la trop grande richesse de l'Église et dans sa participation aux choses séculières. Pour éviter de se laisser ainsi entraîner, l'Église devait, selon eux, renoncer entièrement à ses richesses et à sa puissance, pour vivre dans le dénuement, à l'image du Christ. L'Église, pensaient-ils, ne se porterait que mieux si, au lieu de mettre sa confiance dans le pouvoir des princes, elle voulait seulement suivre les préceptes de Dieu comme aux premiers temps. Le mouvement atteignit son apogée vers 1200, avec les groupes enthousiastes gravitant autour de Pierre Valdo, dont la prédication est à l'origine de l'hérésie vaudoise, et saint François, par exemple. Une vie chrétienne non fondée sur la pauvreté paraissait alors une contradiction : « La pauvreté devient génératrice de vertus [6]. »

L'importance de la piété dans ce culte de la pauvreté explique également pourquoi les idées apocalyptiques ont joué un rôle à ce point secondaire dans la Croisade des enfants. Si Pierre, en effet, voyait dans la Palestine « un autre ciel » promis aux pauvres, rien par ailleurs ne permet d'affirmer qu'il ait cru au *millenium* ou à toute autre perspective de ce genre. Quant à Alain de Lille et Foulques de Neuilly, ils exhortent leurs suivants au repentir et à la pénitence, tandis que saint François s'emploie à rejoindre le Christ dans la pauvreté. Tous trois croient pouvoir ainsi hâter la délivrance de Jérusalem, mais sans jamais lier celle-ci à une quelconque attente de la fin des temps. Si la Ville sainte doit être délivrée des païens, c'est uniquement parce que le Christ y a vécu et qu'il a sanctifié les lieux par sa mort et sa résurrection. La Croisade des enfants, en somme, apparaît donc, tant en théorie qu'en pratique, comme une résurgence de la croisade populaire dans laquelle violence militaire et vertus chevaleresques auraient cédé le pas devant les armes mystiques des pauvres.

Le mouvement de pauvreté visait à réformer l'Église et la société en convertissant les populations et en les amenant à la pauvreté apostolique. C'était donc un retour à l'Église primitive des Apôtres. Les millénaristes, en revanche, n'espéraient aucun salut d'une réforme mais plaçaient leurs espoirs dans l'avenir immédiat, qui devait voir la destruction de toutes choses existantes, à commencer par l'Église, et leur remplacement par la Jérusalem céleste. Ce qui suffit à expliquer le caractère si particulier de la Croisade des enfants, cette robuste sûreté de soi, comme cette absence totale de la violence destructrice et apocalyptique qui avait dénaturé toutes les croisades populaires précédentes.

La Croisade des enfants : résurgence non apocalyptique, par conséquent, de la croisade populaire, due à l'influence profonde du culte de la pauvreté apostolique. Elle montre que cet idéal toucha principalement les masses pauvres, ce prolétariat déraciné qui errait par les campagnes. Car, si vraiment Dieu avait choisi les pauvres pour délivrer Jérusalem, alors ceux-ci devenaient privilégiés : leur pauvreté n'était plus une source de honte. Plus que toute autre classe sociale, ils pouvaient espérer être les égaux du Christ de pauvreté. Ils n'en devinrent pas plus riches pour autant, mais leur pauvreté même, de fardeau insupportable qu'elle était, se trouva transmuée en une vocation supérieure.

C'est précisément parce qu'ils étaient pauvres qu'ils pouvaient espérer reconquérir cette cité qui, depuis plus d'un siècle, exerçait sa fascination sur le monde chrétien, préfigurant l'accomplissement de la promesse faite par Dieu à son peuple : tous ceux qui auront souffert de pauvreté avec le Christ seront récompensés par un avenir radieux.

*Traduit de l'anglais par Jacques Bacalu.*

## Notes

1. Le premier à contester l'idée que les participants à ladite croisade aient pu être de jeunes enfants fut G. Miccoli (« La Crociata dei fanciulli », *Studi medievali*, 3e série, 2, 1961, p. 407-442).

2. Philippe Ariès, *L'Enfant et la Vie familiale sous l'Ancien Régime*, Paris, Éd. du Seuil, 1973, et coll. « Points Histoire », 1975.

3. Cf. Georges Duby, « Les pauvres des campagnes dans l'Occident médiéval jusqu'au XIIIe siècle », *Revue d'histoire de l'Église de France*, 52, 1966, p. 25-32.

4. Sur les mouvements apocalyptiques au Moyen Age, voir Norman Cohn, *Les Fanatiques de l'Apocalypse*, Paris, Calmann-Lévy, 1962.

5. Cf. article d'André Vauchez, « Comment on devient saint François d'Assise », *L'Histoire*, n° 42, février 1982, p. 49.

6. On trouvera une bonne étude des mouvements de pauvreté dans T. Manteuffel, *Naissance d'une hérésie : les adeptes de la pauvreté volontaire au Moyen Age*, La Haye-Paris, Mouton, 1970. Le passage cité est extrait d'un article de C. Thouzellier, « Hérésie et pauvreté à la fin du XIIe siècle et au début du XIIIe siècle », dans *Études sur l'histoire de la pauvreté*, Publications de la Sorbonne, 1974, 2 vol.

## Pour en savoir plus

*Une étude critique des sources :*

D.C. Munro, « The Children's Crusade », *American Historical Review*, 19 (1913-1914), p. 516-524.

*Un récit plus récent :*

J. Delalande, *Les Extraordinaires Croisades d'enfants et de pastoureaux au Moyen Age*, Paris, Lethielleux, 1962.

*Une vision romantique :*

Marcel Schwob, *La Croisade des enfants*, Paris, Mercure de France, 1896.

*Sur la révolution économique dans la société rurale :*

Georges Duby, *L'Économie rurale et la Vie des campagnes dans l'Occident médiéval*, 2 vol., Paris, Aubier, 1962.

*Une courte histoire des croisades contenant des remarques importantes sur la Croisade des enfants :*

H.E. Mayer, *Geschichte der Kreuzzüge*, Stuttgart, Kohlhammer, 1965.

*Sur les mouvements de pauvreté :*

H. Grundmann, *Religiöse Bewegungen im Mittelalter*, 3e éd., Darmstadt, Wissenschaftliche Buchgesellschaft, 1970.

M. Mollat, *Études sur l'histoire de la pauvreté*, 2 vol., Paris, Publications de la Sorbonne, 1974.

M.-D. Chenu, « Le réveil évangélique », *La Théologie du XIIe siècle*, Paris, Vrin, 1957, p. 252-273.

*Voir aussi la bibliographie générale, en fin d'ouvrage.*

# 5

# *Saint Louis à Tunis*

**Mohamed Talbi**

En un sens il y est toujours. Les touristes, ces pèlerins des temps modernes, de toutes confessions et de toutes langues, connaissent bien Sidi Bou Saïd, « le saint bienheureux » qui a donné son nom à la célèbre station balnéaire des environs de Tunis. Ils savent moins qu'à deux kilomètres, sur la colline de Byrsa, l'antique citadelle de Carthage, parmi les ruines puniques, reposent aujourd'hui, en partie, dans un reliquaire de bronze doré, au-dessus de l'autel, les restes d'un autre saint, Louis IX, auquel une cathédrale fut dédiée sur une parcelle de terre cédée à la France en vertu d'un accord passé entre Hussein Bey et Charles X le 8 août 1830. Saint Louis mourut en effet à Carthage le 25 août 1270.

Que venait faire Saint Louis à Tunis ? Venait-il, comme le prétend Georges Duby, « mourir en martyr dans un grand rêve solitaire » ? Ou, comme l'écrit Claude Cahen, chercher « un sacrifice anachronique » ? Ou, enfin, en précurseur génial des stratégies modernes, frapper au point faible, en Occident, pour desserrer l'étau sur les Lieux saints en Orient ? On n'a pas fini de scruter les intentions réelles ou supposées du roi. Comme ces intentions avaient été tenues secrètes jusqu'à la dernière minute et faute de documents clairs et précis, toutes les suppositions sont possibles et peuvent être étayées d'arguments plausibles.

Saint Louis s'était croisé déjà une fois. En 1249, il attaqua Damiette, sur le littoral, au nord du Caire. Défait à la bataille de Mansourah et fait prisonnier, il fut libéré sur rançon et demeura en Palestine de 1250 à 1254 avant de regagner la France. Lorsque, le 25 mai 1267, il reprit la croix, avec ses fils, l'entreprise ne souleva aucun enthousiasme. Non que la foi ait baissé, mais l'esprit des croisades, les échecs aidant, s'était déjà quelque peu émoussé. Anachronique, l'expédition décidée par Saint Louis se révéla aussi laborieuse. Les conditions matérielles n'étaient guère favorables. Le roi de France avait certes liquidé à son avantage, par le traité de Paris (1259), le contentieux qui l'opposait à l'Angleterre. Mais l'opération était coûteuse et les fonds manquaient. Il fallait construire ou louer une flotte. Il fallait aussi, et surtout, convaincre des alliés réticents. Les préparatifs furent donc longs et durèrent près de trois ans. Au surplus, le roi souffrait de dysenterie depuis quelques années. En fait, c'est déjà un malade qui quitte Paris le 15 mars 1270.

### Dans les ruines de Carthage

De pèlerinage en pèlerinage, l'armée atteint Aigues-Mortes, d'où, après une messe de nuit, elle s'embarque le 1er juillet vers Cagliari qu'elle atteint en six jours. Ce n'est qu'à cette étape que la décision de mettre le cap sur Tunis est prise, ou révélée, aux rois, comtes et barons qui prennent part à l'expédition. Le 17 juillet, après deux jours de navigation, les croisés atteignent La Goulette. Leur armée, forte de dix à quinze mille hommes environ, se retranche dans les ruines de Carthage. Il lui faut lutter contre la canicule, contre le manque de vivres – qui devient préoccupant dès le 20 août – et surtout contre l'épidémie.

L'armée musulmane avait pris position dans la région actuelle de l'aéroport de Tunis-Carthage. Les deux camps étaient entourés de fossés. Dans l'attente de Charles

d'Anjou, frère de Saint Louis et roi de Sicile, on s'était
abstenu pendant plus d'un mois de tout engagement
sérieux. Entre-temps, l'épidémie de dysenterie bacillaire
commençait à frapper dur. Le 3 août, elle emportait le
plus jeune des fils du roi, Jean-Tristan, comte de Nevers,
et le 25, dans l'après-midi, Saint Louis rendait son âme
à Dieu, juste au moment où la nef de son frère Charles
d'Anjou abordait enfin. Le lendemain, en présence des
membres de la famille et selon une coutume qui avait pré-
valu du XIIe au XIVe siècle pour les dépouilles royales, on
procédait à la décarnisation du corps et à l'ébullition des
viscères et des parties molles, qui furent emportées à
Palerme par Charles d'Anjou.

Philippe III, le nouveau roi de France, étant empêché
par la maladie à laquelle venait de succomber son père,
c'est son oncle qui prit la direction d'une armée démora-
lisée et décimée par l'épidémie : faute de pouvoir ensve-
lir tous les cadavres, on les jetait dans le lac, ce qui
provoquait une puanteur insupportable. C'est dans ces
conditions que deux engagements eurent lieu, le 4 septembre puis le 20 octobre. Tous deux tournèrent au désavan-
tage des musulmans, qui n'étaient pas épargnés non plus
par le mal. Dès lors, des deux côtés, on ne pensa plus qu'à
arrêter les combats ; les contingents nomades de l'armée
musulmane n'avaient qu'un désir : gagner, selon leur coutume, les pâturages du Sud ; les croisés, eux, avaient la
hantise d'être surpris par l'automne et ses difficultés de
navigation. Les négociations de paix avaient cependant
leurs adversaires dans les deux camps. Elles n'aboutirent,
après quelques ultimes hésitations du côté musulman, que
le 5 novembre. C'est l'original arabe du traité, scellé d'un
grand sceau de cire avec ruban de soie rouge et verte, qui
nous est parvenu. Il est conservé à Paris aux Archives
nationales. Il stipule la libération des prisonniers, la sécurité pour les voyageurs et commerçants, l'expulsion des
ennemis des deux camps, le droit pour les missionnaires
chrétiens d'officier et de prêcher librement dans le terri-

toire hafside, le paiement par al-Mostancer d'une indemnité de guerre de 210 000 onces d'or et le règlement du « tribut » réclamé par Charles d'Anjou, « tribut » qui, à partir de la date du traité, devait être doublé. Après le départ des croisés, les ruines de Carthage furent systématiquement rasées, perte irréparable et conséquence la plus néfaste de l'aventure.

Ainsi prit fin une curieuse croisade, « déviée » de son but et dont le principal bénéficiaire, on l'a maintes fois souligné, fut Charles d'Anjou qui en profita pour régler à son avantage le vieux contentieux qui l'opposait au souverain hafside. Elle laissa l'impression d'un immense gâchis : pour Michel Mollat, elle fut simplement un « effort financier accompli en pure perte, une armée décimée par la "peste", une flotte anéantie par une tempête d'automne devant Trapani [...] et [surtout] une perte de prestige ». Les croisés, notait de son côté avec indignation un chroniqueur latin, « se retirèrent tous, laissant la moitié des leurs ensevelis dans la terre étrangère, juste punition de leur conduite, parce qu'ils étaient allés en Afrique frauduleusement, contrairement à la volonté de Dieu et à la justice qui leur commandaient de marcher au plus tôt à la délivrance de la Terre sainte[1] ».

## Un traité humiliant

Dans le camp musulman, la situation n'était guère plus glorieuse. Al-Mostancer, qui, après la chute de Bagdad entre les mains des Mongols (1258), venait de se parer pompeusement du titre de calife avec des prétentions de représenter tout l'islam, ne sortit pas grandi de l'épreuve. Certes, il avait épargné à sa capitale l'horreur du pillage qui la menaçait et que la population aux abois commençait à redouter.

« Des bruits alarmants avaient en effet commencé à circuler, et l'on prêtait au sultan l'intention d'abandonner Tunis pour Kairouan[2]. » Le départ des croisés fut donc accueilli avec un immense soulagement, et l'on peut croire Ibn Khaldûn qui nous assure que les populations acceptè-rent « avec empressement » de rembourser à leur souve-rain le montant de l'indemnité de guerre.

Il reste que le traité conclu était préjudiciable, et surtout humiliant, pour le Hafside. Le calife, représentant officiel de tout l'islam, autorisait les missionnaires chrétiens à prê-cher librement sur son territoire ! Cela explique sans doute qu'aucun grand personnage du royaume n'ait signé le traité : ni naturellement le grand cadi Ibn al-Khabbâz, ni les deux chefs de la chancellerie de l'époque, Ibn Abi al-Husayn et Ibn al-Râ'is. Et Baïbars, le sultan mamelouk d'Égypte, écrit avec mépris à al-Mostancer : « Un homme tel que vous n'est pas digne de régner sur les musulmans [3]. »

La résistance aux croisés avait cependant commencé dans la ferveur et l'enthousiasme. Dans une déclaration à son peuple, citant le Coran, le souverain hafside avait proclamé solennellement le *jihād* : « Légers ou lourdement équipés, mettez-vous massivement en campagne ! Avec vos biens et vos personnes, engagez la lutte dans la Voie de Dieu ! Combien cela est meilleur pour vous, si vous le savez [4] ! » Des hommes avaient afflué de partout, y compris du Maghreb central. Pour galvaniser les énergies, les poètes s'étaient mis aussi de la partie. A la nouvelle de la Huitième Croisade qui se préparait et dont on igno-rait au début la destination, Abû Matrûh, poète de cour d'Égypte, lançait, dans un long poème épique, ce cri :

> *Qu'on leur dise, s'ils comptent revenir,*
> *Pour prendre leur revanche ou perpétrer quelque*
>    *mauvais coup :*
> *La maison d'Ibn Luqmân n'a pas changé,*
> *Les chaînes y sont encore, et le geôlier est toujours Sabîh.*

Un poète tunisois prédit à Saint Louis qu'il sera bien-tôt livré à Munkar et à Nakîr, les deux anges chargés de tourmenter les méchants dans leurs tombes.

> *Français ! Tu auras ici le même accueil qu'en Égypte.*
> *Prépare-toi donc au sort qui t'attend.*
> *Ici la maison d'Ibn Luqmân sera pour toi une tombe,*
> *Et tu auras pour geôlier Munkar et Nakîr.*

S'agissait-il d'une mobilisation générale de l'islam contre le christianisme ? Nullement. Jusqu'alors les croisades étaient des conflits locaux qui n'intéressaient que les voisins immédiats. Personne, dans le monde musulman, n'avait saisi à l'époque l'ampleur de l'événement, ni, surtout, sa nature exacte. L'expression *hurûb salîbiya* (croisades) ne fit son apparition que tardivement, à l'époque moderne, et initialement dans les milieux arabes chrétiens ouverts à l'influence française. Les contemporains n'avaient vu dans les croisades que des épisodes de la lutte traditionnelle qui, depuis l'apparition de l'islam, opposait les musulmans aux *Rûm* (Byzantins) en Orient, et aux *Ifranj* (Francs, Latins) en Occident. C'est dans ce cadre général que l'historien maghrébin Ibn Khaldûn (1332-1406) situe clairement l'attaque dirigée contre Tunis « par les Francs que le peuple appelle Français ». Loin de soupçonner les motivations profondes des croisés, il en lie la cause immédiate aux dommages subis « par de gros créanciers français ». Ces dommages sont bien réels et ont même fait l'objet d'une ambassade spéciale, mais, malgré les analogies avec l'expédition d'Alger de 1830, ils sont naturellement sans incidence véritable dans le conflit. On va même jusqu'à évoquer, comme cause directe de l'attaque, la colère de Saint Louis apprenant qu'al-Mostancer l'avait un jour, en pleine cour, tourné en dérision pour sa capture en Égypte. Tout cela indique combien les chroniqueurs arabes contemporains étaient loin de saisir les sentiments qui animaient leurs adversaires.

## L'ignorance de la géographie

De toute évidence, la Huitième Croisade avait baigné, de part et d'autre, dans une ambiance d'ambiguïté, d'igno-

rance et d'erreurs. La direction que lui a imprimée Saint
Louis procède d'une série d'erreurs géographiques –
fausse appréciation des distances –, stratégiques, écolo-
giques, politiques, diplomatiques et humaines. On a surtout beaucoup discuté du rôle joué par Charles d'Anjou,
frère du roi, soit pour l'absoudre, soit pour en faire une
sorte d'éminence grise mue machiavéliquement par ses
propres calculs et intérêts politiques et tirant à temps les
marrons du feu. On a souligné que les chrétiens de Tunis,
y compris les commerçants de Gênes, ville qui avait pourtant fourni le gros de la flotte de Saint Louis, n'avaient
subi aucun dommage, ni de la part des autorités, ni même
des foules. On a noté aussi, sous la tente d'al-Mostancer,
la présence de Frédéric de Castille, cousin de Saint Louis,
et de Frédéric Lancia, cousin de Constance de Hohenstaufen. Drôle de croisade dans laquelle le chef musulman
était assisté de conseillers militaires chrétiens d'un si haut
rang !

La seule âme limpide, dans tout ce monde, paraît être
celle de Saint Louis, dont la sincérité et l'ardeur de la foi
ne font aucun doute [5]. Dans son entourage gravitaient les
missionnaires spécialistes de la conversion des musulmans.
Le plus célèbre d'entre eux est Ramon Marti, excellent ara-
bisant, membre du *Studium arabicum* de Tunis et auteur
du *Pugio fidei adversus Mauros et Judeos*. Il avait sans
doute renforcé en lui l'idée qu'il était possible de convertir
le Hafside de Tunis. Dans l'ambiance de l'époque, avec
ses ambiguïtés, ses ardeurs et ses ignorances, cette
conversion pouvait paraître possible et vraisemblable.
Rappelons-nous, pour mieux comprendre les calculs et les
mentalités des hommes de l'époque, que, grâce aux efforts
complémentaires des clercs et des laïcs conjugués dans la
Reconquête, l'Espagne, conquise par l'islam, avait renoué
avec la tradition chrétienne. Pourquoi, après tout, la patrie
de saint Augustin ne suivrait-elle pas ?

## Notes

1. *Chronicon de rebus in Italia gestis*, cité par De Mas Latrie, dans *Traités de paix et de commerce*, éd. de Paris, 1866, 1re partie, p. 137.
2. Ibn Khaldûn, *Ibar*, éd. de Beyrouth, 1959, VII, 680.
3. Maqrîzî, *Sulûk*, Le Caire, Éd. Matba'at lajnat ul-ta'lif, 1957, I, 601.
4. *Coran*, IX, 41.
5. Cf. « Saint Louis a-t-il existé ? », entretien avec Jacques Le Goff, *L'Histoire*, n° 40, décembre 1981, p. 90.

## Pour en savoir plus

R. Brunschvig, *La Berbérie orientale sous les Hafsides*, Paris, Adrien-Maisonneuve, 1940, I, 53-67.
Cl. Cahen, « Saint Louis et l'Islam », *Journal asiatique*, Paris, 1970, fasc. 1-2, p. 3-12.
M. Chapoutot, « Les relations entre l'Égypte et l'Ifrîqiya aux XIIIe et XIVe siècles d'après les auteurs mamlûks », dans *Actes du Ier Congrès d'histoire et de civilisation du Maghreb*, Tunis, CERES, 1979, I, 141-144.
Ch.-E. Dufourcq, *L'Espagne catalane et le Maghreb aux XIIIe et XIVe siècles*, Paris, PUF, 1966, p. 119-124.
J. Filiozat et P. Huard, « Les épidémies au temps de Saint Louis », *Journal asiatique*, Paris, 1970, fasc. 1-2, p. 35-42.
M. Mollat, « Le "passage" de Saint Louis à Tunis. Sa place dans l'histoire des croisades », *Revue d'histoire économique et sociale*, Paris, 1972, n° 50.

*Voir aussi la bibliographie générale, en fin d'ouvrage.*

# 6

## *Les templiers ou l'échec des banquiers de la croisade*

**Jean Favier**

Qu'est-ce que le Temple ? Fondé au début du XIIᵉ siècle pour défendre le royaume latin de Jérusalem, il apparaît aux yeux de nombreux observateurs du XIIIᵉ siècle comme un simple organisme bancaire. Pour peu que la perte du royaume latin rende moins évident le rôle défensif de l'ordre, beaucoup se demanderont de bonne foi à quoi servent ces moines chevaliers, qui sont surtout des banquiers, et ce que signifie cet ordre fondé pour l'Orient et au sein duquel les maisons d'Occident pèsent d'un poids excessif, dans les structures comme dans le gouvernement.

Le Temple, c'est donc un grand nom, mais sa réputation est douteuse à l'aube du XIVᵉ siècle. De l'Hôpital nul ne trouve rien à dire. Du Temple on chante volontiers l'héroïsme ancien, mais on s'interroge sur l'utilité future. Le Temple servirait-il au cas où une nouvelle croisade conduirait la chrétienté occidentale sur le chemin des Lieux saints ? En attendant, le templier n'est pas une référence. On jure « comme un templier ». On boit « comme un templier ». La chrétienté ne se lèvera pas contre le Temple, certes, mais elle ne fera rien pour le défendre.

Pourtant, c'est un retour à la fonction chevaleresque que signifie l'organisation en « ordres de chevalerie » de quelques organes ecclésiaux nés de la Première Croisade. Certes, les initiatives qui, dans les années 1100, conduisent à la naissance de l'Hôpital, du Temple et des autres

ordres militaires sont tout aussi individuelles et sponta-
nées que le sont, depuis les dernières années du XIe siècle, celles des fondateurs de Grandmont, de la Chartreuse
ou de Cîteaux. Comme pour ce nouveau monachisme, la
volonté de créer un ordre militaire s'inscrit toutefois dans
un contexte idéologique très clair, ou plutôt dans une définition précise de la fonction politique et ecclésiale qu'est
le combat pour la foi.

L'idée maîtresse d'Urbain II était déjà, lorsqu'il prê-
chait la croisade en 1095, de placer ce combat hors de
l'emprise des laïcs. A bien des égards, la croisade apparaît comme un levier politique aux mains de la papauté,
et une arme aux mains du légat pontifical. Rien d'étonnant à ce que, sous les diverses formes que reflète la diversité des fondations, la force de l'Orient latin s'organise
en ordres religieux, échappant ainsi à la double influence
des princes occidentaux et de la féodalité orientale. Cette
même volonté de situer les fonctions séculières dans le
domaine ecclésial s'exprime en bien des propos de saint
Bernard, celui-là même dont la pensée inspire les rédac-
teurs de la règle du Temple.

La chevalerie qui se crée dans ce cadre nouveau est donc
liée à un objectif immédiat, la lutte contre l'infidèle. Mais
l'ordre est lié à l'objectif fondamental : l'établissement
d'un pouvoir théocratique sur le monde chrétien.

Au vrai, en un temps où les dynamismes de la piété se
tournent vers l'Espagne de la Reconquête, puis vers
l'Orient des croisades, la chevalerie religieuse apparaît
aussi comme l'application naturelle de la vocation religieuse. Pour bien des chrétiens, les ordres de chevalerie
prennent le relais du monachisme rénové au temps de la
réforme grégorienne. Après l'austérité cistercienne,
l'héroïsme templier sera la forme idéale du don de soi, en
attendant la pauvreté franciscaine du siècle suivant.

C'est donc ainsi que s'associent, dans le contexte précis des années 1100, l'œuvre de foi et l'action sous sa forme
parfaite. Les nouveaux ordres – l'Hôpital dès 1099, le

Temple en 1118, suivis au milieu du siècle par les teutoniques [1] et les ordres espagnols – sont la mise en forme,
avec une règle volontairement acceptée, d'un organe politique et ecclésial à l'image même de la société chrétienne.
Les trois « ordres » sociaux s'intègrent là dans le même
combat : chevaliers, sergents, chapelains. Ils font des
ordres militaires, du Temple en tout premier lieu, un
microcosme significatif.

L'Hôpital a sa fonction propre. Il assure aux pèlerins,
et plus généralement aux chrétiens de Terre sainte, les
secours matériels et moraux que l'on attend en Occident
des fondations charitables engendrées par les églises : les
soins aux pauvres, les soins aux malades, l'accueil des
voyageurs. Bien différente est la fonction du Temple : protéger les mêmes chrétiens non combattants en Orient,
autrement dit assurer la sécurité des routes de cet Orient
latin qui est né de la croisade. *Le Temple, c'est la gendar-
merie des Lieux saints.* Il est évident, dès les premiers
temps de la conquête, que la croisade demeurera un
moment d'exception. La chrétienté d'Orient a besoin d'une
force permanente. Tout naturellement, les ordres assume-
ront cette fonction.

## Grandeur et décadence

Quelques faiblesses se laissent toutefois noter dès
l'abord. L'autorité du pape s'exerçant rarement sur les
grands chemins, le pouvoir réel est celui du grand maître,
non celui du pontife romain et de ses légats. L'importance
que prend la fonction de défense dans un Orient latin soumis à la constante menace de l'islam conduit d'autre part
l'Hôpital, ordre de chevaliers autant que le Temple, à provoquer une concurrence qui se manifeste fâcheusement
jusque sur les champs de bataille. La défense de la Terre
sainte en souffrira autant que le prestige des ordres. Enfin,
l'échec de l'entreprise théocratique et l'effacement final

du légat après l'avènement à Jérusalem d'un véritable roi mettent les deux grands maîtres en porte à faux par rapport au véritable pouvoir politique.

Il ne fallut que quelques décennies pour que le Temple et l'Hôpital contribuassent par leur insubordination à la faiblesse de cette chrétienté orientale dont ils devaient être la force. Bien des barons venus en croisade, bien des pèlerins en eurent la triste révélation. Au moins l'Hôpital rachetait-il son attitude politique par sa fonction charitable. Pour le Temple, on l'admira tant qu'il fut vainqueur, puissamment fortifié, souvent héroïque. Il y eut des figures de légende. Lorsque, après la chute d'Acre en 1291, on commença d'oublier l'héroïsme, il resta le souvenir des faiblesses.

Autre défaut fondamental : la fonction est en Orient, l'argent en Occident. C'est de la générosité des chrétiens d'Occident que dépend en Orient l'œuvre pieuse et charitable, militaire ou non. Le Temple et l'Hôpital sont très vite riches ; ils s'inscrivent parmi les grands propriétaires fonciers, parmi les rentiers du sol. Mais force leur est d'assurer des transferts de fonds. C'est vrai pour l'Hôpital, qui peut cependant exercer sa charité en Occident ; cela l'est surtout pour le Temple, dont les commanderies européennes sont des exploitations domaniales, des centres de recrutement et des maisons de retraite. Il n'en faut pas plus pour que les templiers se fassent manieurs d'argent. Ils ont les moyens d'assurer le crédit, crédit aux Occidentaux en mal d'argent à la croisade ou en pèlerinage et prêts à rembourser en Europe, crédit en Occident grâce à la masse de liquidités disponibles au siège de chaque maison du Temple.

## L'opposition des templiers

On a souvent parlé de réforme. On en parle encore plus après 1291. Les papes ne cessent d'appeler à la future croisade, et l'on sait qu'une chevalerie aux ordres de l'Église sera nécessaire, comme après la Première Croisade, lorsqu'il s'agira de consolider la conquête après le retour en Europe des croisés. Pourquoi n'unirait-on pas les ordres, que ce soit au profit d'un ordre nouveau ou de l'un des ordres anciens ? Les idées fusent de toutes parts, et l'on esquisse des projets de fusion des ordres militaires aussi bien dans les entourages politiques du pape et des souverains que dans les conciliabules et les méditations de tous ceux que l'on ne consultera jamais. Comme la foi elle-même, la milice de la foi pourrait être unique.

Grand maître du Temple depuis 1298, Jacques de Molay s'oppose de toutes ses forces à l'union. Il l'écrit à Clément V en 1306, un ordre au lieu de deux, c'est un seul grand maître au lieu de deux. Et de multiplier les mauvais arguments : les aumônes diminueraient de moitié, on devrait sacrifier à l'armée l'avant-garde ou l'arrière-garde... Molay va jusqu'à mettre le pape en garde contre une diminution du zèle des moines chevaliers : la rivalité suscite l'émulation et produit un meilleur service de la chrétienté.

L'obstination du grand maître irrite bien des gens, mais Clément V est un velléitaire, surtout soucieux d'éviter les histoires. Alors, il élude. Les choses resteront en l'état. Il sera bien temps de revenir à la réforme des ordres si la croisade se réalise. Parmi ceux qu'agace la passivité de Clément V, il y a le roi de France. Philippe le Bel est un homme à la foi profonde, et l'influence de son confesseur dominicain n'est peut-être pas étrangère à son inimitié envers un ordre trop riche.

Soudain, c'est l'explosion. Un transfuge dénonce l'ordre du Temple : sodomie, hérésie, apostasie y sont choses courantes. On a brûlé des gens pour moins que cela. Clément V tergiverse, temporise, évite d'aller au fond d'une affaire qui, on le sent dès l'abord, ne grandira pas l'Église. Alors, le 13 octobre 1307 au petit matin, tous les templiers de France sont arrêtés sur l'ordre du roi : Philippe le Bel met Clément V devant un fait accompli. Il n'est plus possible au pape de temporiser.

## Des aveux effarants

Depuis des semaines – l'ordre royal est parti le 14 septembre –, les baillis et les sénéchaux ont repéré les maisons du Temple, compté leurs effectifs, étudié leur topographie. Faute de pouvoir se trouver dans toutes les commanderies à la fois, ils ont recruté des lieutenants. Sur place, ils ont loué les services de sergents sûrs et robustes. Des dizaines et des dizaines de personnes, à travers toute la France, savent que l'on va arrêter les templiers. Et pas un templier n'est prévenu. Pas une « fuite »...

Il s'agit de mettre le pape au pied du mur. Le roi n'a pas décidé de juger le Temple : il n'a aucune qualité pour cela, et ses légistes le savent bien. Mais il est gardien de la foi dans son royaume ; il entend que le pape fasse maintenant son office.

Un premier interrogatoire est mené par les commissaires royaux, un deuxième par la commission de cardinaux qu'a finalement désignée Clément V. Les deux interrogatoires concordent à peu près : c'est une longue suite d'aveux effarants et de médiocres défenses individuelles. Les héros de Saint-Jean-d'Acre sont peu nombreux dans le Temple de 1307 ou 1308. La mort a fauché depuis seize ans la plupart de ceux qu'avaient manqués les Turcs en 1291.

Ce qu'entendent, éberlués, les enquêteurs du roi et ceux du pape, ce n'est pas le sursaut d'indignation qui eût peut-être sauvé le Temple. Pas un de ces braves gens ne proteste qu'il n'est évidemment pas entré en religion pour cracher sur la Croix et pour renier le Christ au cours de cérémonies pour le moins burlesques. Pas un ne clame qu'il ne s'est pas fait moine pour adorer finalement une tête barbue. De tout ce qu'on leur reproche, les plus braves font l'aveu et ajoutent qu'ils réprouvaient, qu'ils étaient écœurés, qu'ils étaient bouleversés. Quelques-uns nient. La plupart ont entendu dire... ont entendu raconter... savent que cela se faisait... mais n'ont eux-mêmes rien fait. La médiocrité confond, même si l'on tient compte du cruel manque de défenseurs compétents dans lequel les dignitaires du Temple se sont laissé enfermer par des juristes retors.

Molay, que nul ne torturera jamais, avoue, se rétracte, avoue derechef. Les palinodies du grand maître face à la diffamation succèdent fâcheusement à ses dérobades face à la réforme et à ses silences face aux défauts de l'ordre. A l'heure de l'épreuve, le Temple aurait besoin de caractères autrement trempés. Peut-être faut-il penser que la mauvaise réputation du Temple n'a pas, au cours des dernières années, poussé vers lui les chrétiens d'élite. Il n'est pas besoin de solliciter beaucoup les témoignages pour voir qu'à cette heure l'Hôpital est mieux gouverné que le Temple.

Bien sûr, l'historien peut faire la part des choses dans ce tissu d'accusations invraisemblables et cependant acceptées. De la sodomie, le Temple n'avait certes pas le monopole, non plus que de l'ambiguïté théologique. Il est aisé, pour des juristes et des théologiens, de s'indigner et de confondre de rudes soldats à coups de subtilités dogmatiques. Leur a-t-on fait vénérer un reliquaire en forme de buste comme il en est tant dans les églises médiévales qu'un siècle de tradition verbale d'ancien soldat à jeune soldat suffit à faire du reliquaire une « tête barbue d'aspect terrifiant » et de la simple vénération une coupable adoration. Le templier n'a qu'une culture bien limitée. Sait-il que vénérer est une pratique de piété et qu'adorer est un crime si ce n'est adorer Dieu lui-même ? Le templier moyen comprend-il la portée de son geste quand il fléchit le genou ?

Les obscénités qui se succèdent au fil des dépositions ont certainement de quoi lever le cœur. Mais sont-elles autre chose qu'un « bizutage » ? Ne sont-elles pas l'accueil grotesque des « bleus » tel que tant de communautés en ont imaginé les formes innombrables au cours des siècles ? Un théologien a tôt fait de baptiser ces gestes – qui nous paraissent choquer le bon goût plus que la religion – des divers noms qui conduisent au bûcher. Geste imbécile, résidu possible d'une mise à l'épreuve conçue en fonction des aléas de la guerre contre l'infidèle, le crachat sur la Croix devient apostasie. Aux mains des professionnels de la définition juridique, le templier n'est qu'un jouet.

Cela dit, pourquoi Philippe le Bel et ses gens – Nogaret et Plaisians en premier lieu – s'acharnent-ils à ce point ? On a évoqué à bien des reprises la fortune du Temple et la détresse financière du roi, particulièrement sensible depuis que la victoire de Mons-en-Pévèle et la paix d'Athis ont privé le gouvernement royal de la seule justification possible à l'exigence d'un impôt extraordinaire : la guerre. On a dit et écrit que le Temple était mort parce que le roi voulait ses biens. C'est oublier un peu vite que les templiers sont les banquiers du roi et que le trésor royal est... au Temple. Depuis 1303, comme avant une expérience d'établissement au Louvre tentée en 1295, les templiers de Paris ont la garde du trésor du roi.

On ne peut nier que le séquestre des biens de l'ordre procure au roi, pendant quelque dix ans, un singulier crédit. Mais ce sont là les mêmes avantages que ceux, bien connus, d'un emprunt forcé. Car en définitive, et sur l'intervention même d'Enguerrand de Marigny parlant au nom du roi, les biens du Temple seront remis à l'ordre de l'Hôpital. Au terme de l'affaire, lorsqu'on apurera les comptes au temps de Philippe V le Long, le passif excédera l'actif : l'Hôpital devra de l'argent au roi.

Alors, capable d'emprunter aux villes, aux officiers, aux banquiers et au Temple aussi bien que naguère aux Lombards ou aux Juifs, pourquoi Philippe le Bel prendrait-il l'énorme charge de cette gestion des domaines du Temple alors qu'il lui est possible d'emprunter, sans charge, le

montant même de ces domaines ? Sans nul doute, les revenus du Temple aident, quelques mois durant, aux échéan-
ces du trésor royal. Effet incontestable de la saisie, ce ne
saurait être la cause de toute l'affaire.

De même a-t-on évoqué le péril politique. Le Temple,
État dans l'État, doit disparaître parce qu'il met en danger la couronne du Capétien. Il est vrai que les récents
conflits avec l'Église situent cette préoccupation – être le
seul maître dans son royaume – parmi les idées directri-
ces de la politique de Philippe le Bel. Mais comment expliquer, si le Temple est mort d'avoir été trop puissant, que
l'influence du roi se soit exercée au concile de Vienne en
faveur de la solution qui faisait d'un autre ordre une puissance encore plus grande ? La dévolution des biens du
Temple à l'Hôpital ruine l'explication facile qu'est la
jalousie politique.

## L'indignation du roi

Au vrai, le Temple est mort d'une double raison d'État.
Aux origines de l'affaire, il y a l'indignation, sans doute
sincère, d'un roi que choque l'énoncé des accusations por-
tées contre l'ordre et que scandalise la mauvaise volonté
d'un pape qui souhaite n'avoir pas à intervenir et s'ac-
commode du mal en pensant que le scandale pourrait bien
attendre le pontificat suivant. La première raison d'État,
c'est la volonté de Philippe le Bel qui s'affirme défenseur
de l'orthodoxie et substitue son pouvoir ecclésial à celui,
défaillant en l'affaire, du pape Clément V. La chute du
Temple est bien, à cet égard, l'une des suites logiques de
la querelle avec Boniface VIII : il s'agit de savoir qui est
maître de l'Église de France, et de savoir où passe la
démarcation entre le pouvoir royal dans les choses de la
foi et le pouvoir pontifical dans les choses du monde. Le
roi se mêle du Temple en vertu de la responsabilité qu'il
revendique dans le magistère. La foi et les mœurs, c'est

aussi l'affaire du roi de France sacré avec le saint chrême de l'ampoule apportée par la colombe. Si l'on oublie que Philippe le Bel se sent comptable du salut éternel de ses sujets, on ne comprend rien à sa politique.

Mais à un Nogaret gravement compromis dans l'affaire d'Anagni – même si la gifle relève de la légende – et à un Plaisians connu pour avoir mené le combat contre Boniface VIII, c'est la monnaie d'un marchandage aux cent facettes qu'apporte avantageusement l'affaire du Temple. Nogaret et ses proches poussent le roi parce qu'ils attendent leur *quitus* politique et moral d'un équilibre entre les armes du roi (procès contre la mémoire de Boniface VIII, affaire du Temple) et celles du pape (tumulte d'Anagni, excommunication des Flamands révoltés).

Le temps passe. La raison d'État frappe une deuxième fois. Les enquêtes successives ont montré les fautes des templiers, non la faute de l'ordre. Or, l'Église pardonne au pécheur qui se repent. Sans nul doute, Clément V et le concile laisseraient volontiers les choses s'arrêter à l'absolution des templiers repentis. Mais le roi de France ne peut laisser le scandale s'enliser. Il a délibérément ouvert la crise, il doit la conduire à son dénouement. On ne peut s'en tenir à une réprobation tacite de l'ordre et à la réconciliation des personnes.

Alors, c'est en 1310 le procès brusqué des templiers de la province de Sens, autrement dit de la région parisienne. Les principaux templiers tombent ici victimes d'une procédure au reste parfaitement régulière et bien connue des moins ignares dès le départ : elle voue au bûcher le relaps, celui qui, ayant avoué ses fautes, revient sur l'aveu et donc sur l'expression de son repentir. Et c'est en 1314 la fin tragique des dignitaires Molay et Charnay, conduits au bûcher non pour avoir défendu le Temple depuis qu'on l'accuse mais pour avoir au dernier moment répudié des aveux extorqués – sans torture – à leur médiocrité autant qu'à leur faiblesse.

La bulle *Vox in excelso* (3 avril 1312) supprime l'ordre

du Temple. L'ordre de l'Hôpital s'enrichit des biens de son rival. Il deviendra, au long des siècles, l'ordre de Rhodes, puis l'ordre de Malte. L'idée de constituer la chevalerie en ordre n'est donc atteinte en rien, si ce n'est que nul ne songera plus à lui donner la forme d'un ordre religieux au sens canonique du terme. Nul ne tentera plus de doter la chrétienté d'une force militaire permanente. Mais il reste l'idée que l'on peut « ordonner » la chevalerie. Les princes, dès le milieu du XIVe siècle, vont s'employer à l'ordonner de la sorte à leur profit.

Ordre social, la chevalerie héritée des siècles féodaux ne garantit plus que très imparfaitement les vertus militaires. Le lien vassalique, lien de fidélité générateur d'un service à l'origine, est devenu un lien féodal : on est, pour des fiefs différents, vassal de seigneurs qui s'affrontent et que l'on peut cependant servir tous à la fois. La complexité du système politique né de la rémunération de la fidélité par le fief rend ainsi douteuse la mieux établie des fidélités.

La morale chevaleresque, l'éthique de l'aristocratie chevaleresque, est elle-même en défaut : elle assure tant bien que mal le droit des armes, mais elle n'aide pas à la cohésion des armées. Elle garantit la loyauté, non la discipline. Les Valois feront, à Crécy et à Poitiers, la dure expérience de ces insuffisances. La prouesse y gagne, non l'efficacité. Vive la renommée ! Tant pis pour la victoire !

## L'idéal chevaleresque n'est pas mort

Le désir demeure vif d'un idéal chevaleresque, que magnifie la légende et que célèbrent, après les chansons de geste des XIIe et XIIIe siècles, les romans de chevalerie dont se repaîtront encore les contemporains de Don Quichotte. Faut-il rappeler que cette littérature fera la fortune des premiers imprimeurs français, autant que Sénèque et Cicéron ?

Les princes, eux, voient bien ce que peut leur apporter la sacralisation de l'organisation hiérarchique. Ce qu'ont un temps assuré l'hommage et le serment vassalique, l'ordre de la chevalerie va le restituer : un libre engagement, exclusif de tout autre lien, où l'honneur personnel est en cause et qui garantit le service jusqu'à l'héroïsme. Le vassal du X$^e$ siècle devait servir son seigneur jusqu'à la dernière goutte de son sang et jusqu'à l'encontre de son propre lignage. Les chansons de geste ont mis en scène ce choix bouleversant du fidèle sur le champ de bataille : combattre son père ou tomber dans la félonie. L'engagement volontaire conduisait à choisir le seigneur. L'ordre nouveau aura cette force-là.

Chacun veut donc avoir « sa » chevalerie. Comme le seigneur du X$^e$ siècle, et comme le pape au temps des ordres réguliers. La chevalerie nouvelle renoue avec la même préoccupation : assurer le lien le plus fort, celui qui fait la cohésion du groupe armé et la puissance de l'autorité politique. La fidélité sera, au sein des ordres nouveaux, sans condition et sans rivale.

La liste s'ouvre avec l'ordre de l'Écharpe que crée en 1330 le roi de Castille, Alphonse XI. Quinze ans plus tard, le futur Jean le Bon et son oncle Eudes IV de Bourgogne ébauchent le projet d'une congrégation de Saint-Georges. En 1349, enfin, Édouard III d'Angleterre fonde la Jarretière. Jean le Bon lui donne la réplique deux ans plus tard avec l'ordre de l'Étoile. Au siècle suivant, Philippe le Bon et Louis XI poursuivront, avec la Toison d'or (1429) et Saint-Michel (1469), la tradition d'un groupement sélectif d'une chevalerie soudée à son maître par l'engagement volontaire qui la distingue et lui crée des obligations. Culte de l'honneur et culte de la prouesse seront les deux colonnes de la fidélité des élites qui fait la cohésion de l'État.

Recrutement dévié par les inévitables privilèges de l'hérédité, efficacité limitée sur les champs de bataille, la chevalerie d'ordre devient avec le temps une distinction supplémentaire, un complément de noblesse ou une étape vers la noblesse. La fin de l'Ancien Régime connaît des ordres qui sont autant de « décorations », au sens moderne du mot. L'esprit des premiers fondateurs reparaît, un temps, lorsque Bonaparte imagine sa Légion d'honneur : il s'agit de souder par un lien personnel l'élite du régime issu de la Révolution. La Légion d'honneur ne prend pas seulement la place des sabres et des fusils d'honneur. Elle est un corps, hiérarchiquement organisé, et elle veut être un corps social. En fait, elle ouvre la voie à la noblesse impériale. Une nouvelle fois, l'histoire s'est répétée.

Qui l'eût cru ? Si le malheur du Temple lui vaut une place à part dans l'histoire, l'ordre du Temple n'est pourtant que l'une des formes prises au cours d'un millénaire par un type toujours répété d'organisation de la société politique. Né avec la théocratie pontificale et avec le rêve oriental de la chrétienté européenne, il disparaît quand l'une s'effondre et l'autre s'estompe. Il représente l'un des moments de la longue histoire de la chevalerie.

## Note

1. Cf. l'article de P. Dollinger, « Les chevaliers teutoniques », *L'Histoire*, n° 46, p. 28.

# II

# La guerre sainte

# 7

# *Une guerre*
# *pour le royaume des cieux*

**Philippe Contamine**

De la guerre sainte, retenons, au départ, la définition la plus simple et la plus large : une guerre menée par un pouvoir spirituel ou, tout au moins, pour ce pouvoir, à des fins religieuses.

Ainsi que l'a montré Carl Erdmann dans un très beau livre, *Die Entstehung des Kreuzzugsgedanken*, la croisade, envisagée comme une guerre et non, ce qu'elle fut tout autant, comme un pèlerinage, doit être considérée comme un type particulier de « guerre sainte ».

La croisade représentait un type particulier de « guerre juste », concept à la fois moral, juridique et théologique, autour duquel s'organisa une bonne partie de la réflexion politique chrétienne, du moins à partir de l'ère constantinienne (IVᵉ siècle), c'est-à-dire à partir du moment où les chrétiens eurent le pouvoir dans l'Empire romain. Auparavant, en effet, les rapports entre la guerre et le christianisme se posaient en des termes tout différents puisque la responsabilité politique appartenait aux empereurs païens.

Ici, comme dans bien d'autres domaines, le Moyen Age occidental hérita de la pensée de saint Augustin (354-430), quitte à l'interpréter, à la développer, voire à la déformer. Pour l'auteur de *la Cité de Dieu*, une guerre est juste à trois conditions : elle doit être déclarée et menée par l'autorité légitime, avoir pour but de repousser un attaquant ou

de récupérer un bien, procéder d'une intention droite.
Ainsi un empereur sera dans son droit moral s'il fait une
guerre pour reconquérir une province perdue par l'Empire
au profit des Barbares, dans le but de ramener la paix,
et non par cruauté ou par cupidité. Cette guerre juste,
parce que inévitable ou nécessaire, ne procure ni à son
auteur ni aux participants un quelconque mérite spirituel.
Cependant, saint Augustin est parfois allé plus loin : à propos de la lutte contre l'hérésie donatiste qui ravageait
l'Afrique du Nord – lutte qu'il approuve et même préconise –, l'évêque d'Hippone parle d'une guerre ayant
Dieu pour auteur (*bellum Deo auctore*), dans laquelle les
combattants agissent comme ses serviteurs.

Grégoire le Grand (pape de 590 à 604) semble introduire
une idée nouvelle lorsqu'il envisage, dans une de ses lettres, la possibilité d'une guerre « missionnaire » en vue de
l'expansion du christianisme, « pour la dilatation de l'État
où nous voyons Dieu faire l'objet d'un culte [...], de telle
sorte que le nom du Christ se répande tout autour par la
prédication de la foi ».

Il est vrai que cette innovation théologique demeura
sans conséquence pendant des générations. Il faut attendre l'époque carolingienne (VIIIe-IXe siècle), c'est-à-dire
l'union retrouvée, en profondeur, entre la plus haute autorité temporelle (l'empereur) et la plus haute autorité spirituelle (le pape), pour voir se développer la notion de
guerre sainte. La conquête de la Saxe par Charlemagne
se pare de motifs religieux. L'abbé Warneharius, qui s'était
illustré dans la défense de Rome, est qualifié d'« athlète
du Christ », expression traditionnellement réservée aux
saints. Richer de Reims place dans la bouche du roi Eudes
s'adressant à ses troupes à la veille d'un engagement contre
les pirates normands le discours suivant : « C'est un honneur de mourir pour la patrie et il est beau de se sacrifier
pour la défense des chrétiens. »

Au premier chef, les circonstances politiques furent à
l'origine de ce glissement progressif de la guerre juste à

la guerre sainte. L'Occident, une fois achevée l'expansion franque, se trouva assiégé par des peuples païens ou infidèles : Sarrasins qui écumaient les côtes de la Méditerranée et, parfois, pénétraient assez loin en profondeur ; Hongrois dont les raids terrifiants ravageaient la Germanie, la France, l'Italie ; Vikings qui, non contents de remonter le cours des fleuves en pillant, tuant et rançonnant, réussissaient à s'implanter durablement. A Rome, la papauté n'était plus à l'abri. Responsable du patrimoine de saint Pierre, il lui fallait le défendre, et l'on comprend son recours aux motivations religieuses pour raviver le moral de ses troupes. En 853, à propos d'un combat contre les Sarrasins, le pape saint Léon IV écrit qu'à tous ceux qui y trouveront fidèlement la mort le royaume des cieux ne sera pas refusé : « Car le Tout-Puissant sait que tous ceux qui périront, ce sera pour la vérité de la foi, le salut de la patrie et la défense des chrétiens. » Une étape nouvelle, dans la même direction, est franchie par le pape Jean VIII en 878 : à un groupe d'évêques qui lui avaient demandé si ceux qui mourraient pour la défense de l'Église, de la religion chrétienne et de l'État obtiendraient l'indulgence pour leurs péchés, il répondit en leur promettant, au nom de son pouvoir de lier et de délier, une absolution générale, comparable à celle que Jésus accorda sur la croix au bon larron.

Le grand tournant se produisit à partir du milieu du XIe siècle. Plusieurs éléments viennent l'expliquer. A la faveur d'un processus très lent, dont le point de départ doit être cherché à l'époque carolingienne, la fonction militaire au sein de la société chrétienne, la *militia*, acquiert peu à peu une valeur positive dans l'ordre moral et spirituel. C'est là l'origine de l'idéal chevaleresque, proposé et prescrit par les clercs, que l'on trouve déjà pleinement développé dans les premières chansons de geste aussi bien que dans des œuvres didactiques comme le *Liber de vita christiana* de Bonizo de Sutri, composé peu avant la Première Croisade. Par ailleurs, la réforme dite grégorienne

donna un essor décisif à l'idée que l'Église, en particulier
la papauté, pouvait et devait, à ses fins propres, mener
des guerres contre ses ennemis de l'intérieur et de l'extérieur. Détentrice à part entière du « droit de glaive » (*jus
gladii*), il lui était loisible d'utiliser la force armée. Contre
l'empereur, lors de la querelle des Investitures, contre les
trublions locaux, contre les infidèles. Voici qu'apparaissent les expressions *militia Christi, militia sancti Petri*,
pour désigner les combattants au service du pape. Troisième composante : l'Occident chrétien, bénéficiant d'un
sensible essor économique et démographique, se vit en
mesure de reconquérir des terres jadis perdues (en Espagne, en Sicile), mais aussi d'intervenir dans la Méditerranée orientale à une époque où le vénérable voisin grec,
désormais réputé schismatique, montrait d'évidents signes
d'essoufflement et où la poussée des Turcs Seldjoukides
aboutissait à la soumission de l'Asie Mineure.

En 1063, le pape Alexandre II accorda aux guerriers
chrétiens qui combattaient les Maures en Espagne la rémission de la pénitence qu'avaient entraînée leurs péchés. Une
dizaine d'années plus tard (1074), Grégoire VII envisagea
une guerre en Orient contre les infidèles, guerre dont il
prendrait lui-même la tête et dont les participants seraient
appelés à se rendre jusqu'au Saint-Sépulcre de Jérusalem.

Cependant, c'est Urbain II qui, par sa géniale initiative
de 1095, suscita cette forme achevée et presque unique de
guerre sainte que fut la Première Croisade. Guerre sainte,
elle le fut dans la mesure où le pape en prit seul l'initiative, au nom de la Sainte Église, et où son représentant
présida à son déroulement ; dans la mesure aussi où ceux
qui y participèrent furent considérés comme des pèlerins,
c'est-à-dire des personnes protégées, bénéficiant d'un statut particulier reconnu par le droit canonique. De plus,
il s'agissait d'une guerre destinée à secourir les chrétiens
d'Orient face au plus redoutable et au plus acharné des
ennemis de la Croix, d'une expédition menée au nom du
Christ avec comme objectif suprême le pèlerinage au Saint-

Sépulcre, la libération de Jérusalem – ce lieu saint par excellence et le centre de la géographie chrétienne.

## Dieu le veut

Les intentions des croisés devaient être d'ordre spirituel, l'indulgence plénière devait être leur récompense. Ainsi que le dit le deuxième canon du concile de Clermont dans sa version préservée par l'évêque d'Arras, Lambert : « Si un homme décide par pure dévotion et non pour son honneur ni pour son profit monétaire de libérer l'Église de Dieu à Jérusalem, que son voyage lui vaille pénitence. » Enfin, dans son déroulement même tel que l'ont rapporté les chroniques et des lettres, la croisade témoigna, dans l'esprit de ceux qui la vécurent, de l'intervention directe de Dieu et de ses saints. « L'armée de Dieu », tout au long de la « sainte voie », mena la « guerre du Seigneur » en vue de libérer la « Terre très sainte », la « Ville sainte ». Elle bénéficia manifestement de la présence et de la coopération divines. Dieu agit à travers ses soldats. Les succès miraculeux qu'ils rencontrèrent indiquent que la croisade fut bien la réalisation de l'intention divine. « Dieu le veut. » *Gesta Dei per Francos.*

Assez curieusement, lorsque, vers 1140, Gratien, le plus illustre des canonistes du Moyen Age, évoqua longuement dans son *Décret* le problème de la guerre juste, il ne réserva aucun traitement particulier à la croisade. Simplement, envisageant conjointement la guerre juste et la persécution des hérétiques, le maître de Bologne considère, à la suite de saint Augustin et de saint Grégoire le Grand, que l'Église peut prescrire au pouvoir séculier le châtiment des assassins, des sacrilèges, des schismatiques, des hérétiques, des infidèles, de tous ceux encore qui s'en prennent à des choses ou à des personnes sacrées.

Il faut attendre la génération des commentateurs du *Décret* (les décrétistes : deuxième moitié du XIIe siècle)

pour voir des théologiens et des canonistes patentés traiter, selon la méthode scolastique, de la légitimité de la
croisade. Huguccio de Pise, évêque de Ferrare (vers
1140-1210), reconnaît à l'Église le droit de mener des guerres contre ceux qui sont en dehors d'elle et aussi contre
ceux qui la menacent ou l'agressent de l'intérieur. Il justifie les guerres menées contre les ennemis de l'Église par
le fait que ceux-ci offensent Dieu en raison de leur
incroyance, usurpent des territoires légitimement détenus
(ou revendiqués) par les chrétiens en vertu du droit des
peuples (*jus gentium*) et de la loi divine. Tel est le cas de
la Terre sainte. En revanche, serait injuste une guerre
menée contre les infidèles en vue de leur conversion ou
de leur extermination.

C'est au XIIIᵉ siècle, c'est-à-dire à une époque où l'idée
de croisade s'était dégradée, ou du moins avait perdu une
bonne partie de sa force d'attraction, qu'elle fit l'objet
d'un enseignement officiel (ou quasi officiel) de l'Église.
Après la théologie vécue par les hommes d'action, c'est
le temps de la théologie repensée par les hommes de
réflexion. Parmi les décrétalistes ou commentateurs des
décisions législatives des papes, Henri de Suse, cardinal
d'Ostie (d'où son surnom d'Hostiensis) (fin du XIIᵉ siècle – 1271), apparaît comme le plus ardent partisan de
croisades tous azimuts. Il range la croisade dans la catégorie des guerres qu'il appelle romaines, entre fidèles et
infidèles, aussi justes que le fut jadis la lutte de l'Empire
romain contre l'assaut des Barbares. Le pape, successeur
de Pierre, a reçu la plénitude des pouvoirs sur toute la
terre, en sorte qu'à la limite tous ceux qui ne reconnaissent pas son autorité sont des rebelles, au moins en puissance, dépourvus de titres et de droits, rebelles qu'il est
légitime, le cas échéant, de vouloir soumettre. « A l'avènement du Christ, toute magistrature, toute souveraineté,
propriété et juridiction ont été retirées à tous les infidèles, selon le droit et pour une juste cause, par Celui qui
détient la puissance suprême et ne peut se tromper ; elles

ont été transférées aux fidèles. Cette souveraineté royale aussi bien que sacerdotale, le Fils de l'homme l'a confiée à jamais à Pierre et à ses successeurs. » Du coup les chrétiens sont tenus « d'attaquer et de combattre les Sarrasins quand ils ne reconnaissent pas la souveraineté de l'Église et de l'Empire romain ».

Position extrême, qui n'est pas celle du pape Innocent IV (de 1243 à 1254), dont le raisonnement est beaucoup plus nuancé. Pour celui-ci, les infidèles ne sont dépourvus ni de droits de propriété ni de gouvernement. Les chrétiens ne peuvent licitement les en dépouiller n'importe quand, n'importe comment. D'autre part, la guerre ne doit pas être faite aux Sarrasins afin de les rendre chrétiens. Les Sarrasins paisibles doivent être épargnés s'ils n'attaquent pas de territoire chrétien et s'ils ne font pas obstacle à la prédication de la foi chrétienne. En revanche, s'ils attaquent, il est légitime de se défendre. De plus, les fidèles ont le droit et le devoir de les punir de leurs péchés (blasphèmes, idolâtrie, etc.). Et surtout les chrétiens peuvent à juste titre reprendre la Terre sainte, attendu d'une part que c'est la terre du Christ, d'autre part qu'elle a été jadis conquise par l'empereur romain en juste guerre. Or le pape est l'héritier de l'empereur. Certes, en vertu de la prétendue donation de l'empereur Constantin à Sylvestre Ier, le pape ne pouvait revendiquer que les terres situées dans la partie occidentale de l'ancien Empire romain (ainsi l'Espagne, l'Afrique du Nord), mais il était admis que le pape, vicaire du Christ, avait un droit particulier sur la Terre sainte, qui relevait pourtant de la partie orientale de l'Empire. Le royaume de Jérusalem était réputé fief du Saint-Siège.

En revanche, Innocent IV ne s'interroge pas sur le caractère juste de la guerre par laquelle, au premier siècle, les empereurs romains conquirent la Palestine. Derrière la succession des arguments, ingénieux ou spécieux, comme on en rencontre dans tout traité scolastique, il n'est pas impossible de repérer une attitude fondamentale. D'une part l'Église a le droit de faire la guerre, mais d'autre part il ne convient pas que ce droit soit incontrôlé. Pour une affaire aussi grave que la croisade, avec, en particulier, l'indulgence plénière qu'elle implique, seul le pape est habilité. Si, à l'extérieur, seule la Terre sainte peut être considérée comme l'objectif par excellence de la croisade, à l'intérieur, schismatiques et hérétiques peuvent sans conteste faire l'objet d'une lutte qualifiée de croisade. Ici, pas de différence entre Innocent IV et Hostiensis, lequel écrit : « Bien que le vulgaire voie la croisade d'outre-mer d'un œil plus favorable, à qui juge selon la raison et le bon sens il apparaît que la croisade intérieure est encore plus juste et conforme à la raison. »

### Comment expliquer l'échec ?

Sauf peut-être au sein de certains cénacles hérétiques, il n'est pas aisé de repérer, au niveau de la réflexion théologique, même au sens large, l'expression d'une contestation de la sainteté ou de la légitimité de la croisade pour des raisons fondamentales. Malgré tout, dès la fin du XII$^e$ siècle, il arriva qu'on s'interroge sur les intentions de Dieu à l'égard des infidèles et qu'on préconise le recours à la prédication plutôt que l'usage de la violence. Des esprits se demandèrent les causes pour lesquelles Dieu refusait la victoire aux croisés et avait pu consentir à la perte de Jérusalem. Pourquoi l'échec de la Deuxième Croisade ? Pourquoi la captivité de Saint Louis ?

A ces questions, les champions de l'Église – saint Bernard au XII$^e$ siècle, Humbert de Romans au XIII$^e$ siècle – répondaient en évoquant les fautes des croisés *(peccatis exigentibus)*, la vertu salvatrice de la croisade, indépendamment de ses résultats, le caractère insondable de la justice divine. Seuls ou presque les disciples de Joachim de Flore semblent avoir formellement avancé l'idée que le Christ ne souhaitait pas la restauration de la Jérusalem terrestre. Même un saint François d'Assise, en dépit de son attachement prioritaire à l'idéal missionnaire, acceptait sans réticence l'idée de croisade, comme en témoigne une anecdote racontée par un de ses premiers biographes. Lors de son séjour en Égypte, le *Poverello* s'était vu présenter l'objection suivante par le sultan du Caire : « Notre Seigneur a enseigné dans ses Évangiles qu'il ne fallait pas rendre le mal pour le mal, ni refuser son manteau à qui voudrait prendre sa tunique. Alors les chrétiens ne devraient pas envahir nos terres. – Il semble, répondit le bienheureux François, que vous n'ayez pas lu intégralement l'Évangile de Notre Seigneur Jésus-Christ. Voici ce qu'on y lit à un autre endroit : ''Si ton œil te scandalise, arrache-le et jette-le loin de toi.'' Il a voulu nous enseigner par là que tout homme, si cher, si proche soit-il, et même aussi précieux que pour nous la prunelle de nos yeux, doit être repoussé, arraché, expulsé s'il cherche à nous détourner de la foi et de l'amour de notre Dieu. Voilà pourquoi il est juste que les chrétiens envahissent la terre que vous habitez, car vous blasphémez le nom du Christ et vous détournez de son culte tous ceux que vous pouvez. Mais, si vous vouliez reconnaître, confesser et adorer le Créateur et Rédempteur, les chrétiens vous aimeraient comme eux-mêmes. »

Établie sur des principes intangibles, se référant à la Parole éternelle de Dieu consignée dans l'Écriture sainte, la théologie politique n'en demeure pas moins fille de l'histoire, des circonstances, de l'opportunité. Tout portait la chrétienté médiévale, qui éprouvait si douloureusement le sentiment d'avoir été amputée par les conquêtes territoriales des fils du Prophète et dans laquelle les responsabilités temporelles de l'Église furent toujours étendues, à mener des guerres saintes. Il est vrai que, dans ce domaine, la théorie demeura en deçà de la pratique, la réflexion intellectuelle en deçà du vécu. C'est peut-être en raison d'une gêne plus ou moins consciente que les scolastiques préférèrent au terme de guerre celui de chemin, ou de pèlerinage, pour désigner la croisade. Il a été relevé qu'aucune des bulles de croisades pontificales ne fut incluse dans les collections officielles des décrétales. A l'expression de guerre sainte, les théologiens préférèrent régulièrement celle de guerre juste, ou licite, dont la croisade n'était en somme qu'une variété, soumise en tant que telle à l'ensemble des critères, fort stricts, qui la définissaient.

## Pour en savoir plus

Ph. Contamine, *La Guerre au Moyen Age*, Paris, Presses universitaires de France, 1986, 2e éd.

H.E.J. Cowdrey, « Pope Urban's Preaching of the First Crusade », *History*, 55, 1970, 177-188.

C. Erdmann, *Die Entstehung des Kreuzzugsgedankens*, Stuttgart, W. Kohlhammer Verlag, 1935 (trad. anglaise par M.W. Baldwin et W. Goffart, *The Origin of the Idea of Crusade*, Princeton University Press, 1977).

P. Rousset, *Les Origines et les Caractères de la Première Croisade*, Neuchâtel, Éd. de la Baconnière, 1945.

F.H. Russell, *The Just War in the Middle Ages*, Cambridge University Press, 1975.

M. Villey, *La Croisade. Essai sur la formation d'une théorie juridique*, Paris, 1942.

*Voir aussi la bibliographie générale, en fin d'ouvrage.*

# 8
# Les Juifs :
# les « infidèles » de l'Europe

**Évelyne Patlagean**

Le monde juif du Xᵉ et du XIᵉ siècle a tant écrit que nous connaissons bien ses visages, où s'esquissent déjà lisiblement ses diversités futures. En Occident, le peuplement juif est monté lentement vers le nord, au cours du premier millénaire chrétien. La région rhénane, seuil de l'Empire romain, en est la plate-forme à partir du IXᵉ siècle. De là, les Juifs s'enfoncent vers l'est et vers les pays slaves. Leur diaspora immense est cimentée par la continuité de leur culture et par l'usage de l'écrit et de la langue hébraïque, assez répandu pour assurer la communication non seulement entre les savants, mais entre les communautés et entre les marchands du grand commerce.

Au lendemain de l'an mil, les communautés rhénanes se désignent déjà ensemble par le vieux mot hébreu d'*Ashkenaz*, qui signifie dès lors « l'Allemagne ». Loin des centres orientaux de la doctrine et du savoir, les Juifs installés au nord de la Loire se donnent leurs propres autorités, tels Rabbenu Gershom de Mayence (960?-1028), dont les décisions d'application de la loi ont été capitales, et Rabbi Shᵉlomo ben Izhak de Troyes (Rashi, 1040?-1105), auteur d'un commentaire didactique sur l'Écriture et le Talmud, demeuré pendant des siècles un instrument d'étude.

Ni le peuple ni sa culture ne sont d'ailleurs étanches. Si certains Juifs reçoivent le baptême, des chrétiens se convertissent au judaïsme. Et, surtout, les petites communautés juives ont des contacts quotidiens avec le milieu où elles vivent. Leur fonction dans le commerce lointain, leur marginalité religieuse, et donc sociale, font de ces Juifs rhénans des citadins qui relèvent directement de l'empereur et souvent de l'évêque de la ville. Les chartes accordées aux Xe-XIe siècles semblent ainsi scander l'essor urbain, depuis Magdebourg, en 965, jusqu'au faubourg neuf de Spire, où l'évêque installe en 1084 des Juifs de Mayence. Cette dernière ville devient au reste le centre majeur du judaïsme rhénan. Les Juifs d'Ashkenaz connaissent en somme à cette époque une stabilité, et même une floraison, où le choc de 1096 marque une cassure brutale.

Nos chroniqueurs pensent que les croisés ont frappé, au début de leur voyage, ceux qu'ils rendaient coupables de la Passion. Quoi qu'il en soit, en ce siècle d'affirmation chrétienne vigoureuse, les raisons de l'événement semblent avoir été au premier chef religieuses. Au surplus, les assaillants apparaissent comme des aventuriers, marginaux de la croisade. On sait moins qu'il y eut une réplique juive à la brusque attaque des croisés. Pourtant, trois récits juifs des événements de 1096 nous ont été conservés. Sans doute issus d'une source commune perdue, ils se disent fondés sur des témoignages et des traditions locales. Le plus long, composé par un certain She'lomo bar Shimshon, porte comme date de composition 1140, mais le texte conservé, émaillé d'additions, est certainement postérieur. Le récit de Rabbi Eliezer bar Nathan (1090 - vers 1170), plus court, comporte des élégies de son auteur sur les communautés martyres : Eliezer bar Nathan fut en effet poète, mais aussi auteur de jurisprudence et voyageur en pays slave. Quatre manuscrits, dont le plus ancien remonte à 1325, ont fait connaître cette œuvre, en même temps qu'une relation relative à la Deuxième Croisade, due à un personnage similaire, et lui aussi connu, Rabbi Ephraïm de Bonn. Voici donc la version juive de ce qui s'est passé.

## La protection des évêques

Frappés les premiers, les Juifs de France avertissent les communautés rhénanes, qui décrètent un jeûne et des prières et cherchent la protection des évêques. Mais la vague les atteint bientôt, et c'est le choc à Spire, Mayence, Cologne, Xanten, Mehr, à Trèves et à Metz ; plus loin ensuite, à Ratisbonne, à Prague.

Les évêques ont en effet accordé leur appui aux Juifs de leurs villes contre un ennemi qui apportait le désordre. Seul l'évêque de Mayence demanda en contrepartie une somme en espèces, en ce temps où la monnaie circulait peu encore, tandis que les Juifs n'en manquaient point à cause du grand commerce. La mémoire de l'évêque de Spire est en revanche célébrée pour sa sollicitude paternelle à l'égard des survivants de Mayence. L'attitude des populations est très variable. Mayence ouvre ses portes au comte Emicho de Leiningen et à sa bande, et les Juifs s'arment dans la résidence épiscopale et se battent à la fois contre les croisés et contre les bourgeois qui veulent les livrer, pendant que les gens de l'évêque refusent de risquer leur vie pour eux. A Cologne, chaque Juif se réfugie chez un chrétien de ses familiers. L'évêque les disperse ensuite dans les villages voisins, mais là encore leur salut n'est que provisoire. A Mehr, le maire les livre pour préserver sa ville. A Xanten comme à Mayence, des prêtres pressent les Juifs d'accepter l'abjuration pour se sauver.

L'objectif de ceux qui faisaient route vers la Palestine n'était pas le massacre des Juifs mais leur baptême. La chronique juive se place exactement dans la même perspective et cherche à conserver pour la mémoire collective certaines des réponses à l'alternative du baptême ou de la mort. Les Juifs avaient le droit de porter les armes et ils en usèrent. Ceux qui se révoltèrent furent souvent tués « comme des bœufs ». Mais ceux qui se soumirent sont

mentionnés avec mansuétude : ils ensevelissaient les tués
et restèrent fidèles en secret. La plupart devaient revenir
en 1097, après que Henri IV eut déclaré nulles les conver-
sions forcées, sur lesquelles Rashi, mentionné plus haut,
a laissé de son côté une consultation.

Mais toute l'éloquence de nos auteurs est réservée aux
martyrs. Les premiers d'entre eux se laissent tuer plutôt
que d'accepter le baptême : on souligne leur consentement
délibéré à la mort «pour la Sanctification du Nom», qui
peut aller jusqu'au refus de fuir. Leurs adversaires cherchent à tout prix l'aspersion sacramentelle : à Ratisbonne,
les Juifs sont précipités à cet effet dans la rivière. Certains
se firent ensuite brûler dans leur maison ou dans la synagogue. Beaucoup d'autres, sans se battre, avant même que
l'on parvienne à eux ou trompant ensuite la surveillance,
accomplirent sur leurs enfants, leurs proches, leur propre
personne le rite du sacrifice, en observant strictement gestes et bénédictions prescrites.

**Sacrifice**

Cette issue fut-elle fréquente dans la réalité? Nous
l'ignorons. Elle est confirmée d'un mot par les observateurs chrétiens. Elle est en tout cas le modèle que nos
auteurs exaltent. Ils se réfèrent pour cela non seulement
à Isaac et à son père Abraham, mais à des exemples
demeurés très vivants dans la tradition juive, Hannah et
ses sept fils, contemporains des Maccabées, et Rabbi
Akiba, martyr de la dernière grande révolte palestinienne
contre Rome, en 135 de l'ère chrétienne. Ils soulignent
l'héroïsme des femmes. Et ils peignent l'attente de la féli-
cité ainsi conquise dans l'autre monde. Mais ils se demand-
dent aussi pourquoi la protection de Dieu s'est détournée
de son peuple et en quoi celui-ci avait péché. L'année 1096
devait pourtant, selon certains calculs, voir l'arrivée du
Messie. Cette allusion, qui ouvre la chronique de Shᵉlomo

bar Shimshon, est éclairée par une lettre envoyée d'Europe en Égypte à ce moment même. Elle fait état d'une espérance qui ébranle les Juifs d'Ashkenaz tout comme ceux de Salonique dans l'Empire byzantin.

La position juive dans l'Orient des croisades est tout autre. La découverte de milliers de lettres, contrats, écrits divers dans la célèbre *Geniza* (réserve) d'une synagogue du Vieux-Caire *(al-Fostat)* a ressuscité une société complète, incomparablement plus opulente, mieux assise que les communautés d'Ashkenaz à la même époque et d'une physionomie culturelle différente. Le Vieux-Caire est alors un pôle de richesse et de culture, où arrivent d'Europe des rescapés de 1096. Les Juifs sont établis aussi hors d'Égypte : en Syrie, notamment à Damas ; en Palestine, à Jérusalem, centre spirituel de toute la diaspora, à Tibériade, sur la côte. Quelques décennies auparavant, l'Académie talmudique s'est transférée à Tyr.

Seul le statut de non-musulmans rapproche les Juifs des chrétiens orientaux. Mais la croisade les trouve aux côtés des musulmans. A Haïfa, la défense semble entre leurs mains. A Jérusalem, des Juifs défendent une section de la muraille et sont brûlés dans une synagogue par les croisés victorieux. Une lettre des notables de la communauté d'Ashkelon, adressée à la communauté d'Alexandrie dans l'été de 1100, fait état de dettes contractées pour racheter les captifs ainsi que les livres et rouleaux de la Loi pillés par les croisés. D'autres captifs sont massacrés, des réfugiés sont décimés par un hiver rigoureux, puis par une épidémie en Égypte.

Une invasion comme tant d'autres en somme, et non le grand décor d'une Sanctification du Nom. La Première Croisade a rencontré sur sa route deux judaïsmes, engagés alors dans des voies historiques distinctes.

## Pour en savoir plus

S. Eidelberg, *The Jews and the Crusaders. The Hebrew Chronicles of the First and Second Crusades*, Madison, University of Wisconsin Press, 1977.

H.H. Ben-Sasson (éd.), *A History of Jewish People*, Londres, 1976.

*Voir aussi la bibliographie générale, en fin d'ouvrage.*

# 9

# *Et les marcheurs de Dieu prirent les armes*

**Pierre-André Sigal**

Lorsqu'en 1095, au concile de Clermont, le pape Urbain II commença à prêcher la croisade, son entreprise rencontra immédiatement un grand succès et fut accueillie avec enthousiasme par les populations d'Occident. De cet enthousiasme gardent trace les nombreuses chroniques consacrées aux expéditions des croisés et notamment à la Première Croisade. C'est essentiellement à travers leurs récits que nous pouvons nous faire une idée de l'état d'esprit de ceux qui partaient en croisade et de ce que celle-ci représentait pour eux. Ce miroir est cependant en partie un miroir déformant car les auteurs de ces récits sont des clercs ou des moines, écrivant après les événements et, parfois, d'après des informations de seconde main. Ainsi, si l'on s'en tient aux chroniqueurs de la Première Croisade, si Raimond d'Aguilers, Foucher de Chartres et l'auteur de l'*Histoire anonyme de la Première Croisade* ont réellement fait le voyage de Jérusalem, Baudri de Bourgueil, Guibert de Nogent ou Albert d'Aix ont écrit nettement plus tard et n'ont jamais quitté l'Occident. A travers eux apparaît une conception de la croisade plus élaborée que celle qu'ont pu avoir les simples participants à celle-ci. Pourtant, la concordance de beaucoup de témoignages et l'étude d'autres sources, telles les bulles pontificales, les canons de conciles, les chartes, les chansons de croisade, permettent de reconstituer la spiritualité des croisés et leur comportement religieux.

La croisade, qui apparaît comme un phénomène tout à fait nouveau à la fin du XIe siècle, est en fait l'aboutissement d'un ensemble d'idées et de pratiques longuement mûries au cours des siècles précédents. On ne saurait sous-estimer, de ce point de vue, la place croissante prise par Jérusalem dans l'imagination et dans la spiritualité de l'Occident médiéval. Dès les premiers siècles du christianisme, le nom de Jérusalem fut chargé de diverses interprétations symboliques et allégoriques. On opposait alors la Jérusalem céleste, qui représentait le Paradis, l'Église des saints, la cité de la paix éternelle, et la Jérusalem terrestre, dont la dévastation par les Romains, quarante ans après la mort du Christ, fut interprétée comme le châtiment de ses habitants, qui n'avaient pas cru en lui. La ville terrestre, considérée comme un reflet imparfait de la ville céleste, demeura surtout le lieu où le Christ avait vécu, où il avait été supplicié et où il avait été enterré, la ville où les Apôtres avaient également versé leur sang, et, dès le IVe siècle, se manifesta le désir de voir les lieux historiques foulés par les pas du Christ. En revenant de Jérusalem, les pèlerins rapportaient non seulement des récits de ce qu'ils avaient vu, mais aussi des objets qui rappelaient la Passion et la mort du Christ. Ces reliques, qui établissaient un lien matériel avec les Lieux saints, furent apportées en assez grand nombre en Occident ; elles furent offertes à des églises déjà existantes ou donnèrent lieu à la construction d'édifices spécialement destinés à les accueillir. L'Occident vit affluer dans un premier temps des ampoules contenant de l'huile des lampes allumées devant le Saint-Sépulcre, puis des fragments de pierre arrachés au Sépulcre lui-même. Les reliques les plus prestigieuses ramenées de Jérusalem furent cependant des fragments de la Vraie Croix.

## Les morceaux de la Vraie Croix

La vitalité du culte qui s'établit, à Jérusalem, autour

de cette relique est attestée par la permanence légendaire de la Croix sur les lieux du supplice du Christ. Plusieurs fois enlevée, partagée, perdue, la portion de la Croix conservée au Saint-Sépulcre fut chaque fois retrouvée et permit d'alimenter une diffusion de plus en plus étendue des fragments de bois détachés de celle-ci. L'Occident chrétien en fut l'un des principaux destinataires : des témoignages sur la présence de reliques de la Croix en Occident existent dès le début du Ve siècle mais, jusqu'au début du Xe siècle, le nombre de mentions ne progresse que lentement. En revanche, à partir de cette époque et jusqu'au XIIIe siècle, les témoignages se multiplient [1] montrant l'essor d'un culte directement lié aux Lieux saints de Jérusalem.

On vit aussi se multiplier à cette époque les fondations d'églises dédiées au Saint-Sépulcre. Avant le XIe siècle, on trouve déjà, en Occident, des églises placées sous le vocable de Jérusalem mais il s'agit vraisemblablement de la Jérusalem céleste. A partir du XIe siècle, en revanche, il s'agit véritablement d'églises dédiées au tombeau du Christ. Le premier exemple connu concerne l'église de Beaulieu-lès-Loches, fondée en 1007 par le comte d'Anjou Foulque Nerra, au retour d'un pèlerinage à Jérusalem. La légende raconte qu'en embrassant le Sépulcre le comte aurait arraché un fragment de pierre avec ses dents. L'église aurait donc été construite pour abriter cette relique.

Un dernier aspect matériel de la dévotion au tombeau du Christ se manifeste dans les donations au Saint-Sépulcre de Jérusalem : donations d'argent, de terres, d'églises. La plupart des textes qui font allusion à ces donations concernent le XIe siècle et montrent, comme les autres phénomènes qui viennent d'être cités, que la piété de cette époque se tourne de plus en plus vers une exaltation de Jérusalem en rapport avec la Passion et la mort du Christ.

Mais Jérusalem représente encore autre chose pour les chrétiens du XIe siècle : certains localisaient à cet endroit la réalisation de la célèbre prophétie de l'Apocalypse où saint Jean annonce la descente de la Jérusalem céleste [2]. L'un des arguments qui justifiaient cette idée était que Jérusalem se trouvait située au centre du monde, notion introduite en Occident par la traduction latine de l'œuvre de Flavius Josèphe et par saint Jérôme, et que l'on retrouve dans la cartographie du haut Moyen Age. C'est également à Jérusalem que les théories millénaristes plaçaient les événements des derniers jours. Selon ces théories, le salut terrestre serait réalisé durant mille ans, pendant lesquels Satan serait enchaîné, dans un royaume messianique, puis viendrait le temps de l'Antéchrist [3]. Nous trouvons l'écho de ces conceptions eschatologiques chez le chroniqueur Raoul Glaber, commentant la venue à Jérusalem d'une foule de pèlerins, vers 1033 : « Beaucoup de gens allèrent consulter certains des hommes les plus enclins à l'inquiétude de cette époque sur la signification d'un si grand concours de peuple à Jérusalem, tel que nul siècle passé n'en avait vu de semblable ; ils répondirent, en pesant leurs paroles, que cela ne présageait pas autre chose que la venue de ce misérable Antéchrist qu'à l'approche de la fin du monde il faut, au témoignage de l'autorité divine, s'attendre à voir surgir [4]. »

Dans ce texte, Raoul Glaber met l'accent sur un fait qui a frappé ses contemporains puisque d'autres sources montrent le développement d'un puissant courant de pèlerinage vers Jérusalem à cette époque : courant d'abord discontinu, coupé de périodes de ralentissement, puis beaucoup plus fourni et général. C'est à partir des années 980 que les pèlerins commencèrent à prendre en plus grand nombre le chemin de la Ville sainte. Un peu plus tard, vers 995, la conversion au christianisme du roi des Hongrois, Waïk, le futur saint Étienne, leur ouvrit une nouvelle route vers l'Orient, route continentale alors que jusque-là seule la voie maritime avait été utilisée. C'est cette route que suivirent, une centaine d'années plus tard, la majeure partie des participants à la Première Croisade. Entre 1010 et

1020, le flot des pèlerins vers la Ville sainte se raréfia en raison des persécutions engagées contre les chrétiens par le calife Hākim qui fit détruire jusqu'à son fondement la basilique du Sépulcre. La reprise se fit cependant dès 1020 avec des caractères nouveaux : au lieu de pèlerins se déplaçant seuls ou en petits groupes, partirent alors de véritables expéditions comprenant parfois plusieurs centaines de personnes. La plus connue est celle qui réunit, en 1025-1026, des nobles et des ecclésiastiques de l'ouest de la France et des régions rhénanes, parmi lesquels Guillaume, comte d'Angoulême, et Richard, abbé de Saint-Vannes-de-Verdun.

## Des pèlerins en masse

Un deuxième ralentissement du pèlerinage se produisit entre 1040 et 1054, causé peut-être par des troubles politiques en Hongrie et en Italie du Sud, mais à partir du milieu du XIᵉ siècle, et jusqu'à la veille des croisades, l'essor reprit de façon continue. S'ébranlèrent alors de grosses expéditions, fortes parfois de plusieurs milliers de pèlerins, où certains historiens ont vu un caractère de précroisade dans la mesure où ces pèlerins étaient armés et eurent parfois à livrer bataille contre les musulmans. Parmi les plus importantes, il faut citer celle entreprise en 1054 par l'évêque de Cambrai avec plus de trois mille pèlerins, et surtout le pèlerinage collectif entrepris en 1064-1065 par un groupe d'évêques allemands dont le plus en vue était Gunther, évêque de Bamberg. Les textes qui signalent cette expédition font état de sept mille à douze mille pèlerins. Bien qu'il faille se méfier des chiffres fournis par les chroniqueurs médiévaux, il est vraisemblable que ce fut là le plus grand rassemblement de pèlerins qu'on ait vu jusqu'alors.

Ainsi, dès le Xᵉ siècle, et surtout au XIᵉ siècle, Jérusalem devint véritablement un pôle d'attraction pour les chrétiens d'Occident, et la dévotion au Saint-Sépulcre et aux reliques de la Passion du Christ s'accentua considérablement. On vit même se développer une mythologie du pèlerinage aux Lieux saints et on attribua un pèlerinage légendaire à Charlemagne, dont l'intérêt pour la Terre sainte avait été cependant réel. On comprend mieux alors l'écho rencontré par la prédication d'Urbain II et le fait même que le pape ait élargi vers Jérusalem une expédition qui se présentait, à l'origine, comme une simple opération de secours aux Byzantins attaqués par les Turcs.

Ce climat de vénération grandissante pour les Lieux saints explique que la piété chrétienne se scandalisa de plus en plus de voir ceux-ci aux mains des païens. Urbain II fait allusion à ce sentiment dans sa prédication ; il semble même que, dans les mois qui suivirent l'appel de Clermont, les milieux romains forgèrent une fausse encyclique, attribuée au pape Sergius IV, pour condamner les profanations commises en 1009-1010 par le calife Hākim. Plus le caractère sacré de Jérusalem était ressenti par les chrétiens, plus ceux-ci étaient conscients de la souillure que représentait la présence de non-chrétiens en ce lieu. C'est pourquoi l'un des premiers gestes des croisés, lors de la prise de Jérusalem en 1099, fut d'en chasser les Juifs et les musulmans. Plus tard, à la veille de la Troisième Croisade, le thème de la profanation du Saint-Sépulcre et aussi de la Vraie Croix fut l'un de ceux mis en avant par des prédicateurs comme Henri d'Albano ; en 1197, le pape Célestin III alla encore plus loin en proclamant, dans sa bulle *Ad propulsandam* : « Nous avons encore su que l'abomination de la désolation régnait dans le lieu saint, où les Sarrasins auraient établi un repaire de prostituées à l'emplacement de la table des pains de proposition, et qu'une écurie se trouve aujourd'hui encore installée là où le corps du Christ avait été enseveli et où les fidèles venaient le vénérer [5]. »

## Un sentiment de souillure

Mais, si la Terre sainte avait été ainsi souillée, n'était-ce pas pour punir les hommes de leurs péchés ? L'esprit de croisade, en effet, découle en grande partie du désir de pénitence et d'expiation du péché. En cela la croisade se situe dans le prolongement direct du pèlerinage. Partir sur les routes vers un pays lointain et hostile, souffrir de la faim et de la soif, courir de multiples dangers au nom du Christ, tel était le sort du pèlerin médiéval, mais c'était aussi celui du croisé, et il est significatif de voir les chroniqueurs de la Première Croisade indécis sur les termes par lesquels il convenait de désigner les croisés : « les nôtres », « les chrétiens », mais aussi « soldats du Christ » *(milites Christi)* et « pèlerins ». Il semble que le mot de pèlerin ait été de plus en plus employé au fur et à mesure qu'on s'éloignait des événements. C'est ainsi que, chez le chroniqueur Albert d'Aix, la croisade devient une geste pèlerine et on a remarqué que le terme de pèlerin y est surtout appliqué aux croisés lorsqu'ils sont souffrants, massacrés ou pitoyables. Partir en croisade, c'est souffrir pour le Christ et comme le Christ. C'est une acceptation de l'appel du Seigneur que l'auteur de l'*Histoire anonyme de la Première Croisade* rappelle au début de son œuvre : « Si quelqu'un veut venir après moi, qu'il renonce à soi-même et qu'il prenne sa croix et me suive [6] », expression généralement employée à propos de l'entrée au couvent mais qui prend ici un sens beaucoup plus concret. Le même auteur développe cette idée un peu plus loin en faisant dire au pape : « Frères, il vous faut souffrir beaucoup au nom du Christ : misère, pauvreté, nudité, persécutions, dénuement, infirmités, faim, soif et autres maux de ce genre, comme le Seigneur a dit à ses disciples : il vous faut souffrir beaucoup en mon nom [7]. »

Ainsi s'explique le départ des croisades populaires à l'appel de Pierre l'Ermite et d'autres prédicateurs. Les troupes de pauvres et de gens du peuple, emmenant fem-

mes et enfants, qui s'ébranlèrent très vite, sans préparation, à la suite de cette prédication, répondaient à l'idée
que la conquête de la Terre sainte ne devait pas se faire
uniquement par les armes mais aussi par la force de la foi
et par l'efficacité de la pénitence. C'est pourquoi le chroniqueur Guibert de Nogent met dans la bouche de ces pauvres la phrase suivante, adressée à ceux qui portaient les
armes : « Vous combattrez pour nous, nous souffrirons
pour Jésus-Christ. » Les pauvres sont, en quelque sorte,
la justification de la croisade. La croisade est une ascèse
et c'est en se purifiant par celle-ci que les croisés pourront obtenir de Dieu la victoire recherchée.

La valeur purificatrice attribuée à la croisade explique
qu'on ait pu la considérer comme une forme de pénitence
et même comme un équivalent du processus pénitentiel.
Au premier abord, une guerre même « juste » paraît
incompatible avec la notion de pénitence, mais plusieurs
faits amenèrent peu à peu un rapprochement : d'abord le
développement de l'idée qu'une guerre contre les infidèles était une œuvre expiatoire méritante. D'autre part le
mouvement de la « paix de Dieu », amorcé vers 989-990
et en plein développement vers 1027-1041, avait abouti à
réprouver la guerre entre chrétiens et donc à l'autoriser
contre les ennemis de la foi puisque les chevaliers avaient
reçu de Dieu mission de combattre. Le concile de Clermont se situe ainsi dans le prolongement des conciles de
paix de la première moitié du XIe siècle : combattre les
ennemis du Christ était une façon de faire régner la paix
de Dieu. Ces conciles avaient aussi mis l'accent sur la pénitence et il ne faut pas oublier qu'une des formes du pèlerinage médiéval était le pèlerinage pénitentiel, imposé par
l'Église pour des crimes graves. Justement, le concile
d'Arles, de 1037-1041, avait imposé le pèlerinage à Jérusalem aux chevaliers coupables d'un homicide pendant la
trêve de Dieu. Le concile de Clermont marqua une étape
décisive dans ce rapprochement entre pénitence et croisade
avec la proclamation de l'indulgence de croisade.

Urbain II proclama, en effet, l'indulgence plénière pour tous ceux qui participeraient à la croisade, et c'est là une des raisons du succès de sa prédication. La remise de la peine temporelle octroyée par l'indulgence fut d'abord individuelle puis, au milieu du XIe siècle, furent accordées des rémissions générales valables pour tous les fidèles qui auraient accompli certaines actions : pèlerinage, aumônes, etc. Ces indulgences étaient cependant partielles et l'originalité d'Urbain II fut de proclamer une indulgence totale : le départ en croisade remplacerait, pour le pécheur, toute autre pénitence qui lui serait infligée par son confesseur. La croisade devenait ainsi un substitut de la pénitence. Urbain II n'osa pas cependant préciser si le départ en croisade effaçait non seulement la pénitence mais le péché lui-même. C'est le pape Eugène III qui trancha la question : dans sa bulle *Quantum predecessores*, promulguée le 1er décembre 1145 pour appeler à la Deuxième Croisade, il proclama que l'enrôlement dans les armées de la croisade, s'il était fait avec contrition, absolvait le pécheur et l'exemptait de châtiment. C'est aussi à l'occasion de la Deuxième Croisade que fut établie une liaison entre l'idée de jubilé et l'idée de croisade. C'est saint Bernard qui, dans sa prédication, retrouva le sens du mot hébreu de jubilé, conçu comme un temps de rémission lié à la pénitence. Saint Bernard considéra la croisade comme le jubilé chrétien en raison des grâces de rémission qu'elle entraînait.

On comprend ainsi que la préparation spirituelle du croisé était aussi importante que sa préparation matérielle. La croisade était une véritable conversion, au sens de rupture avec la vie menée auparavant. De là, dès la Première Croisade, tout un comportement visant à se purifier au moment du départ : on rendait les biens mal acquis, on faisait des donations pieuses aux établissements ecclésiastiques : actions que l'on faisait aussi avant de partir en pèlerinage. Certains croisés prenaient même les insignes du pèlerin : le chroniqueur Odon de Deuil montre le roi

de France, Louis VII, prenant le bourdon de pèlerin à
Saint-Denis avant de partir pour la Deuxième Croisade.
De même, le sire de Joinville, partant avec Saint Louis
pour la Septième Croisade, alla prendre à l'abbaye de Che-
minon la besace et le bourdon, et partit de Joinville à pied,
sans chausses et sans chemise. A ces insignes, la croisade
ajoutait son signe propre, la croix cousue sur les vêtements
des partants, signe du contrat conclu avec Dieu, signe protecteur aussi et gage de victoire. Enfin, les croisés puri-
fiaient leur âme par la confession et l'absolution avant le
départ.

## Une mort enviable

Sur la route de Jérusalem, l'armée était maintenue en
état de grâce par l'action des légats pontificaux. Dès 1095,
Urbain II chargea Adhémar de Monteil, évêque du Puy,
de la direction spirituelle de la croisade. D'autres légats
furent nommés lorsque l'expédition se divisa en plusieurs
corps. Ces légats continuaient la prédication, confessaient
les coupables, absolvaient ceux qui se repentaient. L'armée
des croisés, devenue une armée de pénitents, en adoptait
certains aspects vestimentaires : au moment de la
Deuxième Croisade, le pape Eugène III précise que les
croisés doivent s'abstenir d'étoffes précieuses et de belles
fourrures, d'armes de prix et d'animaux de chasse. Pour
les chefs religieux de la croisade, pour les chroniqueurs
qui en firent le récit plus tard, les armes spirituelles étaient
les seules responsables de la victoire. Ils s'élèvent avec force
contre l'orgueil des chevaliers s'estimant vainqueurs par
leur bravoure ou par leur science de la guerre. C'est ainsi
que la prise relativement facile de Jérusalem en 1099 fut
attribuée essentiellement à la procession faite, pieds nus,
par les croisés tout autour de la Ville sainte avant l'assaut
final. Au contraire, les difficultés rencontrées à Antioche furent attribuées à l'orgueil des chevaliers, qui

s'octroyaient tout le mérite de la prise de la ville. Après l'échec de la Deuxième Croisade, s'établit définitivement le rapport entre l'attitude des croisés et le sort de leur entreprise : saint Bernard, qui avait prêché cette croisade comme une œuvre de salut des âmes, une expédition de rédemption de l'Europe pécheresse, expliqua l'échec de celle-ci par les fautes et les péchés des croisés qui s'étaient éloignés de leur mission et avaient attiré ainsi le courroux de Dieu. De même, un siècle plus tard, Joinville justifie de la même façon l'échec de la première croisade de Saint Louis (1248) : les croisés ne se sont pas montrés dignes de la faveur que Dieu leur avait faite en leur octroyant la prise facile de Damiette : ni les grands ni le peuple n'ont observé les préceptes de Dieu et ils en ont été punis par la défaite finale.

Il est vrai, cependant, que la défaite et l'adversité aboutissaient pour certains à la mort, c'est-à-dire au martyre, et par là les croisés pouvaient sauver leur âme. Comme le pèlerinage, la croisade assurait, par la vertu rédemptrice des souffrances endurées pour Dieu, le rachat des péchés. Le chroniqueur de la Première Croisade, Robert le Moine, fait dire à Adhémar du Puy, dans un discours adressé aux croisés : « Maintenant vous êtes purifiés et réconciliés avec Dieu ; que craignez-vous ? Celui qui mourra ici sera plus heureux que celui qui survivra car il quittera une vie passagère pour entrer en possession des biens éternels [8]. » Plusieurs autres chroniqueurs montrent que les signes mêmes de la faveur divine accordée aux morts de la croisade étaient visibles sur eux : Raymond d'Aguilers et Foucher de Chartres signalent que des croix apparurent sur les cadavres de croisés morts en cours de route, et le continuateur anonyme de la *Chronique* de Sigebert de Gembloux montre des guérisons miraculeuses opérées au contact des corps de ceux qu'on appelait déjà des bienheureux.

Le miracle est d'ailleurs un phénomène qui accompagne de façon permanente la croisade et qui en marque le

caractère d'expédition prédestinée : le départ de la Première Croisade fut marqué, selon certains auteurs, par une
pluie d'étoiles, par des colonnes de feu et par des nuages
de sang dans le ciel. D'autres signalent des départs de pois-
sons, de papillons et d'oiseaux (le même phénomène se
reproduisit au moment de la Croisade des enfants, au
XIIIᵉ siècle). Au cours de cette Première Croisade, l'aide
divine se manifesta avec éclat dans les moments difficiles
et particulièrement au cours du siège d'Antioche de 1098.
Le Christ apparut à un prêtre nommé Étienne et lui
ordonna de dire aux croisés d'avoir confiance en leur Seigneur. Le fait le plus marquant est cependant la découverte de la Sainte-Lance, par laquelle le corps du Christ
avait été percé. C'est à la suite d'une vision qu'un pauvre
pèlerin provençal, Pierre Barthélemy, eut la révélation de
l'endroit où celle-ci se trouvait, dans Antioche. L'espoir
revint alors chez les croisés qui s'emparèrent, peu après,
de la citadelle d'Antioche. La victoire était bien le résul-
tat de l'aide divine promise car, écrit l'auteur de l'*Histoire
anonyme de la Première Croisade*, au cours du combat
« on voyait aussi sortir de la montagne des troupes innombrables, montées sur des chevaux blancs [...]. Les nôtres
[...] reconnurent que c'était un secours du Christ dont les
chefs étaient les saints Georges, Mercure et Démétrius [9] ».


## Un peuple élu

Ce souci des chroniqueurs de montrer que la marche
des croisés était guidée par Dieu les amène souvent à repla-
cer celle-ci dans une perspective biblique et à développer
l'idée que l'expédition de croisade renouvelait l'histoire
du peuple hébreu. Pour les chrétiens de cette époque,
l'Ancien Testament n'était pas un temps définitivement
révolu mais était sans cesse réactualisé et revécu. Déjà le
pèlerinage était vécu comme un renouveau du départ
d'Abraham et surtout comme un nouvel Exode. La croi-

sade fit surtout appel à un autre thème, celui de la conquête de la Terre promise par le peuple d'Israël. Un des auteurs qui ont le plus développé la comparaison est Guibert de Nogent, dans ses *Gesta Dei per Francos* : Adhémar de Monteil et Raymond de Saint-Gilles sont comparés à Moïse et à Aaron, et la mort du premier, un an avant la conquête de Jérusalem, est assimilée à la mort de Moïse, peu avant que les Hébreux pénètrent au pays de Chanaan. La procession des croisés autour de Jérusalem est comparée aux processions autour de Jéricho, etc. Ainsi les croisés sont à nouveau le peuple élu. La croisade est une guerre sainte et, par là aussi, ce n'est pas une guerre comme les autres.

Cette justification de la croisade est, certes, surtout avancée par des chroniqueurs imprégnés de culture biblique et qui ont presque tous écrit la relation des événements avec un certain recul, mais il est net que les contemporains ont considéré la croisade comme une guerre purificatrice et que les chevaliers y ont vu l'occasion de contribuer au salut de leur âme tout en se procurant des satisfactions matérielles. Il ne faudrait pas croire, en effet, que les motivations religieuses aient été seules présentes chez les croisés. Chez les barons et les chevaliers, le désir de gloire et d'exploits guerriers, l'esprit d'aventure et la soif de richesses ont certainement joué leur rôle. La mentalité « féodale » de ce groupe social a également introduit dans l'esprit de croisade la notion d'une sorte de contrat vassalique conclu entre le croisé et Dieu : la Terre sainte est l'héritage du Christ concédé aux chrétiens. Ceux-ci doivent contribuer à le défendre. De façon plus générale, c'est rendre à Dieu une part de ce qu'on a reçu de lui que de partir en croisade, à son service, et la notion de l'honneur est ici intégrée au sentiment du devoir envers le Seigneur.

L'expédition de 1096 résume ainsi, dans son déclenchement, toute une série d'évolutions : du pèlerinage à la délivrance du Saint-Sépulcre, de la pénitence à l'indulgence plénière, de la paix de Dieu à la guerre sainte, du service féodal au service du Seigneur éternel.

## Notes

1. Comme on le voit sur le graphique publié par A. Frolow.
Cf. A. Frolow, *La Relique de la Vraie Croix. Recherches sur
le développement d'un culte*, Paris, Institut français d'études
byzantines, 1961, p. 111.
2. Apocalypse 21,10.
3. Apocalypse 20.
4. Raoul Glaber, *Histoires*, IV, chap. 6, Prou (éd.), Paris,
1886, p. 109 ; trad. par E. Pognon, dans *L'An Mille*, Paris, Gallimard, 1947, p. 124.
5. Cité en traduction dans J. Richard, *L'Esprit de la croisade*,
Paris, Le Cerf, 1969, p. 76-77.
6. Matthieu 16,24 ; Marc 8,34 ; Luc 9,23.
7. *Histoire anonyme de la Première Croisade*, § 1, L. Bréhier
(éd.), Paris, 1924, p. 4 et trad. p. 5.
8. Robert le Moine, *Historia hierosolymitana*, VII, chap. 10,
*Recueil des historiens des croisades, Historiens occidentaux*,
Paris, 1866, t. III, p. 829-830.
9. *Histoire anonyme de la Première Croisade, op. cit.*, § 29,
p. 154 et trad. p. 155.

## Pour en savoir plus

*Sur la place de Jérusalem dans la pensée médiévale :*

A. Bredero, « Jérusalem dans l'Occident médiéval », dans *Mélanges Crouzet*, Poitiers, 1966, t. I, p. 259-271.

*Sur les pèlerinages à Jérusalem avant les croisades :*

G. Bresc-Bautier, *Le Saint-Sépulcre de Jérusalem et l'Occident
au Moyen Age*, thèse de l'École nationale des Chartes, dactylographiée, 1971.

*Sur l'idée de croisade :*

P. Alphandéry et A. Dupront, *La Chrétienté et l'Idée de croisade*, Paris, Albin Michel, 1954-1959.

P. Rousset, « L'idée de croisade chez les chroniqueurs d'Occident », dans *Relazioni del X Congresso di scienze storiche, storia del Medio Evo*, Florence, 1956, t. III, p. 547-563.

J. Richard, *L'Esprit de la croisade*, Paris, Éd. du Cerf, 1969.

A. Dupront, « La spiritualité des pèlerins et des croisés d'après les sources de la Première Croisade », dans *Pellegrinaggi e Culto dei santi fino alla Prima Crociata*, Todi, 1963, p. 451-483.

*Sur les rapports entre paix de Dieu et croisade :*

G. Duby, « Les laïcs et la paix de Dieu », dans *Hommes et Structures du Moyen Age*, Paris, Mouton, 1973, p. 227-240.

*Voir aussi la bibliographie générale, en fin d'ouvrage.*

# 10

# Les « profits »
# de la guerre sainte

**Michel Parisse**

Au cours de leur long périple vers la Terre sainte, des dizaines de milliers d'hommes et de femmes sont morts de faim, de soif sur les plateaux d'Asie Mineure, ont été abattus à coups d'épée ou emmenés en esclavage. Certains n'ont pu croire que la foi seule avait jeté sur les routes ces convois d'hommes, de femmes, de vieillards, d'enfants et de brigands. D'autres ont mis en cause les commerçants italiens, avides de marchés et de bonnes affaires, véritables responsables des croisades qui leur ont ouvert les portes d'Orient.

Quel fut exactement le poids du contexte économique dans ce phénomène de masse que fut le départ en croisade ? Que pouvaient être, en premier lieu, les motivations commerciales ?

Les relations commerciales avec l'Orient byzantin et musulman étaient anciennes et continues. Les Vénitiens, qui n'ont jamais rompu les ponts avec l'Empire romain d'Orient et Constantinople, entretenaient des relations économiques régulières avec les ports de la mer Noire. En 922, le doge Pierre Orséolo obtenait de l'empereur byzantin Basile II un chrysobulle, diplôme solennel scellé d'une bulle d'or, qui assurait aux Vénitiens divers avantages et notamment une baisse des droits de douane, avec pour contrepartie une lutte commune contre les musulmans. C'est ainsi qu'en 1002 une flotte vénitienne contribuait à la libération de Bari. Lorsque, près d'un siècle plus tard, en 1082, un nouveau chrysobulle fut remis aux Vénitiens par l'empereur Alexis Comnène avec pour but une alliance militaire mais cette fois contre le danger normand, les marchands de la lagune se virent exemptés de taxes dans de très nombreux ports de l'Empire d'Orient. Ils étaient autorisés à tenir boutique à Constantinople, à y avoir des quais, une église.

Le cas vénitien n'est pas unique ; Bari et Amalfi savaient l'intérêt qu'elles avaient à organiser des relations commerciales avec l'Orient méditerranéen, de l'Égypte à la mer Noire. Les Amalfitains en particulier furent très dynamiques à Constantinople, mais ils se retrouvaient aussi à Jérusalem où ils relevèrent l'église Sainte-Marie-Latine, aidèrent à protéger les pèlerins, créèrent un hôpital (embryon du futur ordre de l'Hôpital). Bari servait de tête de pont pour les voyages vers Jérusalem.

## Manger du Sarrasin

Les Normands jetaient un autre regard vers Byzance, celui de conquérants. L'installation en Sicile de la famille de Tancrède de Hauteville avait conduit à la conquête progressive de toute l'Italie méridionale, au détriment des Byzantins, et le Normand Robert Guiscard n'envisageait rien de moins que conquérir ensuite Constantinople en traversant la Grèce. On sait quel fut le dynamisme de ce peuple des mers et ce que fut leur extraordinaire réussite sicilienne. Ils devinrent de redoutables adversaires pour les Byzantins. Au reste, Anne Comnène ne cache pas son admiration pour Bohémond de Tarente, un des chefs de la Première Croisade.

C'est que les Byzantins avaient vu combattre les Normands ; deux troupes étaient venues à leur secours en Asie Mineure contre les musulmans ; le chef Roussel de Bailleul avait fait une belle carrière de mercenaire au service de l'empereur byzantin [1].

De tout cela il découle que la fréquentation de l'Orient méditerranéen par les Occidentaux n'était pas une nouveauté en 1095. Il faudrait mentionner aussi le voyage des Norvégiens qui eurent tant de mal à regagner leur pays et durent, à grands risques, « sauter » de nuit, avec leurs bateaux, la chaîne du Bosphore[2], et la troupe de Flamands que le comte Robert le Frison avait promis d'envoyer à Alexis Comnène. Lorsque la situation des Byzantins face aux musulmans devint tragique, les Occidentaux comprirent qu'il pouvait y avoir grand profit à aller les aider à lutter contre leurs adversaires.

A côté de l'Empire byzantin, réputé opulent, il y avait en Méditerranée le monde musulman, les profondeurs de ses terres riches en pierres précieuses, en soieries, en produits exotiques, en or et en argent, les flottes de pirates sarrasins, leurs repaires disséminés sur les côtes de la Méditerranée occidentale, leur prosélytisme religieux, leur puissance politique en Espagne et en Afrique du Nord. Contre eux s'était formée une coalition italienne de villes portuaires désireuses de développer leur activité commerciale dans la sécurité : Gênes et Pise ont mené avec succès, en Corse, en Sardaigne, en Tunisie, une lutte fructueuse contre les Sarrasins. Leur réussite était indispensable pour garantir des relations régulières avec l'Orient.

Le retentissement inattendu de l'appel de Clermont par le pape Urbain II, en 1095, n'était pourtant pas dû à l'appât du gain. L'invitation à délivrer le tombeau du Christ n'était assortie d'aucune autre promesse que celle de gagner le ciel en combattant pour Dieu. Certes, beaucoup pouvaient espérer ramasser du butin, certains chevaliers sans biens ou des cadets en surnombre étaient peut-être contents de quitter une terre sans avenir, mais ce ne sont certainement pas les motivations de cet ordre qui l'ont alors emporté. La Première Croisade fut celle de la foi ; elle ne pouvait être rien d'autre, car on ne savait pas ce qu'on gagnerait en Terre sainte. Les chevaliers, les seigneurs et les barons qui suivirent le même chemin avec un peu de retard avaient peut-être une idée plus précise de la possibilité de faire fortune, mais leur ambition ne se dévoila que petit à petit, à Constantinople d'abord à cause du comportement avide de l'empereur, puis après la prise d'Antioche.

## Harems et marchés d'esclaves

Une fois le but atteint et Jérusalem conquise, la terre à peupler et à défendre appelait du monde, combattants et colons ; elle offrait ses ports et son arrière-pays aux marchands. Ce fut alors le début d'une épopée où la foi des pèlerins était souvent moins pure et où les préoccupations mercantiles et conquérantes se manifestèrent fréquemment. Une généralisation hâtive serait, cependant, une erreur. Les grandes croisades populaires parties de Lombardie et de France en 1101 par voie de terre étaient encore très proches de celle de Pierre l'Ermite ; elles se perdirent dans les sables et tombèrent sous les coups des Turcs. Les croisés furent massacrés ou peuplèrent les harems et les marchés d'esclaves.

Les Italiens agirent avec beaucoup d'à-propos ; l'aide apportée aux croisés par les commerçants des grands ports de la Péninsule, Pise, Gênes, Venise, fut accidentelle mais très précieuse, car les marins apportèrent aux assiégés du bois, des victuailles et des bras supplémentaires. La récompense ne se fit pas attendre et les Génois se trouvèrent vite associés aux conquérants dans l'occupation des ports de Syrie et la perception fructueuse de taxes avec, en outre, des privilèges commerciaux. Pise suivit Gênes et tira profit de ce que son archevêque Daimbert fut légat pontifical ; elle s'installa en maîtresse à Jaffa. Les Vénitiens, venus en dernier, ne demeurèrent pas en reste et gagnèrent les mêmes avantages que Pise. Ce furent néanmoins les Génois qui se montrèrent les plus actifs. L'ardeur des premiers combats se muait en ambition mercantile.

Dès lors, les motivations économiques des croisés se firent plus évidentes. L'appât du gain les attirait en Orient. D'autre part, les conditions matérielles de l'Occident à ce moment précis favorisaient leur départ. En effet, au besoin criant de paysans et d'artisans exprimé par les principautés latines de Terre sainte, répondait alors un certain surplus démographique de l'Occident : ne voyait-on pas une migration régulière de ruraux venir grossir les villes qui n'étaient pas encore en mesure de les accueillir tous, de leur fournir travail et nourriture ? A l'essor urbain de la France, à partir du XIe siècle, à l'accroissement de la consommation, au gonflement d'un groupe chevaleresque amateur de belles étoffes, de bijoux, d'armes, d'objets exotiques, répondaient les marchés orientaux tombés entre les mains des Italiens et de quelques Français du Midi. La circulation monétaire s'accrut, un courant incessant relia les terres conquises aux pays des conquérants grâce à un mouvement périodique des flottes, le voyage par mer se révélant, malgré son prix, plus sûr et plus rapide que le long trajet par voie de terre.

En ce qui concerne les marchands, l'intérêt était tout autre, car il était permanent. L'installation dans les ports de Syrie et de Palestine avait ouvert des possibilités immenses, qui furent bien exploitées. Le circuit ininterrompu des navires, deux aller-retour par an, entretint les échanges de personnes et de marchandises et devint vite indispensable à la survie des États latins d'Orient. Ce ne sont pas les intérêts économiques qui suscitèrent la Deuxième Croisade, pas plus qu'ils n'avaient suscité la Première, mais ils profitèrent largement des efforts faits par les Occidentaux pour garder la Terre sainte.

Ainsi, il serait dangereux d'ajouter foi aux quelques récits de ceux qui ont décrit les bandes inorganisées de la Première Croisade, l'épopée de certains chevaliers, la fortune inespérée de quelques cadets, la conquête audacieuse de Constantinople comme autant d'actions menées à l'instigation de Venise. L'Europe a tiré profit des croisades.

Mais la situation économique et sociale ne suffit pas à justifier, à elle seule, l'entreprise des Francs.

## Notes

1. Roussel est un Normand qui commanda les troupes au service des Byzantins et aida à résister aux offensives arabes (vers 1070).

2. Le récit de ce passage est fait dans *la Saga de Harald l'Impitoyable* (trad. Régis Boyer, Paris, « Petite Bibliothèque Payot », 1979).

# 11

# *La coquille et la croix : les emblèmes des croisés*

**Michel Pastoureau**

Bon nombre d'idées reçues circulent encore sur les croix des croisés, sur les coquilles des pèlerins, sur les croissants de l'islam ou sur la prétendue adoption des armoiries par les combattants occidentaux au cours de la Première Croisade. Parmi les quelque cinq mille titres d'ouvrages et d'articles recensés par la plus complète et la plus consultée des bibliographies des croisades, celle de H.E. Mayer[1], il ne s'en trouve aucun qui traite de l'emblème de la croix. Dès lors, rien d'étonnant à ce que, en ce domaine, la légende remplace souvent la vérité historique et si l'emblématique souffre du voisinage séduisant de la symbolique. On ne répétera jamais assez que la croix, la coquille, les armoiries utilisées par les croisés sont des emblèmes et non des symboles renvoyant à un sens caché. Ce sont simplement des signes de reconnaissance qui aident à situer l'individu dans le groupe et le groupe dans la société. Il ne faut pas y chercher des significations élaborées, encore moins les traces mystérieuses d'un langage ésotérique ou initiatique.

Bien avant d'être l'emblème des croisés, la croix cousue sur les vêtements était un insigne de pèlerinage employé dans tout l'Occident. En cela, la croisade, pèlerinage d'un nouveau genre, n'innove guère. Mais il est probable que les paroles de saint Matthieu, reprises par Urbain II dans son appel de Clermont en 1095[2], ont contribué à faire de ce qui n'était qu'un insigne de pèlerinage parmi plusieurs autres l'emblème privilégié du «voyage de Jérusalem». Dès l'époque de la Première Croisade, ceux qui se proposent d'accomplir ce long voyage sont désignés par le terme latin *crucesignati* (marqués du signe de la croix).

Cette croix, qui est à la fois la marque extérieure d'un vœu et le signe d'appartenance à une communauté nouvelle de pèlerins dotée de privilèges spéciaux, à quoi ressemble-t-elle? Sur quelle pièce du vêtement doit-elle être placée? Quelle en est la matière? Quelle forme a-t-elle? Quelle couleur? Quelles dimensions? Autant de questions auxquelles il est difficile de répondre. Les descriptions des contemporains sont rares et contradictoires; les témoignages iconographiques, tardifs. Au reste, il ne semble jamais y avoir eu de prescriptions impératives, chaque croisé ou chaque groupe de croisés étant libre d'arborer la croix de son choix. La prétendue codification des couleurs (une croix rouge pour les Français, une blanche pour les Anglais, une verte pour les Flamands, selon un chroniqueur imaginatif décrivant le départ de la Troisième Croisade) ou la prétendue codification des formes qui aurait servi à différencier les expéditions (une croix latine pour les croisades en Terre sainte, une croix fleuronnée pour celles d'Espagne, un sautoir pour la Croisade des Albigeois, etc.) ne reposent sur aucune réalité historique.

Les croix des croisés ont eu toutes les formes et toutes les couleurs. La plus utilisée paraît avoir été une croix latine simple, de dimensions réduites, découpée dans une étoffe de couleur rouge et cousue sur l'épaule gauche. Mais la croix ancrée, au XIIᵉ siècle, et la croix pattée, au XIIIᵉ siècle, ont connu une vogue importante. De même, la croix peut prendre place non pas sur l'épaule, mais sur la poitrine, entre les omoplates, sur le chapeau, sur les gants, être portée au cou ou bien pendre à la ceinture. Elle peut être rouge mais aussi blanche, jaune, verte, noire; elle peut être en tissu, mais aussi en bois, en cuir, en métal. Une miniature du milieu du XIIIᵉ siècle, représentant l'image idéalisée d'un chevalier croisé, le montre ainsi vêtu d'une cotte d'armes semée de croisettes pattées brunes et pourvu, au-dessus de l'épaule, d'une croix métallique semblable, rivée à son haubert.

Pourtant, à partir du XIIIe siècle, les représentations de croisés qui nous sont connues – non seulement par de nombreuses miniatures mais aussi par la fresque, la sculpture, le vitrail – ignorent souvent la croix. Il semble bien qu'après l'échec de la Troisième Croisade et la déviation de la Quatrième cet insigne de la croix soit devenu assez impopulaire. D'autant que les faux croisés étaient nombreux qui, comme le héros du *Roman de Renart* [3], ne partaient pas et ne prenaient la croix que pour bénéficier des privilèges considérables qui s'y attachaient. Ceux qui partaient réellement hésitaient désormais à coudre sur leurs vêtements cette marque trop ostentatoire ; ils lui préféraient le bourdon et la coquille du pèlerin ordinaire. Il est vrai que les croisés étaient parfois si détestés que certaines villes – telle Ratisbonne en 1248 – défendaient à quiconque, sous peine de mort, d'arborer une croix sur son costume. Nous sommes loin alors de l'appel de 1095 et de la liturgie euphorique et solennelle des prises de croix au départ de la Première Croisade.

Ce n'est qu'assez tard que la coquille est devenue l'attribut préféré du pèlerin occidental. Il faut en effet attendre le XIIIe siècle pour voir dans l'iconographie son indice de fréquence dépasser celui du bourdon (bâton noueux terminé par un pommeau) et de l'*escrepe* (sorte de bourse ou de sacoche portée en bandoulière et contenant l'argent ou le pain) auxquels elle est du reste fréquemment associée. Cette primauté est due à la vogue du pèlerinage vers Saint-Jacques-de-Compostelle et à l'habitude qu'avaient les pèlerins qui atteignaient ce but d'en rapporter des coquilles ramassées sur les plages pour prouver le succès de leur entreprise.

On voit ainsi se fixer peu à peu la panoplie stéréotypée du pèlerin de Saint-Jacques : le bourdon à la main, la panetière au cou, le grand chapeau sur la tête, l'ample manteau sur les épaules et plusieurs coquilles cousues sur chaque pièce du vêtement. Plus tard, des pratiques semblables s'établiront au Mont-Saint-Michel et dans plusieurs autres lieux de pèlerinage, et la coquille tendra à devenir, à la fin du Moyen Age, l'emblème unique du pèlerinage accompli.

Au reste, de bonne heure était apparu, un peu partout en Europe, un commerce de coquilles, qu'achetaient de faux pèlerins pour tromper leur entourage. Le même phénomène existait avec les palmes que les croisés et tous ceux qui faisaient le voyage de Jérusalem avaient l'habitude de rapporter de Terre sainte. Au XIIIe siècle, cette preuve matérielle de l'accomplissement de leur vœu pouvait s'acheter à des *faux-paulmiers* sur n'importe quel marché d'Occident. Croisades et pèlerinages se sont toujours accompagnés de tricheries de cette nature, vainement dénoncées par les théologiens.

Dans l'iconographie médiévale, la coquille n'est pourtant pas toujours associée à l'idée de pèlerinage. C'est un élément décoratif extrêmement répandu, au même titre que l'étoile, la billette, le losange, l'annelet, la fleur de lis ou le croissant, et dont les artistes usent pour meubler des surfaces vides. C'est une erreur de voir systématiquement la marque d'un itinéraire de pèlerinage dans des coquilles peintes ou sculptées, alors qu'il s'agit souvent d'un motif ornemental sans signification. Des méprises semblables concernent la fleur de lis ou le croissant, que l'on associe, trop rapidement, la première au roi de France, le second à l'islam, alors que ce sont en général de simples thèmes graphiques.

Outre ces marques individuelles, les croisés font usage d'emblèmes collectifs, qui servent de signes de ralliement aux différents cortèges en route vers la Terre sainte, ou de signes de reconnaissance aux groupes de combattants. Ces emblèmes, essentiellement militaires et féodaux, sont les mêmes que ceux que l'on emploie en Occident : gonfanons, bannières, pennons et enseignes vexillaires diverses[4]. Mais il existe aussi des emblèmes plus spécifiques. Toute expédition militaire d'envergure pouvait en effet s'accompagner de l'utilisation d'un étendard particulier, remis solennellement par une autorité ecclésiastique avant le départ. Ce fut le cas en 1066 pour le débarquement en Angleterre du duc Guillaume et de ses alliés. Ce fut également le cas pour les différentes croisades.

Ont ainsi été employés, comme emblème général des expéditions vers Jérusalem, tantôt un étendard orné de l'image de la Vierge, tantôt une grande bannière blanche chargée d'une croix rouge. Au XIIIe siècle, cette *croix de gueules sur champ d'argent* – qui n'était à l'origine probablement qu'une des bannières du Saint Empire romain germanique – devient l'emblème type du chevalier chrétien en lutte contre les forces du démon. L'argent (blanc) évoque la foi et la pureté ; les gueules (rouge), le sang versé pour la cause du Christ. L'iconographie en fait la bannière du Christ et celle de saint Georges, et l'héraldique imaginaire, les armoiries de Galaad, vainqueur de la quête du Graal, le plus pur des héros mis en scène par la littérature arthurienne.

Du problème des emblèmes, il faut distinguer celui des armoiries qui a, lui aussi, fait couler beaucoup d'encre depuis le XVIIe siècle. Longtemps les historiens ont cru que leur apparition dans l'Europe du Nord-Ouest au début du XIIe siècle était due à l'emprunt d'une coutume musulmane par les chevaliers occidentaux au cours de la Première Croisade. On sait aujourd'hui qu'il n'en est rien[5]. Des recherches récentes ont montré que l'usage par les peuples de l'islam d'emblèmes militaires ou familiaux présentant quelques ressemblances avec les armoiries européennes n'était pas antérieur au milieu du XIIIe siècle, soit près d'un siècle et demi après la naissance de celles-ci en France, en Angleterre, aux Pays-Bas et dans l'Allemagne rhénane. Ce sont ces régions qui sont le berceau des armoiries, dont l'apparition n'est nullement liée aux croisades mais à l'évolution de l'équipement militaire : le développement du nasal du casque et du capuchon du haubert rendant les combattants méconnaissables, ceux-ci prennent peu à peu l'habitude de peindre sur la grande surface plane de leur bouclier des figures animales, florales ou géométriques, leur servant à se reconnaître au cœur du combat.

On peut parler d'armoiries à partir du moment où le même personnage fait constamment usage de la même figure et où celle-ci est représentée selon quelques principes de composition stables. Cela se situe, selon les régions, entre 1130 et 1160. D'abord réservé aux principaux chefs de guerre, l'emploi des armoiries s'étend, grâce à la vogue des tournois, à tous les combattants. Puis, en raison de la diffusion du sceau dont elles constituent l'ornement essentiel, à toutes les classes et catégories sociales. Dans la première moitié du XIIIᵉ siècle, toute la noblesse européenne en est pourvue, et certains roturiers (y compris des paysans) ou certaines communautés civiles et religieuses commencent d'en adopter.

Il n'y a donc pas d'armoiries à l'époque de la Première Croisade, très peu au moment de la Seconde, mais elles sont largement répandues dans les expéditions suivantes. Ce qui a fait croire à leur origine orientale, c'est le dessin stylisé des principales figures du blason que l'on trouve déjà sur les tissus byzantins et musulmans du haut Moyen Age. En fait, ce dessin est beaucoup plus ancien : on rencontre des lions et des aigles « héraldisés » dans la Mésopotamie du IVᵉ millénaire avant Jésus-Christ. Abondamment utilisé par l'insignologie des peuples barbares, il était connu en Occident bien avant les croisades.

A l'époque moderne, le mythe de l'origine orientale des armoiries européennes connut un succès considérable. On expliqua la présence de certaines figures dans de nombreuses armoiries familiales par des légendes liées aux croisades : une croix indiquait qu'un ancêtre avait participé à l'une des trois premières ; un croissant, qu'il avait épousé une princesse musulmane; une merlette (petit oiseau stylisé, très répandu dans les armoiries d'Ile-de-France, de Picardie et de Normandie), qu'il avait été fait prisonnier en Terre sainte; une bouge (sorte d'outre à eau fréquente dans l'héraldique anglaise), qu'il était mort de soif dans les déserts d'Anatolie ou du Sinaï. Ces interprétations ne sont évidemment nullement fondées : la présence de ces figures dans les armoiries n'est due – comme pour toutes les autres – qu'à des phénomènes de goût (plus collectif qu'individuel), de vogue et de mode (plus géographiques que sociales).

Plus instructives pour l'historien sont, dans les textes littéraires et les œuvres d'art de la fin du Moyen Age, les cas d'attribution d'armoiries fictives aux plus fameux chefs musulmans adversaires des croisés (Zengi, Nur-ad-Dîn, Saladin, etc.). Auteurs et artistes dotent en effet ces personnages d'écus semblables à ceux des chevaliers chrétiens. Mais les figures qui leur sont attribuées sont chargées d'une signification péjorative : hure de sanglier, tête de More, dragon, panthère, serpent, scorpion. On relève également dans cette héraldique musulmane imaginaire une utilisation abondante de la couleur noire, dont le XIIIe siècle finissant cesse de faire une couleur comme les autres et qu'il prend de plus en plus souvent en mauvaise part. Le blanc a désormais deux contraires : le rouge, la couleur préférée des populations européennes; et le noir, la couleur du péché, du paganisme et de la mort. C'est là presque une nouveauté dans la civilisation occidentale.

## Notes

1. *Bibliographie zur Geschichte der Kreuzzüge*, Hanovre, 1960.
2. « Si quelqu'un veut venir à ma suite, qu'il se renie lui-même,

qu'il se charge de sa croix et qu'il me suive» (Matthieu 16, 24).

3. Dans la célèbre branche VIII : «Le pèlerinage de Renart», notamment.

4. Le *gonfanon* est un emblème de fief : c'est un morceau d'étoffe rectangulaire, terminé par plusieurs flammes, installé au sommet d'une hampe perpendiculairement à laquelle il flotte. Sa fonction est de regrouper sur le champ de bataille ou de tournoi tous les combattants venant du même fief. A la fin du XIIe siècle, il tend à être remplacé, surtout pour les fiefs importants, par la *bannière*, pièce d'étoffe également rectangulaire et clouée sur une hampe, mais de manière à ce que son grand côté soit parallèle à celle-ci. Sur cette bannière prennent place les armoiries du seigneur ou de la seigneurie. Pour se reconnaître, les vassaux qui appartiennent à celle-ci installent près de l'extrémité de leur lance une petite flamme triangulaire, le *pennon*, dépourvue de motif mais teinte aux couleurs héraldiques du seigneur. Quant aux chefs de guerre importants (rois, ducs, comtes), ils sont pour la plupart accompagnés d'enseignes spéciales, destinées à les faire reconnaître au cœur de la mêlée : ainsi l'étendard à l'aigle de l'empereur, l'oriflamme du roi de France, le dragon en ronde bosse du duc de Normandie.

5. Sur cette question, on me permettra de renvoyer à : M. Pastoureau, *L'Apparition des armoiries en Occident : état du problème*, dans *Bibliothèque de l'École des chartes*, 1976, p. 281-300, et « L'origine des armoiries : un problème en voie de solution ? », dans *Genealogica et Heraldica. Report of the 14th International Congress of Genealogical and Heraldic Sciences*, Copenhague, 1980 (1982), p. 241-254.

# 12

## *Le Saint-Sépulcre*

**Geneviève Bresc-Bautier**

Le sépulcre du Christ à Jérusalem est la seule relique matérielle de la Résurrection, l'unique vestige de cet événement fondamental du christianisme – si l'on exclut le Saint-Suaire qu'une habile publicité auréole aujourd'hui de mystère. Le Saint-Sépulcre est le tombeau creusé dans le roc, prêté par Joseph d'Arimathie, où fut déposé le corps du supplicié au soir du vendredi, et qui fut retrouvé vide par les Apôtres au matin de Pâques.

A la différence des autres reliques du Christ, les innombrables parcelles de la Croix, les colonnes de la flagellation, les couronnes d'épines, les éponges, les roseaux, les bassins où Pilate se lava les mains, tous objets mobiles arrachés à leur contexte, diffusés en de si multiples exemplaires que, dès le XIe siècle, le moine Guibert de Nogent s'en offusquait, le Sépulcre est profondément ancré au cœur de la ville de Jérusalem. La cité mystique, la Jérusalem céleste, projette sur la Jérusalem terrestre une partie de sa sainteté et de ses symboles, qui s'enracinent autour du Sépulcre, vers lequel convergent les pèlerins. Là, spirituel et matériel s'unissent et se confondent. Voir le Sépulcre, le toucher, mettre ses pas dans ceux du Christ, selon l'expression du XIe siècle, sont pour les pèlerins des gestes de salut. Alors que transplantées en Occident les petites pierres arrachées au tombeau semblent perdre tout pouvoir évocateur ou thaumaturgique, le monument de

Jérusalem voit son culte se gonfler de l'espace de la Passion, et de la promesse du salut. Lieu sacré plus encore que relique, il est l'un des phares, d'autant plus brillant que lointain, de la religion médiévale, de ses pulsions et de ses fantasmes.

Ce Saint-Sépulcre est-il authentique ? Peu importe. La critique positiviste a eu beau s'exercer avec l'âpreté qu'on lui connaît, il demeure que, depuis 325, ce lieu traditionnel, conforme aux données de l'Évangile, s'est chargé de toute sa valeur symbolique et historique. Cette argumentation repose sur une invérifiable tradition au sein de la communauté chrétienne de Jérusalem, antérieure à la reconstruction de Jérusalem par Hadrien en 135. Comme pour la tombe de saint Pierre, c'est un débat truqué, où les preuves sont subjectives et les armes de la critique guidées par l'idéologie.

Ce n'est qu'après le concile de Nicée, en 325, que Constantin ordonna à l'évêque de Jérusalem, Macaire, de détruire des temples dédiés à Vénus et à Jupiter. « Sous le réel tombeau des âmes, repaire ténébreux d'Aphrodite », on trouva, au dire du panégyriste impérial Eusèbe de Césarée, « le véritable et très saint témoignage *(martyrion)* de la Résurrection du Sauveur ». Constantin donna l'ordre « de construire non seulement une basilique supérieure à celles du monde entier, mais aussi d'autres édifices qui surpassent tout ce que les autres villes offrent de remarquable », et offrit les marbres et les colonnes les plus précieux. Les architectes Eustathe et Zénobius s'affairèrent à construire une basilique de première grandeur, témoignage du triomphe politique des chrétiens et de l'affirmation de Jérusalem comme leur capitale religieuse. En 335, les évêques, réunis en concile à Tyr, vinrent consacrer la nouvelle basilique. L'église, longue de près de cinquante mètres, large de cinq nefs, riche de colonnes, de plafonds aux lambris sculptés, rutilait de marbres d'or. Elle servait aux grandes célébrations eucharistiques. Un atrium d'entrée et un autre chevet facilitaient les grandes proces-

sions vers les deux sanctuaires *(martyria*, témoignage, lieu
sacré), le Calvaire et l'*Anastasis* (Résurrection en grec),
vaste rotonde qui servait d'écrin au tombeau monolithe
dégagé.

Du IVe au VIIe siècle, le Saint-Sépulcre, gigantesque
complexe monumental, connaît sa période de gloire. Pèlerinage primordial de la chrétienté, il est célébré par les premiers récits de voyageurs. Saint Augustin a beau reprocher
aux donatistes d'adorer de la terre prise au Saint-Sépulcre,
partout les pèlerins emportent des ampoules de plomb,
contenant de l'huile brûlée devant le grand sanctuaire
palestinien. Ces reliquaires portatifs, conservés surtout
dans les trésors lombards de Monza et Bobbio, présentent, grâce aux dessins au trait estampés sur la face principale, un recueil iconographique, très schématisé il est
vrai, des principaux monuments de Terre sainte.

La période sombre commença au VIIe siècle : chaque
siècle fut marqué par une catastrophe destructrice qui
n'entraînait que de piètres restaurations. En 614, lors de
la prise de Jérusalem par les Perses de Chosroes, le Saint-
Sépulcre fut brûlé et la relique de la Croix emportée. Mais
l'empereur Héraclius la récupéra, et le patriarche de Jérusalem, Modeste, releva les parties détruites. La conquête
arabe de 632 mit fin à la présence byzantine dans ces
régions. La tolérance était la règle, et le calife Omar se
contenta de prier à l'extérieur du Saint-Sépulcre, car,
disait-il, « si j'avais prié dans cette église, elle aurait été
perdue pour vous [les chrétiens], car les croyants l'auraient
prise de vos mains en disant : "Omar a prié ici !" ».

Mais la ruine menaçait la basilique : un tremblement
de terre au IXe siècle, un incendie au Xe précédèrent
l'épreuve de la destruction ordonnée par le calife Hakim
en 1009. Le chroniqueur Jean d'Antioche raconte que les
exécuteurs des volontés califales « rasèrent entièrement
l'église, à l'exception des parties qu'il fut impossible ou
qu'il aurait été trop difficile d'enlever de leur place », c'est-
à-dire la rotonde de l'*Anastasis* qui subsiste encore

jusqu'au premier étage. Cet acte était inouï. Pour Hakim, fils d'une chrétienne, neveu de deux patriarches, il s'agissait non d'une persécution contre les seuls chrétiens, mais d'un acte qui annonçait le dépassement de tous les cultes. Dans l'atmosphère apocalyptique de l'an 400 de l'Hégire, Hakim, poussé par les initiés ismaïliens, voulait proclamer la fin de l'islam, la réconciliation de toutes les religions par la révélation de leur sens ésotérique, et l'avènement du maître du temps.

En Occident, cette profanation eut un retentissement relativement limité. Là aussi « les terreurs de l'an mil » et le climat apocalyptique auraient pu jouer leur rôle. Le chroniqueur Raoul Glaber se contenta de colporter des balivernes donnant la responsabilité de la destruction du Saint-Sépulcre aux Juifs d'Orléans[1]. Mais la Terre sainte était trop éloignée pour susciter un grand mouvement d'indignation. Ce n'est que vingt ans plus tard que déferla vers Jérusalem la vague des grands pèlerinages collectifs – annonciateurs de la croisade – qui devaient transformer la vision de Jérusalem. Alors Hakim était revenu sur sa décision, autorisant le culte chrétien et la restauration du Saint-Sépulcre. De longues négociations s'étaient même engagées avec l'empereur byzantin, qui aboutirent en 1048 à une reconstruction partielle des édifices, payée par le trésor impérial de Constantin Monomaque.

## Un bric-à-brac symbolique

Les croisés entrèrent donc en 1099 dans un complexe de monuments hybrides : la rotonde constantinienne, *martyrium* sacré, et, à l'entour, des cours et des oratoires consacrés aux diverses étapes de la Passion. Ce sanctuaire à l'air libre – la rotonde elle-même ouverte vers le ciel par un large orifice circulaire – choquait les gens du Nord. Le prestige des croisés, du roi latin, du patriarche et de son chapitre exigeait de transformer les lieux sacrés,

ouverts à tous vents, en une vaste église conforme à celles
des grands pèlerinages occidentaux. On engloba donc une
partie des oratoires en édifiant un chœur à déambulatoire,
accolé à la rotonde. On systématisait ainsi les Lieux saints :
le Calvaire à la tribune du transept, les étapes de la Passion dans les absidioles. En outre, un grand cloître et des
bâtiments monastiques abritaient au large le clergé latin,
reléguant dans l'ombre les confessions orientales. La dédi-
cace solennelle, le 15 juillet 1149, cinquante ans jour pour
jour après la conquête, fut la glorification symbolique et
politique du sanctuaire. Il n'était certainement pas achevé,
et la chute brutale de Jérusalem en 1187 arrêta seule les
travaux des « nouveaux Constantins ».

Constantin avait fait découvrir les deux reliques essen-
tielles : le Sépulcre et le Calvaire. Dès 347, apparaît la
Vraie Croix que l'église de Jérusalem est sûre de posséder. Tout naturellement, l'invention de la relique fut attribuée à sainte Hélène, mère de Constantin. A la fin du
IVe siècle, le lieu supposé de la découverte est reconnu
officiellement, le rôle d'Hélène magnifié, la véracité de la
Croix corroborée par des miracles : aux deux *martyria*
évangéliques s'ajouta le sanctuaire de l'Invention de la
Croix.

C'était insuffisant : on enrichit la symbolique du lieu
par des références bibliques et des reliques. Les textes qua-
lifiaient la Croix de centre du monde : on disposa donc
un véritable « ombilic », l'*omphalos* grec, le « Compas »
des croisés où, prétendaient-ils, le Christ avait mesuré le
monde. Au milieu de la terre, Adam, le premier homme,
avait dû naître : le lieu de sa création y fut matérialisé au
VIe siècle. Mais une autre tradition la chassa : on plaça
dans une anfractuosité du rocher, sous le Calvaire, la
tombe d'Adam, celle de son crâne. La symbolique rejoi-
gnait la philologie puisque Golgotha voulait dire en
hébreu « lieu du crâne », par référence à la particularité
montagneuse du terrain. La *Légende dorée* donna libre
cours à son imagination, et la croix fut taillée dans l'arbre

– bouturé du pommier du premier péché – planté par
Seth sur la tombe d'Adam.

## De la gloire à l'abandon

La Croix n'était pas seulement le milieu de la terre, le
signe du rachat du péché, c'était le lieu du sacrifice. Typo-
logiquement, on la lia aux deux sacrifices annonciateurs,
d'Abraham et de Melchisedech, et on éleva des oratoires
à ces lieux matérialisés. En outre, on les entoura d'un arsenal de reliques : corne de l'onction de David, anneau de
Salomon, calice de la Cène, roseau, éponge et lance de
la Passion.

La liturgie du XIᵉ siècle détermina de nouveaux lieux
saints. Les processions, ancêtres lointains du chemin de
croix, faisaient des stations aux principaux épisodes de la
Passion. On les matérialisa jusqu'à oublier la vraisem-
blance. Côte à côte, on localisa la prison du Christ, le lieu
de la flagellation avec sa colonne, celui du couronnement
d'épines, celui du partage des vêtements au sort, celui où
la Vierge défaillit en voyant la Croix, celui où le Christ
recommanda la Vierge à Jean, la pierre de l'onction du
Christ mort avec des onguents, la pierre roulée du tombeau où l'ange assis annonça aux trois Marie la Résurrection, le lieu de l'apparition du Christ à Madeleine. Chacun
de ces emplacements, d'abord purement liturgique devint
véridique, enrichi de reliques. Au XVᵉ siècle, à l'apogée
de ces dévotions, un dominicain critique et réaliste, Félix
Schmitt, s'irritait de ces légendes que gobaient les pèlerins crédules. Il réfuta les multiples empreintes du pied du
Christ sur les dalles, ou les échos assourdis des coups de
marteau que frappait pour l'éternité le forgeron infernal
des clous du Christ.

Il ne faut pas s'y tromper, ce bric-à-brac mythique n'est
qu'un signe du changement progressif de la spiritualité.
A l'origine, le fait central du Saint-Sépulcre est la Résur-

rection. L'*Anastasis* est victoire sur la mort, image de joie
et de gloire. Les textes le soulignent : « Son Sépulcre sera
glorieux », répètent-ils. La liturgie de Jérusalem exalte la
joie de Pâques par la cérémonie du feu sacré, attestée
depuis le IXe siècle. Simple embrasement des lampes du
Sépulcre dans la nuit de Pâques, devenu miracle par la
suite, cette descente du Saint-Esprit déclenchait l'exaltation des pèlerins au terme de la longue semaine sainte.
Cette pieuse supercherie, que les historiens arabes expli-
quaient dès le XIe siècle par la présence de fils enduits de
bitume pétrolifère, le long desquels courait la flamme, ne
fut condamnée par les Occidentaux qu'au XIIIe siècle, mais
fut conservée par les orthodoxes jusqu'à l'époque contem-
poraine.

Le salut, la résurrection, la victoire sur la mort étaient
donc au bout du voyage à Jérusalem, pour tout pèlerin,
qu'il soit pénitent ou mystique, expiant un crime ou cher-
chant un processus de purification pour sa foi ragaillar-
die par la réforme grégorienne. Hors même des théories
millénaristes, les pèlerins désiraient mourir auprès du
Sépulcre, garant de résurrection. Ainsi Richard de Saint-
Vannes, rescapé du voyage de 1026, regrettait-il d'être bien
vivant, « de ne pas avoir souffert pour le Christ, de n'être
pas demeuré en lui et être enseveli en lui pour ressusciter
dans la gloire en même temps que lui ».

Cette signification joyeuse, glorieuse, fut peu à peu
occultée par des sentiments contradictoires. Le culte du
Sépulcre se spiritualisa, se sublima. La dévotion à l'Eucha-
ristie avait depuis longtemps assimilé les pyxides (boîtes
à hosties) à des « Saint-Sépulcre » en réduction. La présence réelle du Christ dans l'hostie, exaltée au XIIIe siècle
par un ancien patriarche de Jérusalem, le pape Urbain IV,
va bientôt réduire le Sépulcre au rôle de premier reliquaire
eucharistique. Mais le reliquaire réel, qui avait contenu
le corps du Christ, était vide ; il s'effaça devant la myriade
de reliquaires symboliques qui contiennent quotidienne-
ment le corps du Christ sous la forme du pain.

Désormais aussi, la Passion se jouait au théâtre. La religion se dramatisa. La sensibilité s'exaltait devant la réalité des souffrances du Christ. Peu à peu, la tristesse et le sentiment de la mort dominent la mystique du XIVe siècle. Bientôt, en Allemagne puis en France, l'image du Christ mort ou la mise au tombeau deviennent synonymes de Saint-Sépulcre. Chaque église reçut un groupe sculpté, théâtral et dramatique. Le chrétien pouvait assister à la déploration du Christ, de même que l'invention du chemin de croix lui permettait de vivre la Passion. Il n'était plus besoin d'aller à Jérusalem.

## Note

1. Raoul Glaber, suivi par Adhémar de Chabannes, supposa que la communauté d'Orléans avait envoyé un messager porteur d'une lettre cachée dans son bâton, demandant au calife la destruction du Saint-Sépulcre.

## Pour en savoir plus

*Sur le Saint-Sépulcre :*

A. Parrot, *Golgotha et Saint-Sépulcre*, Neuchâtel-Paris, Delachaux et Niestlé, 1955.
H. Vincent et F.-M. Abel, *Jérusalem, recherches de topographie, d'archéologie et d'histoire*, Paris, Gabalda, 1914-1926, t. II.
Ch. Couasnon, *The Church of the Holy Sepulchre in Jerusalem*. Londres, British Academy, 1974.

*Les ampoules reliquaires de plomb :*

A. Grabar, *Ampoules de Terre sainte*, Monza, Bobbio, Paris, Klincksieck, 1958.

*La destruction de 1009 :*

M. Canard, « La destruction de l'église de la Résurrection par le calife Hakim et l'histoire de la descente du feu sacré » dans *Byzantion*, XXXV, 1, 1965.

*Mise au point récente :*
P.-A. Sigal, *Les Marcheurs de Dieu*, Paris, Armand Colin, 1974.

*Voir aussi la bibliographie générale, en fin d'ouvrage.*

# 13

## *La chasse aux hérétiques*

**Claude Gauvard**

Lorsqu'en 1215 le pape Innocent III convoque le IVe concile de Latran, son but est clair : il veut procéder à « la réforme de l'Église universelle, à la correction des mœurs, à l'extinction de l'hérésie et à l'affermissement de la foi ». Telles sont ses propres paroles. La personnalité d'Innocent III est d'ailleurs tout entière contenue dans ce programme. Ce théologien formé dans les écoles parisiennes et bolonaises est hanté par l'hérésie qui divise la chrétienté. Les théories cathares lui apparaissent comme une perversion de l'ordre religieux, mais aussi de l'ordre social, que lui, pape, vicaire du Christ, par son autorité absolue et universelle, se doit de rétablir. Tous les moyens mis en œuvre jusqu'alors et soutenus par la papauté relevaient d'une solution radicale et traditionnelle : la croisade armée. C'est dans cette optique que la noblesse du Nord s'est ruée – non sans succès – dans le Midi, à l'assaut des hérétiques.

Mais voici qu'en ce début du XIIIe siècle le succès des chevaliers ne suffit plus. La papauté n'entend pas en rester là. Certes Innocent III fait approuver par le concile les exploits du chef des croisés, Simon de Montfort, tandis que Raymond de Toulouse – tolérant pour ne pas dire complice à l'égard des cathares – est déchu. Il est évident que le pape prend à son compte les conséquences militaires de la croisade. Mais le mal ne lui semble pas pour

autant extirpé et il souhaite le recours à d'autres métho-
des. Simple souci d'un pape novateur ? En fait, ses successeurs aux noms moins prestigieux, Honorius III
(1216-1227) et Grégoire IX (1227-1241), ont continué avec
acharnement l'œuvre entreprise.

## Une croisade d'un nouveau genre

Dès le III$^e$ concile de Latran, en 1179, le besoin s'était
fait sentir de compléter l'action des armes par une prédication de haut niveau. Mais les décisions prises n'avaient
pas été suivies d'effet. Au début du XIII$^e$ siècle, Innocent III s'était tourné vers les cisterciens, le seul ordre
capable de fournir des prédicateurs efficaces – on se sou-
vient de saint Bernard –, mais l'entreprise avait échoué.
En 1215, la papauté est décidée à en finir. Il suffit, pour
le comprendre, de rapprocher les décisions prises à
Latran IV de la fondation de l'université de Paris et de
la reconnaissance des ordres mendiants, en particulier des
dominicains. Que cherche alors la papauté ?

« Paris, mère des sciences, cité des lettres, brille d'un
éclat précieux. Déjà grande, elle fait attendre de plus grandes choses, grâce à ceux qui apprennent et à ceux qui enseignent [...]. Ici le fer est extrait de terre, car, tandis que
la fragilité céleste est affermie par la force morale, on pré-
pare avec lui, pour la milice du Christ, l'armure de la foi,
le glaive de l'esprit et les autres armes puissantes en face
des puissances d'airain. » Ce ne sont pas seulement les allé-
gories d'usage auxquelles fait appel Grégoire IX lorsque,
par la bulle *Parens Scientiarum* en 1231, il confirme les
privilèges de l'université de Paris. Quelques années auparavant, Honorius III louait le zèle des prêcheurs au pays
de Toulouse en termes identiques. « Armés du bouclier de
la foi et du casque du salut », ils ont pour mission de lutter contre « les ennemis de la foi ». En fait, la papauté vient
de mettre sur pied une croisade d'un nouveau genre, celle

de la parole. Car il s'agit bien d'une croisade. On retrouve, appliqués à ces universitaires et à ces prédicateurs, les termes qui étaient réservés depuis le XIᵉ siècle aux chevaliers en lutte contre les infidèles, à ceux qui recevaient ainsi l'honneur de devenir les *milites Christi*, les chevaliers du Christ. Une croisade d'un autre type est née. Son arme est nouvelle : c'est la prédication ou l'art de manier le Verbe de Dieu.

Ces « hérauts » chargés de « clamer les louanges du Christ » ne doivent pas partir pour l'aventure sans un solide bagage théologique. L'entreprise de prosélytisme s'accompagne donc nécessairement du souci d'éduquer les nouveaux « croisés ». Les ordres mendiants puisent dans une vie exemplaire, mais surtout dans de solides connaissances, les arguments de leurs sermons. Mais la fondation des universités, celle de Paris, puis celle de Toulouse en plein pays cathare, apparaît comme la clef de voûte du nouveau système de conversion. Paris doit être une pépinière de théologiens, ce qui explique, en partie, les efforts de la papauté pour contrôler les lectures des étudiants. Le but est de former des clercs capables de résister à l'hérésie et de la combattre. Pour cela, la papauté ne se contente pas de l'œuvre entreprise par les ordres mendiants. Elle s'attaque au rouage essentiel de l'Église : le clergé séculier. L'Église pullule d'évêques incompétents : au IVᵉ concile de Latran d'y remédier. Dans chaque église-cathédrale et dans toutes les églises disposant d'un revenu suffisant, on institue un maître bien formé pour instruire les clercs. Enfin, on crée des prédicateurs chargés d'aider les évêques ou de se substituer à eux quand ils sont défaillants, pour expliquer l'Évangile aux fidèles.

L'ensemble des décisions prises par la papauté est d'une cohérence implacable. Certes, ces préoccupations pontificales ne sont pas nouvelles. Dès le XIIᵉ siècle, le IIIᵉ concile de Latran avait mis l'accent sur la nécessité de former des maîtres compétents dans le cadre du diocèse. Saint Bernard lui-même, alors qu'il applaudissait aux

exploits de la noblesse d'Occident passant au fil de l'épée
les infidèles, savait chanter les vertus de la prédication.
Mais ce qui est nouveau en ce début du XIIIᵉ siècle, c'est
cet ensemble de mesures concertées et cohérentes, comme
si la papauté avait échafaudé un vaste plan pour enserrer
les fidèles dans la parole de Dieu.

## Une soif de perfection

La papauté seule ? Ce serait compter sans le grand nombre de zélés qui sont venus étayer sa politique. L'expansion foudroyante des ordres mendiants au cours du
XIIIᵉ siècle est là pour le prouver. De nombreux prédicateurs ont donc été formés qui ont répondu à l'appel du
pape. Mais n'imaginons pas cette entreprise sans courage
et sans combats. Elle a rencontré l'hostilité ou tout au
moins l'inertie d'une grande partie du clergé traditionnel.
L'exemple de Maurice de Sully, évêque de Paris à la fin
du XIIᵉ siècle et auteur d'un manuel de prédication, est
une exception. Le clergé régulier, lui, se confine dans
l'ombre des cloîtres. Les théories d'Hugues de Saint-
Victor, qui découragent les moines de participer au mouvement de prédication, sont rigoureusement appliquées :
« Si tu es moine, que fais-tu au milieu de la foule ? Je veux
instruire les autres, dis-tu. Ce n'est pas ton office ; ton
office est de pleurer. En fuyant le monde, tu t'instruis plus
qu'en le recherchant » (*Didascalion*, lib. V).

La vieille division de la société féodale en trois ordres
n'est pas morte. Aux clercs de prier, aux chevaliers de
combattre pour la foi. Mais cet idéal est loin d'être partagé par les fidèles, surtout en milieu urbain, et le fossé
se creuse de plus en plus entre la soif de savoir et les possibilités qui sont offertes. On ne peut pas, en effet, imagi-
ner cette vaste offensive de la parole sans l'existence d'un
public. C'est parce que les fidèles en ont senti le besoin
que la papauté – prise de court d'ailleurs par les

hérétiques – a agi et réussi. En témoignent les foules qui se précipitent pour écouter les prédicateurs de talent et l'évolution du sentiment religieux qui caractérise les derniers siècles du Moyen Age. De nouvelles exigences apparaissent dans ce monde où les conditions d'une vie meilleure facilitent la vulgarisation des connaissances et où un idéal de paix tout urbain se révèle propice à une méditation laïque. Les fidèles sont prêts à recevoir la parole et l'Église à la donner.

Les décisions prises en ce début du XIIIᵉ siècle dépassent donc largement le simple cadre de la lutte contre l'hérésie. Un homme nouveau est né. Au jugement à l'emporte-pièce du bien contre le mal, que sanctionnait l'épée du croisé, s'est substituée la réalité plus complexe d'un homme perfectible. D'ailleurs, Latran IV n'est pas seulement le concile de la prédication, il est aussi celui de la pénitence qui reconnaît au chrétien le droit et la capacité de s'amender. Certes, cette émergence en reste encore à ses balbutiements, freinée par le poids des représentations mentales traditionnelles. Qui mieux que Saint Louis illustre les contradictions d'un être tiraillé entre un idéal passéiste – se croiser – et la pratique continuelle d'une parole dont il connaît toutes les vertus ? Quant au pape lui-même, en cette année 1215, il continue à appeler à la croisade – la vraie – contre les infidèles de la Terre sainte, au moment où, par ailleurs, il scelle l'acte de naissance de celui qui, en lui échappant, devint l'anticroisé, pacifiste et philosophe.

# III

# Orient-Occident : le grand choc

# 14

# *Vie et mort*
# *des États croisés*

**Jean Richard**

Si, parmi les croisés qui se mirent en route à l'appel d'Urbain II, quelques-uns avaient envisagé de trouver en Orient un nouvel établissement, rares étaient ceux qui pouvaient avoir une idée précise sur les modalités d'un tel établissement. Certains, sans doute, envisageaient de se mettre au service de l'empereur byzantin, en bénéficiant de concessions territoriales qui seraient prélevées sur les terres reconquises aux dépens des Turcs. Tel paraît avoir été le projet de Bohémond de Tarente, héritier de ces aventuriers normands, d'abord mercenaires de Byzance, qui étaient ensuite passés à la conquête de l'Italie du Sud, tandis que d'autres étaient allés servir l'empereur grec en Asie Mineure. Alexis Ier ne s'y prêta pas et, jusqu'à la prise d'Antioche, les quelques « Francs » qui furent préposés à la garde des places reconquises pour le compte de l'empereur ne furent que des personnages secondaires.

## Le grand rêve de Bohémond

Toutefois dès leur arrivée en Cilicie, deux cadets de grande famille entreprirent de travailler pour leur propre compte : c'étaient Tancrède de Hauteville et Baudouin de Boulogne. Ce dernier, en répondant à l'appel de chefs arméniens désireux d'être débarrassés des garnisons tur-

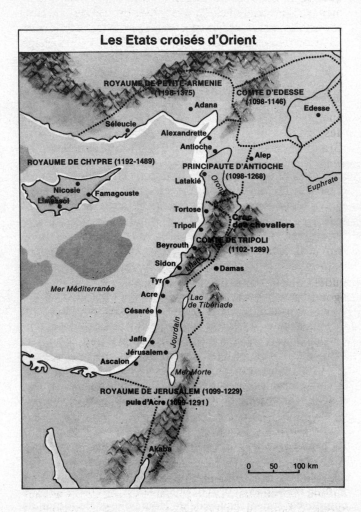

# Les Etats croisés d'Orient

ROYAUME DE PETITE-ARMENIE
(1198-1375)

COMTÉ D'EDESSE
(1098-1146)

Adana

Edesse

Séleucie

Alexandrette

Antioche

Alep

ROYAUME DE CHYPRE (1192-1489)

PRINCIPAUTE D'ANTIOCHE
(1098-1268)

Latakié

Oronte

Euphrate

Nicosie

Famagouste

Limassol

Tortose

Tripoli

Crac
des chevaliers

Beyrouth

COMTÉ DE TRIPOLI
(1102-1289)

Sidon

Litani

Damas

Tyr

Mer Méditerranée

Acre

Lac
de Tibériade

Césarée

Jourdain

Jaffa

Jérusalem

Ascalon

Mer Morte

ROYAUME DE JÉRUSALEM (1099-1229)
puis d'Acre (1099-1291)

Akaba

0    50    100 km

ques établies au sud du Taurus et sur l'Euphrate, notamment à Turbessel (Tell Bashir), jeta les fondations d'un comté d'Édesse. Ce comté prit d'abord l'allure d'une constellation de seigneuries arméniennes placées sous l'hégémonie d'un baron franc, Baudouin ayant éliminé le curopalate d'Édesse, Thoros, après avoir épousé sa fille. C'est progressivement, à la suite de complots déjoués ou de coups de force réussis, que cette constellation est devenue un État féodal, dont les cadres sont latins, mais soudés par des mariages à l'aristocratie venue de Grande-Arménie avec une population arménienne au temps de la domination byzantine.

Situé au débouché des passes du Taurus, au point de jonction des routes venues de Syrie et de Mésopotamie, le comté d'Édesse s'est étendu depuis Mélitène jusqu'aux portes de Harram, et paraissait devoir s'agrandir aux dépens de la Mésopotamie. Mais le second comte, Baudouin de Bourcq, a été arrêté par les Turcs en 1104 ; les émirs turcomans de Haute-Mésopotamie ont porté de rudes coups à lui-même et à ses successeurs. Et l'*atabeg* (gouverneur) de Mossoul finira par éliminer cet obstacle aux relations entre Mossoul et Alep entre 1144 et 1150.

La naissance de la principauté d'Antioche, c'est la matérialisation du rêve caressé par Bohémond. Lorsque les croisés se sont, grâce à lui, rendus maîtres d'Antioche, il a réussi à mettre la main sur la ville et à s'y maintenir, pendant que les autres barons poursuivaient la marche sur Jérusalem. Les accords passés avec Alexis Comnène prévoyaient la remise de la ville à ce dernier : il les a dénoncés. Il a pris possession de la Cilicie et de Lattakié, là où les Byzantins s'étaient installés. Lui et son neveu Tancrède ont prétendu faire revivre l'ancien duché d'Antioche, en imposant leur suzeraineté à leurs voisins d'Édesse et de Tripoli. Bohémond, vaincu par Alexis au cours d'une campagne d'Épire, a dû promettre de restituer Antioche à l'empereur (1108), avec la perspective de recevoir de ce dernier un vaste fief conquis sur les musulmans. Mais les

princes d'Antioche n'ont jamais réussi à conquérir Alep,
et l'hypothèque byzantine est redevenue menaçante : ce
sont finalement les barons arméniens de la Montagne qui
se sont implantés dans la Cilicie disputée entre Grecs et
Latins.

## L'avoué du Saint-Sépulcre

Le comté de Tripoli, qui fait suite à la principauté vers
le sud, est né plus tard. Raymond de Saint-Gilles, qui avait
conduit la croisade d'Antioche à Jérusalem, après avoir
dû renoncer à Antioche, avait déjà essayé en vain, dans
l'hiver 1098-1099, de conquérir un territoire près de Tripoli. N'ayant pu obtenir la couronne de Jérusalem, il était
revenu à Byzance pour prendre la tête de la croisade de
1101 qui s'acheva en désastre. Tancrède l'ayant obligé à
renoncer aux terres qu'il avait commencé à réunir en 1098
autour d'Apamée, de part et d'autre de l'Oronte, il s'est
emparé de Tortose, en 1102, et a entamé le blocus de Tripoli, que ses deux héritiers, Guillaume Jourdain et Bertrand, n'ont pu faire tomber qu'en 1109. Mais le comté
s'était déjà constitué en occupant la vallée du Nahr el-
Kebir, les passes menant vers Homs et Hama, et la montagne libanaise.

Quant au royaume de Jérusalem, ce sont les croisés parvenus au terme de leur effort qui l'ont créé, sans lui donner une forme précise, quand ils ont confié la garde de
leurs conquêtes, et en particulier des Lieux saints, au duc
de Basse-Lorraine. Godefroy de Bouillon, qu'entouraient
surtout des croisés lorrains et d'autres venus de la France
du Sud, notamment le Forézien Gaudemar Charpinel, et
auquel se joignirent les Normands de Tancrède, prit le titre
d'avoué du Saint-Sépulcre. C'était laisser entendre que la
Ville sainte pouvait devenir une seigneurie ecclésiastique
dont il serait le protecteur laïc, et l'archevêque de Pise,
Daimbert, qui se fit proclamer patriarche en 1100, fit

sienne cette interprétation. Il restait à Godefroy à conquérir quelque cité qui eût été sa résidence et le chef-lieu de sa principauté : Tancrède avait conquis Tibériade et constitué une « principauté de Galilée » dont il avait fait hommage à Godefroy ; il avait des visées sur Damas. Peut-être Godefroy songeait-il à Ascalon, clef de l'Égypte. Mais, lorsqu'il mourut, son frère Baudouin, appelé d'Édesse par ses fidèles, fit prévaloir ses propres vues et fut couronné roi de Jérusalem. Le titre de *rex Latinorum Hierusalem* évoquait l'idée d'une dynastie latine installée sur le trône de David et de Salomon : les prétentions du patriarche sur Jérusalem et sur Jaffa furent écartées.

La croissance du royaume fut lente, parce que les seigneuries musulmanes de la côte de Phénicie et de Philistie, facilement secourues par les escadres venues d'Égypte, ne purent être conquises qu'à la faveur de l'arrivée de flottes de pèlerins dont les chefs – qu'ils fussent génois, pisans, vénitiens, voire norvégiens – acceptaient de contribuer au blocus des villes côtières. Alors que la frontière avait très vite été portée sur le Jourdain et même au-delà – une « terre d'outre-Jourdain » avec Kerak (le crac de Moab) pour chef-lieu, figure parmi les fiefs du royaume –, alors que Baudouin Ier avait déjà atteint la mer Rouge et occupé le Wadi Mûsa, au sud de la mer Morte, Tyr ne tomba qu'en 1124. Quant à Ascalon, où se renouvelaient les garnisons venues d'Égypte, ce n'est qu'en 1154 que les Francs s'en emparèrent.

Tous ces États s'étaient constitués indépendamment les uns des autres, sans qu'il y ait eu à l'origine une concession d'ensemble. Mais le hasard fit à deux reprises passer un comte d'Édesse sur le trône de Jérusalem : le comte Bertrand de Tripoli avait eu besoin de Baudouin Ier pour affermir ses droits sur son comté ; la principauté d'Antioche, affrontée en 1119 au terrible désastre de l'*Ager Sanguinis*, fut dans l'obligation d'appeler à son secours Baudouin II et son successeur, Foulques. C'est ainsi que le roi de Jérusalem finit par s'assurer une hégémonie de fait, sinon une véritable suzeraineté, sur les trois autres principautés, au prix de l'obligation de les secourir, ce qui contribua à limiter l'extension de son propre royaume.

## Agonie des États francs

Chaque État constituait une principauté féodale se suffisant à elle-même : une aristocratie de race franque et de rite latin se superposait à une société où les Syriens chrétiens s'associaient aux colons latins, mais sans que les différentes Églises aient renoncé à leur autonomie, en dépit de la prééminence réservée à l'Église latine. Quant aux musulmans, plus nombreux sans doute dans le Sud que dans le Nord, ils conservaient leur culte, mais sans être associés au gouvernement. Pour assurer la cohésion de l'ensemble, les Francs paraissent avoir très vite réalisé la nécessité d'édifier tout un réseau de forteresses, couvrant les frontières et éliminant les zones d'insécurité, qui fut vite la caractéristique de ces États latins, et qui cherchait à remédier à leur principale faiblesse : le manque d'une colonisation nombreuse qui aurait seule permis de donner à ces États une assise démographique suffisante. C'est peut-être ce qui explique que ces États n'ont pu se maintenir que tant que l'ennemi fut faible ou divisé.

Tout changea lorsque les sultans mamelouks, mieux affermis dans la possession de l'Égypte et rendus maîtres de la Syrie musulmane du fait de la disparition de leurs rivaux, les princes ayyûbides, eurent systématiquement entamé leur élimination. La défaite de Hattin, en 1187, celle de la Forbie, en 1244, avaient été d'incontestables désastres. Mais, après la première, un demi-siècle d'efforts avait rendu à peu près l'essentiel de sa consistance au royaume de Jérusalem ; au lendemain de la seconde, l'intervention de Saint Louis avait évité un effondrement comparable à celui de 1187, sans que pour autant les pertes subies aient été compensées par un nouvel afflux d'hommes.

Mais, à partir de 1260, les données politiques du Proche-Orient se modifient complètement. Le sultanat de Turquie, affaibli, ne joue plus aucun rôle sur la scène syrienne ; la conquête mongole a fait disparaître khalifat abbasside et souverainetés ayyûbides. Et l'Égypte des Mamelouks se pose en un « empire de l'islam », où la souveraineté est reconnue à un khalife abbasside, simple fantoche, tandis que la réalité du pouvoir est dévolue à un sultan issu des rangs de la milice des Mamelouks, exclusivement composée d'esclaves affranchis et convertis à l'islam, presque tous Turcs venus des steppes de l'Asie centrale. Le premier objectif de ces sultans, c'est de repousser les Mongols, qu'ils ont battus en 1260 à Ain Jalût, mais qui n'ont pas abandonné leur dessein de réunir le monde sous leur domination, et plus spécialement de ramener ces Turcs sous leur obéissance.

Or les Francs sont susceptibles de fournir aux envahisseurs de précieux alliés. Pour leur campagne de 1260, les Mongols avaient obtenu le concours du roi chrétien d'Arménie et du prince d'Antioche, qui avait, grâce à eux, récupéré Lattakié, perdu en 1188. En 1262, le chef des Mongols de Perse, Hulegu, sollicitait Saint Louis de contribuer par l'envoi de sa flotte à la lutte contre les gens du Caire ; et les ambassades mongoles se succèdent, dans l'espoir de parvenir à une coopération militaire, en promettant en contrepartie la restitution de la Terre sainte à la chrétienté latine. Ces invites n'avaient pas encore été prises en considération à Paris ou à Rome que le sultan Baîbars avait entamé une contre-offensive préventive qui prit par surprise les Francs de Terre sainte : ceux-ci redoutaient eux aussi les Mongols, et ils avaient même facilité l'exécution du plan de campagne égyptien de 1260.

C'est dès 1263 que le sultan, sous prétexte d'obtenir la libération des esclaves musulmans, rompait les trêves en saccageant Nazareth, la Galilée, la banlieue d'Acre. A partir de 1265, il passait à la conquête des places franques : Césarée – puissamment fortifiée par Saint Louis douze ans plus tôt –, Cayphas, Arsur, le Toron. En 1266, il faisait tomber la grande forteresse des templiers, Safet, et massacrait les chevaliers. L'année 1268 le voyait enlever aux Latins Jaffa et Beaufort ; mais, aussitôt après, se portant vers le nord, il se jetait sur Antioche qu'il prenait d'assaut et qu'il mettait à sac, châtiant ainsi le prince Bohémond VI pour sa coopération à la campagne de 1260 (le royaume arménien de Cilicie avait été saccagé en 1266). En 1271, il s'en prenait au comté de Tripoli et enlevait les places, confiées au Temple et à l'Hôpital, qui le couvraient vers l'est, notamment le crac des Chevaliers. Ce n'est qu'en 1272 qu'il acceptait de conclure des trêves avec ce qui restait des États latins.

## Le grand duel

L'Occident avait cherché à secourir ses colonies de Terre sainte, où Saint Louis entretenait depuis 1254 un important contingent de chevaliers. Des croisés étaient venus, et parmi eux le comte de Nevers, les infants d'Aragon et surtout Édouard d'Angleterre. Saint Louis avait repris la croix, mais il commença son expédition par un détour sur Tunis, et sa mort mit fin à l'entreprise. Les uns et les autres n'avaient pu empêcher les possessions franques de se réduire à un cordon de places égrenées le long du littoral, de Lattakié à Château-Pèlerin. Tout l'arrière-pays était aux mains des Mamelouks, et ceux-ci contrôlaient le plat pays à l'entour des villes restées sous la domination des Francs. C'est ainsi que, dans la seigneurie de Tyr, seule la ville, avec une dizaine de villages, appartenait aux Francs. Le reste formait un condominium et les récoltes subissaient un prélèvement dont le montant était partagé également entre l'émir de Safet et le seigneur de Tyr. Les seigneurs francs devaient s'engager à prévenir le sultan de l'arrivée d'une croisade ou de la mise en route d'une expédition mongole. Encore les Francs se livraient-ils au jeu

des partis : Charles d'Anjou contestait la couronne de
Jérusalem à Hugues III de Chypre, l'un tenait Acre,
l'autre Tyr. Le comté de Tripoli voyait Bohémond VII lutter contre le sire de Gibelet (1277-1282) et la ville de Tripoli s'ériger en commune (1287).

L'Europe chrétienne n'oubliait pas la Terre sainte. Le
pape Grégoire X réunissait à Lyon, en 1274, un concile
entièrement consacré à la préparation d'une croisade. Les
ambassadeurs de l'empereur de Byzance et ceux des Mongols de Perse y parurent, assurant le pape que leurs souverains entendaient s'associer à l'expédition. Mais Charles
d'Anjou s'efforçait de détourner l'effort de la chrétienté
au profit de ses visées sur l'Empire byzantin, et les Vêpres
siciliennes, en 1282, sonnèrent le glas de ce grand projet
de Grégoire X, déjà totalement dénaturé. Quant à l'expédition mongole de 1281 en Syrie, elle aboutissait à un échec
complet.

Le nouveau sultan d'Égypte, Qalawûn, estima le
moment venu de reprendre les projets de Baîbars. En 1287,
il enlevait Lattakié au prince d'Antioche. Deux ans après,
il s'emparait de Tripoli après un siège qui s'acheva par
un effroyable massacre.

Cette fois, l'Occident s'alarma et envoya en Terre sainte
quelques groupes de croisés. Henri II de Chypre avait été
restauré à Acre, refaisant l'union des forces franques. Mais
c'est en vain que le khan mongol de Perse, Arghun, avait
envoyé au pape, aux rois de France et d'Angleterre une
ambassade dont faisait partie un évêque venu de la lointaine Mongolie, Barçauma, en vue de préparer une nouvelle campagne pour 1291 : Philippe le Bel et Édouard Ier
donnèrent des réponses dilatoires. Et le fils de Qalawûn
passait à l'attaque. Il se porta sous Acre, assiégea la ville
en la bombardant avec ses machines de guerre. Acre, malgré des prodiges d'héroïsme, succomba après quarante-
quatre jours de siège, le 28 mai 1291 ; la plus grande partie des assiégés fut massacrée ou réduite en esclavage ;
quelques-uns purent gagner Chypre. Les défenseurs des

autres places préférèrent évacuer celles-ci : Sidon, Beyrouth, Gibelet (Byblos) furent abandonnées en quelques
semaines.

Bien que les Occidentaux n'eussent épargné ni leur
argent ni leurs hommes, aucun effort concerté n'avait pu
être réalisé. Mais la chute des États des croisés s'insérait
dans un gigantesque duel, celui de l'Empire mongol et de
l'« Empire de l'islam ». Le premier n'offrait plus un front
unique : le khan de la Horde d'or, gagné à l'islam, avait
rompu en 1260 avec Hulegu auquel il voulait reprendre
les pays du Caucase, et les Mongols de Perse devaient lutter sur deux fronts, ce qui compromettait les tentatives
d'entente militaire avec les Occidentaux. Ce n'est qu'en
1299 que les Mongols descendirent en Syrie et occupèrent
Damas ; ils offrirent à nouveau la Terre sainte aux Latins.
L'aide de ceux-ci se réduisit à une expédition maritime
menée par le roi de Chypre et à un débarquement dans
l'île de Rouad. Lorsqu'en 1307 le khan Oljeitu accepte de
conclure une trêve avec le sultan, tout espoir de récupérer
la Terre sainte grâce aux Mongols a disparu.

Les États latins, d'ailleurs, ont perdu leur intérêt sur
le plan économique. Chypre servait d'entrepôt pour les
marchandises que les marins de Gênes, de Venise, de Barcelone, d'Ancône, de Messine allaient chercher soit à
Alexandrie, soit à l'Ayas, en Cilicie, débouché maritime
de l'Empire mongol. Les comptoirs de Phénicie, de Syrie,
de Philistie ne représentaient plus pour les républiques
marchandes ce qu'ils avaient pu être au début du XIII$^e$ siècle. Le commerce méditerranéen lui-même s'accommodait
de leur perte.

# 15

# Des châteaux forts
# en Palestine

**Michel Balard**

Le crac des Chevaliers, fleuron des châteaux des croisés, symbolise aujourd'hui encore la puissance de la Syrie franque : plus de deux mille personnes pouvaient s'abriter derrière sa double ligne de remparts et soutenir un très long siège grâce aux réserves constituées par les hospitaliers, maîtres de la forteresse. Plus d'une centaine d'autres fondations – villes, châteaux, villages, manoirs isolés – portent encore la marque de la présence occidentale en Terre sainte aux XIIᵉ et XIIIᵉ siècles.

Et pourtant, lorsque se constituent les quatre États issus de la Première Croisade – comté d'Édesse, principauté d'Antioche, royaume latin de Jérusalem, comté de Tripoli –, rien, sauf la vaillance des croisés et les profondes divisions du monde musulman, ne laisse espérer la survie, qui durera deux siècles, de ces terres latines d'outremer. Sur les quelques dizaines de milliers de chevaliers et de « piétons » qui ont conflué vers Constantinople à l'appel du pape Urbain II, il ne reste plus que mille deux cents chevaliers et peut-être dix mille hommes d'armes pour se lancer à l'assaut de Jérusalem le 15 juillet 1099. Sitôt la ville prise, dans un effort d'héroïsme et de foi, l'effectif s'amoindrit encore. Car, pour beaucoup, le vœu de croisade est accompli : rien ne les retient plus en Syrie ; la majorité des combattants prend avec hâte la route du retour. Lorsque Baudoin Iᵉʳ est élu roi en 1100, il n'a à

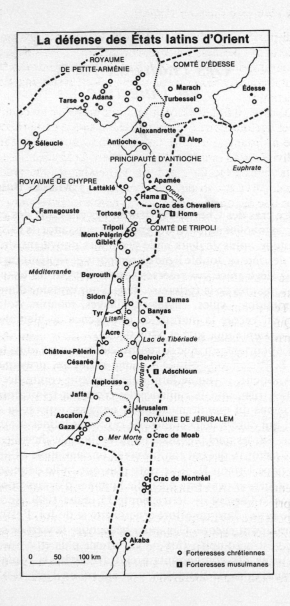

# La défense des États latins d'Orient

ROYAUME
DE PETITE-ARMÉNIE

COMTÉ D'ÉDESSE

Édesse

Marach

Tarse    Adana                    Turbessel

Séleucie                          Alexandrette

Antioche                          ■ Alep

PRINCIPAUTÉ D'ANTIOCHE

Euphrate

ROYAUME DE CHYPRE                 Apamée

Lattakié                          Oronte

                                  Hama ■

Famagouste        Tortose         Crac des Chevaliers
                                  ■ Homs

                  Tripoli         COMTÉ DE TRIPOLI
                  Mont-Pèlerin
                  Giblet

Méditerranée

              Beyrouth

              Sidon               ■ Damas

              Tyr                 Banyas
                  Litani
              Acre                Lac de Tibériade

Château-Pèlerin                   Belvoir

Césarée                           ■ Adschloun

              Naplouse            Jourdain

Jaffa
                  Jérusalem

Ascalon                           ROYAUME DE JÉRUSALEM
Gaza
              Mer Morte   Crac de Moab

                          Crac de Montréal

                          Akaba

0    50    100 km

○ Forteresses chrétiennes
■ Forteresses musulmanes

sa disposition que deux à trois cents chevaliers et deux mille
« piétons ». A Édesse, à Antioche, à Tripoli, l'insuffisance
numérique des Latins est tout aussi criante. L'aide des flottes italiennes et des nouveaux pèlerins est réelle, mais non
constante.

Dès lors, il fallait s'organiser pour accroître les conquêtes et surtout défendre ces nouvelles terres de chrétienté
face à l'islam, qui ne resterait pas toujours aussi faible
et divisé qu'au moment de la Première Croisade. Les renforts venus d'Occident se faisant attendre, il fallait recru-
ter sur place et entraîner des hommes à l'art de la guerre,
dans une région au relief et aux conditions climatiques difficiles. Une organisation féodale rigoureuse et la création
des ordres militaires répondirent à ces besoins. Ensuite,
il fallait créer des points d'appui pour contrôler la frontière, les principales voies de passage, et assurer la domination territoriale et économique des Latins : ce sont les
forteresses qui constituèrent l'élément central de la défense
en Terre sainte.

Qui sont les combattants de l'armée franque ? Pour
fournir des hommes, les chefs de la croisade, issus de la
chevalerie occidentale, introduisent en Syrie les institutions
féodales. La conquête et les confiscations qui en résultent
permettent de distribuer aux chevaliers francs des fiefs
dont les ressources pourvoient à leur armement, montures et équipement. En contrepartie, ces chevaliers doivent
un service militaire, sans limitation de durée, contrairement à la règle des quarante jours en vigueur en Occident ;
disponibles de manière permanente, ces chevaliers forment
l'ossature de l'armée franque. Aussi le suzerain veille-t-il
attentivement à la transmission du fief : le fils aîné hérite
en principe du bien ; s'il s'agit d'une héritière, son mariage
ne peut être conclu qu'avec l'accord du roi ; une veuve qui
refuserait les trois candidats qui lui sont présentés perd
son droit au bailliage, donc aux revenus du fief. Enfin,
toute aliénation en faveur d'un non-chevalier est interdite.

On établit une hiérarchie des fiefs ; les quatre barons,

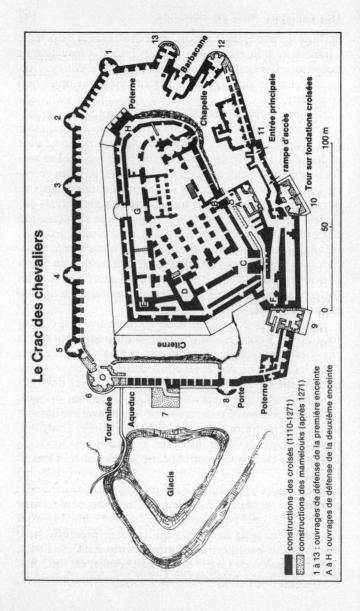

Le Crac des chevaliers

Tour minée
Aqueduc
Glacis
Citerne
Poterne
Porte
Poterne
Chapelle
Barbacane
Entrée principale
rampe d'accès
Tour sur fondations croisées

■ constructions des croisés (1110-1271)
▨ constructions des mamelouks (après 1271)
1 à 13 : ouvrages de défense de la première enceinte
A à H : ouvrages de défense de la deuxième enceinte

100 m
50
0

vassaux directs du roi de Jérusalem, qui disposent des plus vastes terres, doivent à l'armée un grand nombre de combattants ; les détenteurs de fiefs secondaires beaucoup moins. Dans le comté de Tripoli, l'effectif ne dépasse guère la centaine, mais l'armée de la principauté d'Antioche, détruite en 1119 par les Turcomans, comprend environ sept cents chevaliers. Toutefois, ces chiffres paraissent être un maximum ; bientôt l'offensive musulmane ampute les États latins de vastes territoires, les revers déciment la classe militaire, et les survivants qui ont perdu leur fief ne sont plus tenus de servir, à moins que leur seigneur ne les dédommage par le don d'une autre terre. Au XIIIe siècle, la noblesse latine endettée doit aliéner les biens qui lui restent au profit des ordres militaires et cesse de jouer dans la défense le rôle prépondérant qui a été le sien aux premiers temps de la conquête.

En dehors des chevaliers, l'armée franque comprend les « sergents » – ce sont surtout des « piétons » – que doivent fournir les églises et les communautés urbaines de Syrie-Palestine. Ils seraient cinq mille vingt-cinq, cela pour l'ensemble des États latins, d'après Jean d'Ibelin, à être

---

← Forteresse (c'est le sens du mot arabe « krak ») de l'ordre militaire de l'Hôpital, le crac des Chevaliers est établi sur un promontoire, à l'emplacement d'un ancien château arabe pris en 1098 par les croisés et cédé en 1142 par le comte de Tripoli aux hospitaliers. Ceux-ci le conservèrent jusqu'en 1271 et y apportèrent de nombreuses transformations. Avant 1170, est construite l'enceinte intérieure entourant une cour centrale triangulaire et la Grand-Salle. A la fin du XIIe siècle, une seconde enceinte, plus vaste, est édifiée en dessous de la première, qui est elle-même remodelée : tours rondes, surélévation des courtines, talus sur le flanc sud, protégé par un ouvrage avancé. De grands aménagements intérieurs sont alors effectués : construction de la chapelle, de la cour couverte ou salle aux piliers, remodelage de la Grand-Salle et agencement des voies d'accès qui comprennent désormais un long escalier à faible pente, coupé par quatre portes à herses successives, tandis qu'un ouvrage pentagonal surveille le fossé situé entre les deux enceintes. Tenu par une forte garnison, le crac était quasiment imprenable. En 1271, le sultan Baïbars profita de la faiblesse numérique des hospitaliers et d'un faux message adressé aux défenseurs pour s'en emparer. De nombreuses retouches transformèrent par la suite l'aspect de la forteresse.

ainsi appelés en cas de « grand besoin ». L'habitude
d'employer des mercenaires (encore appelés « soudoyers »), qui remonte à la Première Croisade, est
constante en Terre sainte ; le roi de Jérusalem retient des
guerriers venus d'Occident ; certains, comme Renaud de
Châtillon, en profitent pour se faire un nom. Lors du
désastre de Hattin (1187), bien des victimes de Saladin sont
des soldats payés avec de l'argent envoyé en Syrie par le
roi d'Angleterre, Henry II. En cas d'urgence, les pèlerins
d'Europe, venus par le convoi annuel de galères, sont également invités à s'associer à l'armée franque. Ces forces
d'appoint deviennent prépondérantes au moment des grandes croisades dirigées par les souverains d'Occident. Mais
l'efficacité de ces troupes, placées sous des commande-
ments autonomes, n'est pas à la mesure de leur importance numérique, comme le montre l'échec de Louis VII
et de Conrad III devant Damas en 1148. A la fin du
XIIIᵉ siècle, ne restent plus pour défendre la Terre sainte
que des contingents réduits pris en charge par des souverains d'Occident, comme « la gent le roi de France » ou
les soudoyers payés par le pape et le roi d'Angleterre. La
défense repose désormais sur les ordres militaires.

L'Hôpital, le Temple et, après 1190, l'ordre de Sainte-
Marie des teutoniques sont nés de l'expérience de la croisade et de la Terre sainte, en même temps que d'une inspiration venue d'Occident. Vers 1070, des marchands
amalfitains construisent à Jérusalem un hospice pour abriter les pèlerins, tout près du Saint-Sépulcre ; en 1099, les
desservants, aidés de quelques chevaliers, s'occupent des
malades et des blessés puis de la protection des pèlerins
sur les routes menant aux Lieux saints. Reconnu comme
ordre indépendant, recrutant surtout parmi les membres
de l'aristocratie, l'Hôpital, tout en conservant son rôle
charitable, se transforme dans les années 1130 en ordre
militaire. C'est à peu près la même évolution que connaissent « les pauvres chevaliers du Christ » logés à Jérusalem
dans une partie du palais royal encore appelé « temple de

Salomon », d'où le nom de templiers qu'ils reçoivent par la suite.

Grâce aux donations qui affluent en Terre sainte et en Occident, aux versements effectués par les pèlerins, les rois de France et d'Angleterre, hospitaliers et templiers acquièrent rapidement une richesse foncière considérable, s'adonnent à une activité bancaire que facilite le réseau de leurs maisons réparties dans tout l'Occident et en Orient, où ils se comportent en véritables puissances autonomes vis-à-vis des gouvernants et de l'Église latine, tout en se jalousant les uns les autres. Mais, surtout, ces deux ordres représentent une armée expérimentée, quasi professionnelle, mobilisable à tout instant : on leur remet la garde des principales forteresses de Terre sainte. Les chevaliers à manteau blanc du Temple, ceux à manteau noir de l'Hôpital s'adjoignent des sergents plus légèrement équipés et des cavaliers recrutés parmi la population syrienne, les turcoples [1], cavaliers armés à la turque. Avec un effectif d'environ cinq cents chevaliers et quelques milliers de piétons et d'auxiliaires, les deux ordres jouent un rôle capital dans la survie de la Terre sainte. Pourtant, leur action politique est diversement appréciée et on les accuse même d'avoir conduit les États francs à des échecs notoires. En 1168, le grand maître de l'Hôpital pousse le roi Amaury Ier à la désastreuse campagne d'Égypte. Vingt ans plus tard, le grand maître du Temple, malgré les conseils de Raymond de Tripoli, fait engager les hostilités contre Saladin qui écrase l'armée franque à Hattin, en 1187. Au XIIIe siècle, la faiblesse du pouvoir central est telle que les ordres mènent la politique de leur choix, allant jusqu'à traiter pour leur propre compte avec les musulmans ; les hospitaliers soutiennent la royauté défaillante, tandis que les templiers sont violemment hostiles à Frédéric II. La restauration du pouvoir monarchique par les Lusignan et la réconciliation des ordres militaires interviendront trop tard, et les Mamelouks mettront la main sur les dernières places syriennes tenues par les Latins.

## Une armée d'anciens esclaves

Face à une armée réduite mais relativement cohérente, qu'ont à opposer les musulmans ? Pour toute campagne régulière, les *atabegs* (gouverneurs) de Mossoul ou de Damas, auxquels succède Saladin, maître de l'Égypte et de la Syrie, convoquent les contingents de leurs émirs, dont le service est purement saisonnier ; la campagne doit donc être brève et faire espérer du butin à des soldats prompts à se démobiliser. Ce n'est qu'après 1250 que le sultan mamelouk dispose d'une armée permanente d'anciens esclaves, complétée par des éléments turcs et khwariz-miens, refoulés d'Asie centrale par l'avance mongole. En 1291, le sultan al-Ashraf lance soixante-dix mille cavaliers et plus de cent mille piétons à la conquête de la ville d'Acre défendue par quinze mille combattants, y compris les renforts envoyés par le roi de Chypre. La disproportion des forces est éclatante.

C'est cette disproportion qui peut expliquer la différence d'organisation militaire d'un camp à l'autre. La supério-rité de l'armée franque repose sur la cavalerie dont l'armure se développe au point de recouvrir tout le corps du cavalier muni d'un écu, d'une lance et d'une épée. Des écuyers, des sergents à cheval, des turcoples, plus légère-ment armés, accompagnent les chevaliers, dont la tacti-que est d'essayer d'abattre l'ennemi par les charges frontales de leurs escadrons successifs. Les fantassins, équipés d'arcs et de lances, ont un rôle minime dans la bataille où ils forment un bloc devant la cavalerie, avant que celle-ci ne se déploie. Toutefois, les effectifs sont si réduits que les chefs francs ont compris qu'il importe de tenir les châteaux et les villes fortifiées et d'éviter les ris-ques d'un affrontement ; en Syrie, les Latins ne peuvent à la fois disposer d'un gros corps de troupes en campagne et de garnisons suffisantes dans les forteresses. Aussi, tout

désastre de quelque ampleur – Hattin en 1187, La Forbie en 1244 – est-il suivi de la reddition rapide des places fortifiées ; en quelques semaines, tout le réseau défensif
risque de s'écrouler, en l'absence de nouveaux renforts.

Du côté musulman, les meilleurs atouts viennent de la
mobilité des archers à cheval d'origine turque. La légè-
reté des armes et l'agilité des chevaux permettent de choisir le moment et le terrain du combat, de feindre la retraite,
d'attaquer les flancs et l'arrière-garde de l'ennemi, de le
contraindre enfin à combattre en marche pour détruire sa
cohésion. A cette mobilité tactique s'ajoute, surtout au
XIII$^e$ siècle, la disposition d'engins de siège perfectionnés
– machines de jet, béliers, sape et feu grégeois – réduisant la résistance des garnisons assiégées. Dans ces conditions, face à une invasion musulmane de grande ampleur,
la seule chance des Latins est de serrer l'ennemi au plus
près, sans lui permettre le moindre succès tactique, ni
l'approche des châteaux, bases concrètes de la domination franque sur le pays syrien.

L'historien français Paul Deschamps, à qui l'on doit une
admirable étude sur le crac des Chevaliers, avait mis en
valeur l'existence d'un véritable système de défense de la
Terre sainte, organisé en fonction du tracé de la frontière,
des lignes de relief, des passages et des routes. On revient
aujourd'hui sur ces affirmations : les Francs ont occupé,
par nécessité pratique, des forteresses qui jalonnaient la
frontière nord-ouest de l'islam et la limite sud-est des territoires byzantins ; or cette ligne ne coïncide pas avec celle
de leur avance extrême. D'autre part, les places fortifiées
n'ont pas été toutes acquises par la puissance publique,
selon un plan systématique, mais individuellement par des
chevaliers à la recherche d'une terre. En ce sens, la fortification franque en Terre sainte eut souvent une origine
économique et non purement militaire. Elle était le moyen
d'exiger de la population environnante des redevances et
des services pour les besoins personnels et militaires du
seigneur. En outre, la forteresse devint bientôt un centre

de colonisation et de développement, attirant de nouveaux
habitants par la sécurité qu'elle assurait. Elle contribua
aussi à étendre les limites du royaume en établissant le
contrôle des Occidentaux sur de nouveaux territoires.
Ainsi, les châteaux des croisés répondent à des considérations d'ordre administratif, économique et social, avant
d'être intégrés dans un système général de défense.

## L'origine contestée des forteresses

La localisation des fortifications répond néanmoins à
un certain nombre d'impératifs stratégiques, liés eux-
mêmes aux principaux traits du relief de la région. Celle-
ci comprend une plaine littorale plus ou moins étroite et
entrecoupée d'éperons, une zone montagneuse nord-sud
qui domine la profonde dépression occupée par la mer
Morte et la vallée du Jourdain. Au nord, la vallée du Litani
puis le cours supérieur de l'Oronte prolongent le fossé du
Jourdain. Au-delà, vers l'est, après un plateau et la chaîne
de l'Anti-Liban, commence le désert. En bordure du
désert, la Ghuta de Damas est une oasis fertile par laquelle
passe la route caravanière menant de Mésopotamie en Ara-
bie ou en Égypte.

Les Francs ont d'abord établi leur domination sur la
zone côtière, capitale puisqu'elle assure leurs communications avec l'Occident. De là, ils ont cherché à pousser
la frontière continentale jusqu'au désert, presque toujours
sans succès. Ils n'ont pu contrôler les plaines d'Alep, de
Hama et de Homs, au-delà de l'Oronte. Ils ont échoué
devant Damas et ne se sont approchés de la grande route
caravanière qu'au sud-est de la mer Morte, en s'établissant au Kerak de Moab et à Montréal. Aussi deux lignes
de défense nord-sud ont-elles été nécessaires, l'une sur la
côte où chaque place littorale est fortifiée, l'autre sur le
flanc oriental des montagnes dominant le grand fossé
syrien, de la vallée de l'Oronte à la mer Morte. Mais la

barrière montagneuse, qui va de l'Amanus, près d'Antioche, aux collines de Judée, près de Jérusalem, n'est pas continue : de larges passages mettent en relation le monde du désert avec la plaine littorale. Du contrôle de ces passages par de solides places fortes dépend la survie des États francs. Enfin, les musulmans étant largement supérieurs en nombre, il importe d'être renseigné rapidement sur les mouvements de l'adversaire, de créer des points de fixation facilitant la mobilisation rapide à l'arrière d'une armée d'intervention. Dans ces conditions, les châteaux de Terre sainte occupent des positions stratégiques, sont des môles de résistance et n'ont de valeur que par leur situation et leurs relations avec les autres places fortes, avec les villes et les armées de campagne.

## Une efficacité contestable

Dans la réalité, ces principes d'implantation n'ont pas toujours été respectés. Certes, les deux lignes nord-sud de défense se lisent aisément sur une carte. Dans les villes de la côte, les Francs réutilisent les murailles de leurs prédécesseurs et les complètent. Mais ils en construisent d'autres dans un but offensif : Ascalon, tenue par les Égyptiens jusqu'en 1153, est enserrée par trois forteresses : Bethgibelin et Blanchegarde à l'est, Ibelin au nord. De même, pour soumettre Tripoli et Tyr, des places fortes ont été édifiées sur les collines qui dominent ces deux villes. Au XIIIe siècle, lorsque les possessions latines sont réduites à un liséré côtier, des forteresses maritimes à l'écart des villes paraissent nécessaires : avec l'aide des croisés de 1218, deux points de la côte au sud d'Acre sont ainsi choisis, Atlit ou Château-Pèlerin et Césarée. La seconde ligne de places fortes jalonne la retombée de la chaîne montagneuse et va de Qusair, proche d'Antioche, aux forteresses de l'outre-Jourdain, en passant par le crac des Chevaliers, Beaufort, Safed, Belvoir et Bethsan.

La protection des passages qui mettent en relation les villes du plateau syrien, où se concentrent les troupes musulmanes, et la zone côtière n'est pas toujours parfaitement assurée. Au sud de la Judée, plusieurs châteaux autour d'Hébron contrôlent la route qui mène vers le sud de la mer Morte. Mais, en Galilée, des dépressions facilitent les communications entre Damas et le littoral, et la concentration remarquable de forteresses à cet endroit n'empêche pas les campagnes de Saladin en 1182, 1183 et 1187. Au nord du lac, les Francs n'ont pu tenir Banyas que pendant trois décennies. Le Chastelet, fondé en 1178, a été pris et détruit par l'armée de Saladin l'année suivante. La vallée du Litani et, plus au nord, la dépression du cours supérieur de l'Oronte sont aussi protégées par un réseau défensif constitué par le crac des Chevaliers et ses annexes, Safita, Chastel Rouge et Montferrand. En effet, toute grande forteresse est entourée de points forts secondaires dont elle coordonne la défense : les châteaux entretiennent entre eux et avec les villes littorales des liaisons rapides par signaux optiques ou par pigeons voyageurs. Aussi les types de fortifications varient-ils selon la situation géographique et les buts assignés aux ouvrages de défense.

Dans les villes côtières, les Francs utilisent les murailles byzantines ou fatimides et les insèrent dans un ensemble plus vaste. A Acre, par exemple, une double ligne de remparts protège les côtés oriental et septentrional de la ville, les plus exposés à l'ennemi. Elle est renforcée par une vaste barbacane, complétée par un mur englobant les faubourgs et dont la construction a été entreprise lors du passage de Saint Louis (1250). Une nouvelle citadelle, organe de défense indépendant, au centre de l'enceinte, remplace l'ancienne qui se trouvait au sommet de la presqu'île, dans l'angle sud-ouest de la ville. A Atlit (Château-Pèlerin) ou à Césarée, les Francs utilisent une presqu'île avancée, la fortifient de tous côtés, et particulièrement là où elle se rattache à la côte : des tours en saillie dominent un profond fossé et isolent la place forte de l'intérieur.

## Le donjon « normand »

Venant d'Occident, les croisés apportent avec eux leurs techniques de fortifications ; à la fin du XIe siècle, la plus caractéristique est le donjon « normand », tour isolée ou entourée d'une petite enceinte et qui convenait le mieux à la défense des villages ou des petits bourgs. Il en subsiste une vingtaine aujourd'hui en Terre sainte : un plan carré, des murs de dix à quinze mètres de longueur, de dix mètres de hauteur, de trois mètres d'épaisseur, qui réutilisent souvent de gros blocs de pierre provenant des monuments de l'époque hellénistique, une porte basse, des ouvertures réduites donnent une grande solidité à ces tours refuges, qui offrent une défense passive et de courte durée face à des troupes d'irréguliers ou de pillards. Alors qu'en Occident les donjons étaient encore au XIe siècle le plus souvent des tours de bois, la rareté de ce matériau en Syrie a conduit les Francs à utiliser la pierre et à édifier des voûtes qui soutiennent les deux étages du donjon. Autour de celui-ci, un mur de pierre délimite une très petite basse-cour.

Le Proche-Orient connaissait depuis longtemps un autre type de fortification, le *castrum* au plan carré, comportant une tour à chaque angle. Les camps des légions romaines, les places fortes de la frontière byzantine ou des califes umayyades avaient été construits sur ce modèle. Les Francs l'adoptèrent en y apportant de sensibles modifications pour le conformer à la nature du terrain et à l'objectif de leur stratégie. La plupart des *castra* ont été édifiés rapidement, en pays ouvert, ce qui implique une défense de tous côtés, donc un plan symétrique. Mais ils sont aussi un instrument de défense active ; ne pouvant résister à un siège mené par une armée puissante, les défenseurs doivent faire de nombreuses sorties pour empêcher l'approche des machines de siège et maintenir leurs liaisons avec l'arrière. Le plan du *castrum* de Belvoir répond tout à fait à ces préoccupations. Situé au-dessus de la vallée du Jourdain, le château commande les routes de Damas. A partir de 1168, les hospitaliers le reconstruisent totalement et lui donnent le plan que des fouilles récentes ont mis en valeur : un mur extérieur en forme de trapèze de cent trente mètres sur cent mètres, avec quatre tours d'angle et trois tours intercalaires, est doublé par un couloir voûté et enferme un donjon qui constitue lui-même un deuxième *castrum* emboîté dans le premier, avec quatre tours d'angle. Belvoir a pu résister dix-huit mois aux troupes de Saladin en 1187-1188. Comme les autres *castra*, ce type de fortification est bien adapté à une stratégie de mouvement et correspond à la phase d'expansion et d'offensive des États francs, qui se termine avec les années 1160-1170.

## Un modèle pour l'Occident ?

Le dernier type est celui des grandes forteresses, ou châteaux éperons. Elles occupent généralement un promontoire aux pentes abruptes qui constituent de trois côtés des défenses naturelles, alors que le quatrième, là où l'éperon vient se raccrocher au plateau ou à la montagne, doit être renforcé par la construction d'un fossé et de murs solides. Safed, Montfort, Subeiba, le Kerak de Moab et surtout le crac des Chevaliers sont les plus célèbres. Le crac, ou « forteresse des hospitaliers », occupe l'emplacement d'un ancien château musulman. D'abord possession du comte de Tripoli, il est cédé en 1142 à l'ordre de l'Hôpital, responsable des trois phases successives de la construction. Avant 1170, une enceinte intérieure, jalonnée de tours carrées, isole une cour centrale où est édifiée la grande salle. A la fin du XIIᵉ siècle et dans les premières années du XIIIᵉ siècle, une seconde enceinte, beaucoup plus large, entoure la première, qui est remodelée. De grands aménagements intérieurs affectent la chapelle, la grande salle, les magasins souterrains et les voies d'accès sur le front oriental, tandis qu'un ouvrage avancé vient protéger le front sud, le plus difficile à défendre. Enfin, dans la seconde moitié du XIIIe siècle, alors que les ressources de l'ordre de l'Hôpital diminuent, un ouvrage pentagonal est édifié dans l'angle méridional de la forteresse. De telles places fortes nécessitent une garnison nombreuse pour résister à un siège prolongé : en 1271, le sultan Baïbars doit recourir à un faux message du comte de Tripoli aux défenseurs pour en obtenir la reddition. Ces châteaux éperons correspondent à une stratégie purement défensive ; réduits en nombre, effrayés par la montée des périls, les Francs renoncent à l'offensive et se réfugient dans ces places dont la force brute est la preuve décisive de la faiblesse et du déclin des États latins. De 1263 à 1291, Baïbars et ses successeurs prennent, l'une après l'autre, les forteresses avant de s'emparer de la ville d'Acre, mettant ainsi fin à la présence franque en Syrie.

La création des ordres militaires et le perfectionnement des fortifications en Terre sainte ont eu quelque influence sur l'histoire de l'Occident médiéval : à l'image des templiers et des hospitaliers, d'autres ordres participèrent à la *Reconquista* en Espagne. Le progrès des techniques financières doit beaucoup à l'activité bancaire du Temple. Quant à l'essor de l'architecture militaire en Occident, on discute encore s'il faut en attribuer l'origine aux leçons apprises en Orient, à l'occasion des croisades. Car l'évolution semble être inverse aux deux extrémités de la Méditerranée : lorsque les Francs de Syrie s'enferment dans de puissantes forteresses, en France et en Angleterre l'offensive prime. Les châteaux éperons, comme Château-Gaillard, font place à de nouvelles constructions qui adoptent le plan du *castrum* et répondent au souci de défense active qui anime souverains et seigneurs. La modernité de l'architecture militaire est désormais le propre de l'Occident.

## Note

1. Il n'est pas certain que ces troupes auxiliaires soient composées d'archers montés pour répondre à la tactique habituelle des Turcs : cf. R.C. Smail, *Crusading Warfare (1097-1193)*, Cambridge University Press, rééd. 1967, p. 112.

## Pour en savoir plus

*En anglais :*

R.C. Smail, *Crusading Warfare (1097-1193)*, Cambridge University Press, réédition 1967. Étudie les forces en présence, la stratégie et la tactique adoptées par les Francs et les musulmans.

R.C. Smail, *The Crusaders in Syria and the Holy Land*, Londres, Thames and Hudson, 1973. Donne une vue générale sur la société franque, les villes, les châteaux et les églises.

J. Prawer, *The Latin Kingdom of Jerusalem : European Colonialism in the Middle Ages*, Londres, Praeger, 1973. Bonne synthèse sur les différents aspects de l'implantation occidentale en Syrie.

H.W. Hazard (éd.), *The Art and Architecture of the Crusaders States*, dans K.M. Setton, *A History of the Crusades*, t. IV, The University of Wisconsin Press, 1977. Ouvrage collectif dont on ne saurait désormais se passer.

M. Benvenisti, *The Crusaders in the Holy Land*, Jérusalem, Israël University Press, 1970. Donne les résultats des fouilles les plus récentes effectuées en Israël sur le site des villes, villages, châteaux et églises des croisés.

*En français :*

J. Richard, *Le Royaume latin de Jérusalem*, Paris, PUF, 1953. Reste, malgré la date d'édition, la meilleure synthèse accessible.

P. Deschamps, *Les Châteaux des croisés en Terre sainte*, 2 vol., Paris, Librairie orientaliste, 1934-1939. Voir surtout le premier volume sur le crac des Chevaliers.

H.-P. Eydoux, *Les Châteaux du soleil, forteresses et guerres des croisés*, Paris, Librairie académique Perrin, 1982.
A. Demurger, *Vie et Mort de l'ordre du Temple*, Paris, Éd. du Seuil, 1985.

*Voir aussi la bibliographie générale, en fin d'ouvrage.*

# 16

# « Jihād » :
# l'islam relève le défi

**Françoise Micheau**

C'était en 624, à la bataille de Badr. Les musulmans, émigrés à Médine, allaient céder sous le choc des occupants mekkois. On vit alors le prophète Mahomet se précipiter vers les combattants des premiers rangs et les exciter par ces mots : « Je le jure, par celui qui a ma vie entre ses mains, aujourd'hui nul homme ne sera tué, tandis qu'il se bat vaillamment et par amour d'Allāh, sans qu'Allāh lui ouvre le Paradis ! » Un certain Omar, qui était en train de manger des dattes, s'écria : « Bravo ! il ne me manque plus pour entrer au Paradis que d'être tué par ces gens ! En avant pour Allāh, sans autre secours que la crainte divine ! » Et, jetant ses dattes, il saisit son sabre, se jeta sur l'ennemi et fut tué.

En prêchant ainsi le *jihād*, la lutte au service de l'islam, le prophète Mahomet demandait à la communauté naissante de mobiliser ses forces pour la défense et le développement de la nouvelle religion. La notion exprimée par la racine JHD est en effet moins celle de guerre que celle d'effort ; le terme *jihād* qui en est dérivé n'a pas qu'une seule application ; c'est ainsi que l'expression « *jihād* des âmes » désigne l'effort sur soi-même dans la voie de la perfection. Mais, le plus souvent, *jihād* s'entend de tout effort en vue de la défense et de l'expansion de l'islam, en général au moyen des armes, selon une conception qui procède du principe fondamental d'universalisme de l'islam.

Cette religion, et ce qu'elle implique de puissance temporelle, doit s'étendre au monde entier, par la force si nécessaire. La guerre, défensive et offensive, est un moindre
mal, justifié par un plus grand bien, la suppression de
l'infidélité. Ceux qui meurent en combattant dans le Chemin d'Allāh, pour reprendre l'expression coranique, sont
des témoins, des martyrs, auxquels le paradis est assuré.
Le caractère et le but religieux de ces guerres pour l'islam
expliquent la traduction du mot *jihād* par « guerre sainte ».

Les passages du Coran qui fondent l'obligation de la
guerre sainte (« Le combat vous est prescrit ») désignent
à l'origine la lutte armée contre les « infidèles », c'est-à-
dire les habitants de La Mekke. Les versets II, 190-1 sont
un appel aux armes avant la marche sur La Mekke en 628 ;
ils font une allusion précise à la Ka'aba (« la Mosquée
sacrée ») et à l'Hégire (« d'où ils vous ont chassés »). Mais
très vite les musulmans ont étendu l'application de ces
appels du Coran à tous les territoires infidèles. La tradition et le droit ont alors défini le *jihād* comme un devoir
religieux collectif, pesant sur l'ensemble de la communauté. Mais il suffit que quelques-uns l'accomplissent pour
tous. Néanmoins, cette obligation collective devient, en
cas de guerre défensive, une obligation individuelle. C'est
toute la démonstration d'un petit traité juridique rédigé
à Damas au lendemain de la Première Croisade. Ce *Traité
de la guerre sainte* conclut que l'installation des croisés
en Syrie correspond au cas où le *jihād* doit devenir un
devoir individuel.

De fait, après les grandes vagues de l'offensive islamique, l'obligation du *jihād* se limite à une incursion annuelle
dans le territoire infidèle. Certes, à la frontière orientale,
les *ghazis*, volontaires du *jihād*, livrent des batailles opi-
niâtres contre les Turcs païens et entretiennent l'esprit de
guerre sainte. Ces *ghazis* (du terme *ghazwa* désignant leurs
incursions, dont dérive le français *razzia*) guerroient au
nom de toute la communauté musulmane qui s'acquitte
ainsi de son obligation envers Allāh. Hormis ces îlots où

se maintient l'idéal de guerre sainte et quelques flambées, notamment au moment de la reconquête byzantine en Asie Mineure au Xᵉ siècle, la conscience du *jihād* s'émousse. « Cette torpeur et cette insouciance des habitants », que devait dénoncer Saladin un demi-siècle plus tard, peuvent expliquer la facilité avec laquelle les premiers croisés s'installèrent en Syrie.

Mais, dès le lendemain de la Première Croisade, des voix isolées, issues de milieux piétistes, s'élèvent pour protester contre l'attitude des souverains, leur indifférence et leurs divisions ; elles se font plus nombreuses devant la persistance et l'aggravation du danger franc. L'antagonisme religieux entre Francs et musulmans est dénoncé et il est de nouveau fait appel au *jihād* contre l'infidèle. Ce petit traité de droit, véritable œuvre de « réarmement moral », montre le réveil de la notion de guerre sainte face à l'irruption et à l'installation des croisés. Au fur et à mesure que se développait la riposte musulmane, s'intensifiait la propagande religieuse en faveur du *jihād* contre les infidèles (entendons les Francs). Elle devait trouver son apogée avec Saladin et contribua à la mobilisation des forces islamiques.

Arme idéologique, éveillant au cœur des musulmans la nostalgie des combats de l'époque de Mahomet et des premiers califes, le concept de *jihād* fit de la contre-croisade une guerre religieuse.

Rien dans les fondements du christianisme ne peut être comparé au *jihād* musulman. Mais les croisades furent entreprises dans un véritable esprit de guerre sainte, pour défendre la chrétienté contre les Sarrasins. Et les croisés morts au combat étaient assurés, tels des martyrs, d'accéder au Paradis. La chrétienté occidentale, dans ses conceptions, paraît plus proche de l'islam que de la chrétienté byzantine qui, elle, écartait le principe même de guerre sainte et refusait d'accorder aux soldats morts au combat la palme du martyre. Cette divergence et l'incompréhension mutuelle qui en résultait entre Grecs et Latins pesèrent lourd dans l'histoire.

# 17

# La bataille de Hattin :
# Saladin défait l'Occident

Jean Richard

Depuis quatre-vingt-dix ans, les « Francs » (entendons les croisés venus d'Occident) avaient pris pied en Orient. En 1187, des quatre États qu'ils avaient fondés, un seul, le comté d'Édesse, avait disparu. Les trois autres se maintenaient, à l'ouest de la grande dépression que parcourent, du nord au sud, l'Oronte, le Litani et le Jourdain : le royaume de Jérusalem s'étendait même à l'est de ce dernier fleuve et de la mer Morte, et atteignait la mer Rouge : cette région constituait la terre du crac et de Montréal, et interceptait la route menant de Syrie en Égypte.

Ces trois États, principauté d'Antioche, comté de Tripoli et royaume de Jérusalem, étaient alors gouvernés respectivement par Bohémond III d'Antioche, Raymond III de Tripoli, et Guy de Lusignan. Celui-ci était un nouveau venu, qui devait à l'amour de Sibylle, fille du roi Amaury de Jérusalem, d'avoir accédé au trône de Jérusalem. Cette élévation avait suscité la rancœur de tout un clan de barons qui avaient pris parti pour Raymond III de Tripoli, cousin de la reine, lequel avait été régent du royaume jusqu'à l'avènement de Guy. Le dissentiment était assez profond pour craindre une guerre civile.

Ces querelles intestines, qui affaiblissaient la cohésion des Francs d'Orient et les empêchaient de suivre une politique cohérente, intervenaient à un moment particulièrement inopportun. Les colonies franques d'Orient n'avaient

La bataille de Hattin

reçu d'Occident que des éléments de population relativement faibles : comptait-on beaucoup plus de cent mille
Francs en « Syrie » ? Ils pouvaient s'appuyer sur des chrétiens indigènes, plus nombreux. Mais ils n'auraient pu tenir
si longtemps en face des États musulmans si ceux-ci
n'avaient été divisés par des querelles de toutes sortes :
Arabes contre Turcs, Égyptiens contre Syriens, Sunnites
contre Shi'ites, dynastie contre dynastie. Or, depuis 1183,
un aventurier d'origine kurde, Salah al-Dîn Yûsûf, que
les Francs appelaient Saladin, avait achevé l'unification
de tous les territoires qui bordaient les possessions franques, ayant réuni Alep au Caire et à Damas.

Certes, Saladin avait d'autres visées que la conquête des
États des croisés ; ses expériences précédentes lui avaient

appris la valeur des chevaliers et des gens de pied des armées franques, et il connaissait la solidité du réseau très serré de places fortes dont ses adversaires avaient fait l'armature de leur défense. Mais la disproportion des forces paraissait imposer aux Francs de ne pas provoquer le souverain musulman qui régnait de la Mésopotamie jusqu'à la seconde cataracte du Nil...

Une trêve avait été conclue en 1184 entre Saladin et les Francs. Elle fut rompue, dans l'hiver 1186-1187, lorsque le prince Renaud de Châtillon, seigneur de la terre d'outre-Jourdain, enleva une caravane fortement escortée qui transitait à travers ses terres, allant d'Égypte en Syrie. On crut même un moment que la sœur de Saladin figurait parmi les captifs. Le sultan réclama la restitution du butin et des prisonniers : « Il envoya aussitôt ses messagers au nouveau roi, lui réclamant la restitution de la caravane et celle de sa sœur, et affirmant qu'il ne voulait pas enfreindre la trêve... Le roi Guy manda au prince Renaud de rendre à Saladin la caravane dont il s'était emparé, et la sœur (du sultan). Celui-ci répondit qu'il était autant le maître de sa terre que le roi l'était de la sienne, et qu'il n'avait pas de trêve avec les Sarrasins. »

Devant ce refus, le sultan convoqua son armée, les contingents des princes ses clients et les « volontaires de la guerre sainte ». Les opérations devaient se limiter au front de terre, car la flotte égyptienne, durement éprouvée précédemment, et l'escadre byzantine dépêchée par l'empereur Isaac l'Ange, défaite par les Normands de Sicile, étaient hors d'état d'intervenir. Saladin esquissa une menace contre la terre du prince Renaud, mais rassembla ses troupes à Ashtara, en Transjordanie, face au lac de Tibériade.

Pour le roi Guy de Lusignan, il fallait d'abord se réconcilier avec son principal vassal, le comte Raymond III de Tripoli ; ce dernier, se croyant menacé d'une intervention royale, avait conclu une alliance avec Saladin et s'était renfermé dans la principauté de Tibériade qui lui avait été apportée en dot par sa femme. Or, tandis que les envoyés du roi s'approchaient, Saladin requit le comte, son allié, de laisser passer un détachement qui irait « faire du dommage » dans les terres du royaume. Raymond ne put leur refuser le passage, tout en limitant sa durée à une seule journée et en avisant les régions menacées. Malheureusement, le grand maître du Temple, Girard de Ridefort, qui faisait partie de l'ambassade royale, imagina de monter une contre-razzia qui fut anéantie par les musulmans le 31 mai. Raymond, atterré, dénonça son accord avec Saladin et rejoignit l'armée royale.

Le roi avait réuni ses troupes à Saphorie, non loin de Naplouse. Elles comprenaient peut-être 1 500 chevaliers, autant de turcoples, cavaliers armés à la turque, et un nombre important de sergents à pied, fournis par les villes, les églises, les pèlerins de passage, les marins italiens en relâche. Le nombre des combattants avoisinait 15 000 à 18 000 hommes, auxquels Saladin opposait 12 000 cavaliers et à peu près autant d'auxiliaires et d'irréguliers. Son armée était donc un peu plus nombreuse, sans que la supériorité numérique fût écrasante. Il est bien entendu impossible de se fier aux chiffres fantaisistes donnés par les contemporains, des Damasquins allant jusqu'à évoquer les 23 000, 32 000, 63 000 hommes de l'armée franque...

## Les demoiselles de Tibériade

Après avoir harcelé l'armée du roi Guy, Saladin se porta brusquement sur Tibériade, enleva la ville basse et entreprit le siège de la citadelle où se trouvait l'épouse de Raymond III. Le roi réunit un conseil de guerre ; le comte de Tripoli, fidèle à une stratégie qui avait fait ses preuves, préconisa l'expectative, attitude qui avait porté ses fruits quatre ans plus tôt : en 1183, l'armée franque, sans sortir de ses lignes et au prix de la dévastation du plat pays, avait fait reculer l'armée de Saladin. Mais Raymond ne croyait pas que l'on pût agir de même cette fois.

« Sur ce, Sire, si vous avez envie de vous battre contre Saladin, allons camper devant Acre, et restons près de nos forteresses. Je connais Saladin : il est si orgueilleux qu'il ne partira pas du royaume tant qu'il ne vous aura pas forcé à livrer bataille. »

Ainsi le comte de Tripoli croyait la rencontre inévitable, mais il optait pour la livrer à proximité des grandes places fortes de la côte, refuge assuré en cas d'échec ; en cas de succès, la retraite de Saladin tournerait au désastre. Girard de Ridefort l'accusa de couardise (Il y a du poil du loup !), tandis que les chevaliers, apprenant l'attaque de Tibériade, s'exclamaient : « Allons secourir les dames et les damoiselles de Tibériade ! » L'armée se porta donc en avant et campa à la fontaine du Cresson, gros point d'eau de la région de Nazareth.

Le débat reprit : Raymond III suggérait que l'on se retranchât en attendant le début de la dislocation de l'armée musulmane, eu égard à la difficulté de la marche sur Tibériade. Il avait obtenu l'accord de tous, mais le grand maître du Temple fit revenir le roi sur sa décision : l'ordre de marcher sur la ville assiégée fut donné à l'aube du vendredi 3 juillet 1187.

Saladin paraît avoir considéré avec joie ce changement d'attitude comme si son plan avait été d'attirer les Francs en rase campagne. Selon un de ses biographes, il se serait écrié : « Ce que nous demandions est arrivé, ce que nous recherchions se trouve accompli, ce que nous voulions est venu. Allah soit loué ! A nous le bonheur rénové, la pointe aiguë, le ferme courage, le succès tout préparé ! Quand leur déroute sera réalisée, quand leur gent sera massacrée ou captive, nul ne protégera Tibériade et tout son littoral, nul n'en empêchera la conquête. » Ce qui est sûr, c'est qu'il ordonna à ses troupes de se porter à la rencontre des Francs.

Les avant-gardes se heurtèrent, ce jeudi, vers le milieu

du jour. La colonne des Francs dut adopter une formation de combat, ce qui ralentit considérablement sa marche, harcelée qu'elle était par les archers ennemis. Quand
la nuit s'approcha, il apparaissait qu'il faudrait encore une
longue étape pour couvrir les douze à quinze kilomètres
la séparant de Tibériade. Au lieu de poursuivre la marche, Raymond III proposa de se porter à quelques kilomètres au nord, pour passer la nuit auprès des sources du
village de Hattin, seul point d'eau potable sur ce plateau
vide. Mais les musulmans avaient devancé les Francs, qui
durent camper, après une journée harassante, sans avoir
la possibilité de boire ni d'abreuver leurs bêtes. Les archers
ennemis continuaient leur harcèlement. Mais, de leur côté,
les musulmans, sachant qu'ils avaient derrière eux le Jourdain et devant eux le territoire de l'ennemi, sentaient « que
Dieu seul pouvait les sauver ». Pour les uns comme pour
les autres, la situation s'avérait très critique.

On a attribué à Saladin des stratagèmes destinés à affo-
ler encore plus les hommes et les chevaux assoiffés. Il
aurait fait allumer des feux d'herbe, tandis que des colonnes de chameaux auraient apporté du lac de Tibériade des
charges d'eau qu'on déversait dans de grands abreuvoirs,
à la vue de l'ennemi. Celui-ci, néanmoins, ne s'abandon-
nait pas. La tactique franque consistait à lancer des charges en rangs serrés, qui balayaient tout sur leur passage.
Les fantassins, couvrant les chevaliers constitués en uni-
tés appelées « batailles », ouvraient leurs rangs pour laisser passer la charge et les reformaient ensuite. Indigènes
et Latins combattaient du même cœur. Les textes signalent la belle conduite des turcoples. Mais, déjà, des défec-
tions se produisaient : cinq chevaliers de la « bataille » du
comte de Tripoli allèrent avertir Saladin de l'épuisement
de l'armée royale. Et, dans la dernière phase du combat,
les fantassins débandés laissèrent les chevaliers et leurs chevaux sans couverture, exposés au tir rapproché des archers
musulmans.

Le roi ordonna de passer à l'attaque, Raymond III prenant le commandement de la première « bataille ». Le contingent ennemi qui lui était opposé, celui du neveu du sultan, Taqi al-Dîn, se sachant incapable de tenir devant la charge des chevaliers, ouvrit ses rangs et laissa le comte s'engager dans la gorge étroite du wadi Arbel, qui dévalait vers le lac. Après quoi, il se referma, coupant Raymond du reste de l'armée. Accablés de flèches, perdant beaucoup de monde, les survivants de la « bataille » du comte parvinrent au bord du lac. Les autres corps n'avaient pas pu les suivre.

Guy de Lusignan décida alors de faire dresser ses tentes sur la hauteur de Qurn Hattin, position dominante d'où les chevaliers pourraient précipiter leurs charges avec l'espoir de bousculer la garde de Saladin : c'était ainsi qu'en 1177, à Montgisard, le roi Baudouin IV, bien que noyé au milieu de l'armée musulmane, avait mis le sultan en fuite et ses soldats en déroute. La tactique pouvait donner des résultats, l'issue fut longtemps indécise, ce dont témoigne le propre fils de Saladin : « C'était ma première bataille, et j'étais aux côtés de mon père. Quand le roi des Francs se retira sur la montagne, ses chevaliers firent une belle charge et repoussèrent les musulmans jusqu'à mon père. Je le regardai et je vis son désarroi, il pâlit, tira sa barbe et se jeta en avant, criant : ''Faites mentir le diable'' ; alors, les musulmans se jetèrent sur l'ennemi, qui se retira sur la colline. Quand je les vis fuir et les musulmans les poursuivre, je m'écriai dans ma joie : ''Nous les avons battus'', mais les Francs chargèrent à nouveau et repoussèrent à nouveau nos hommes jusque là où était mon père. A nouveau il les lança en avant et ils repoussèrent l'ennemi jusqu'à la montagne. Je criai de nouveau : ''Nous les avons mis en déroute.'' Mais mon père se tourna vers moi et dit : ''Reste tranquille. Nous ne les aurons pas battus tant que cette tente est encore debout.'' A cet instant, la tente royale fut renversée. Alors le sultan descendit de cheval se prosterna jusqu'à terre, remerciant Dieu avec des larmes de joie. »

La victoire de Saladin était complète. En dehors de Raymond III, d'une poignée de barons et des chevaliers qui les accompagnaient, seuls quelques combattants s'échappèrent. Parmi eux, les deux chefs de l'arrière-garde, Balian d'Ibelin et Josselin d'Édesse, qui gagnèrent l'un Jérusalem, l'autre Acre. Il ne restait qu'à massacrer ou à lier les Francs et leurs auxiliaires qui avaient laissé tomber leurs armes. On décapita en masse vivants et morts : un Damasquin écrivit que « tous les jours on voit arriver des têtes de chrétiens aussi nombreuses que des pastèques ». Des troupeaux de captifs furent acheminés vers les marchés d'esclaves. Saladin se fit amener les chefs capturés : le roi Guy, que le Kurde Derbas avait fait prisonnier, le grand maître du Temple, les barons survivants. Il les traita humainement, offrant à boire au roi ; mais, quand Guy tendit la coupe à Renaud de Châtillon, Saladin s'emporta, rappelant le serment qu'il avait prêté de mettre le prince à mort s'il le capturait. Renaud répondit avec crânerie et refusa d'abjurer sa foi, ce qui lui aurait permis de sauver sa vie. Le sultan lui abattit l'épaule d'un coup de sabre et sa garde l'acheva. Saladin fit aussi massacrer systématiquement les templiers, les hospitaliers et les turcoples, considérés en masse comme des musulmans renégats. Le privilège de cette mise à mort revint aux jurisconsultes et aux hommes de religion de son entourage. La Vraie Croix, véritable palladium du royaume, avait été prise : deux évêques, pendant le combat, s'étaient succédé pour la porter et l'un deux avait été tué. Le butin était énorme.

Le plus grave, c'était que le royaume était désormais sans défense. Saladin se hâta de cueillir les fruits de sa victoire : l'armée musulmane se répandit sur toute la Samarie, raflant les habitants qui furent réduits en esclavage et vendus à vil prix. Les places de la frontière, bien approvisionnées et qui avaient gardé leurs garnisons, tinrent bon, certaines pendant plusieurs années ; les autres, vides de défenseurs, se hâtèrent de capituler dès lors qu'on s'aper-

çut que le sultan, avide de gagner du temps, accordait
volontiers aux Francs la vie sauve, la liberté et le droit
d'emporter leurs biens, tout en les contraignant à évacuer
les villes où ils étaient installés depuis près d'un siècle. Josselin d'Édesse ne crut pas pouvoir défendre Acre ; mais
Tyr – où s'était jeté *in extremis* un nouveau venu, le
marquis Conrad de Montferrat – refusa d'ouvrir ses portes. Saladin n'insista pas et préféra se porter sur Ascalon
et sur Jérusalem, où Balian d'Ibelin sut assez bien organiser la défense : le sultan renonça à prendre la ville de
vive force et accepta une capitulation aux termes de
laquelle les Francs purent racheter leur liberté. Toutefois,
plusieurs milliers d'entre eux, incapables de payer, furent
réduits en esclavage.

Après quoi, Saladin remonta vers le nord, faisant tomber les unes après les autres les places fortes du comté de
Tripoli et de la principauté d'Antioche, mais sans s'attar-
der aux lenteurs d'un siège : aussi Tripoli, Tortose, le crac
des Chevaliers et plusieurs places antiochéniennes lui
échappèrent.

Cette campagne spectaculaire (plus de cinquante forteresses furent occupées en un peu plus d'un an) présentait
ses faiblesses. Pressé de prendre Jérusalem, Saladin avait
laissé Tyr devenir un réduit inexpugnable. Les Francs éva-
cués des places de l'intérieur se concentraient dans les places épargnées. Les captifs libérés contre rançon reprenaient
la lutte : le roi Guy n'hésita pas à se porter devant Acre
à la tête d'une minuscule armée et à entamer le siège de
la ville. Ainsi, contrairement aux vues du sultan, la Terre
sainte réduite à quelques places allait offrir les bases indispensables aux croisés qui commencèrent à affluer dès 1188
et qui allaient entamer une reconquête partielle du
royaume latin. La chute des dernières places du littoral
ne devait intervenir qu'un siècle après Hattin, en 1291.

La défaite n'en avait pas moins été retentissante. Et pas
seulement en Occident : nous possédons une complainte
en langue syriaque, rédigée en Mésopotamie, qui atteste

l'émoi que ressentirent les chrétientés orientales à la nouvelle de la bataille de Hattin et de la chute de Jérusalem.
Il fallait expliquer un tel désastre. Tout le monde s'accorda
à admettre que cette catastrophe était l'effet de la colère
divine, suscitée par les péchés des chrétiens (*peccatis nos-
tris exigentibus*). Dieu avait confié aux Latins la Terre
sainte, « héritage du Christ », et la Vraie Croix, témoin
de sa passion ; il les leur avait retirées. Aussi, le pape se
hâta-t-il d'ordonner une pénitence générale, et le succès
rencontré par la prédication de la Troisième Croisade
atteste que la conscience des Occidentaux avait été très sensible à cette explication.

### Qui est le traître ?

Toutefois, très peu de temps après la défaite, on
commença à rechercher d'autres responsabilités. Durant
les dix ans qui avaient précédé Hattin, le royaume latin
avait été déchiré par les querelles. Le roi lépreux,
Baudouin IV, avait confié le gouvernement du royaume
au mari de sa sœur, Guy de Lusignan ; il le lui avait retiré
et avait laissé la régence, au nom de son neveu
Baudouin V, à Raymond III de Tripoli. A la mort de
l'enfant, Sibylle de Jérusalem et Guy de Lusignan, grâce
à l'aide de Girard de Rideford, du patriarche Héraclius,
du comte Josselin d'Édesse et de Renaud de Châtillon,
avaient réussi à se faire couronner. Raymond III, déçu
dans ses ambitions et blessé par le procédé de ses adversaires, avait refusé de reconnaître le fait accompli. Malgré la réconciliation de juin 1187, les partis restaient prêts
à s'affronter.
Parmi les Latins de Terre sainte, beaucoup incriminaient
Guy de Lusignan et son entourage. C'est Girard de Ridefort qui avait poussé le roi à marcher sur Tibériade, au
mépris de la décision prise par le conseil du 2 juillet : on
rappelait que le grand maître du Temple n'avait pas par-

donné au comte de Tripoli d'avoir manqué à la promesse qu'il lui avait faite de le marier à une riche héritière, et ne cessait de le poursuivre de sa haine. C'est Guy qui aurait répondu aux barons, surpris du changement intervenu dans ses ordres : « Vous n'avez pas à me demander sur le conseil de qui je le fais : je veux que vous montiez à cheval et vous mettiez tout de suite en route vers Tibériade. »

Mais les attaques contre Raymond III rencontraient au moins autant de créance ; elles trouvaient un argument de poids dans le traité qu'il avait passé avec Saladin (certains affirmaient qu'à sa mort on constata qu'il avait été circoncis), dans le « mauvais conseil » qu'il avait donné de renoncer à la marche sur Tibériade, et surtout dans le fait qu'il avait abandonné le roi au cours de la bataille. Girard de Ridefort, dès avant celle-ci, aurait dit au roi : « Sire, ne croyez pas ce que le comte vous conseille, car c'est un traître » ; le trouvère Ambroise reprend cette accusation en disant :

> *Et bien peut-être qu'il le fit*
> *Et bien peut-être qu'il ne le fit.*
> *Mais le plus témoigne, sans faille,*
> *Qu'il le trahit en la bataille.*

On devait disputer longtemps à ce sujet, comme à celui des fautes commises par le roi et ses partisans ; la querelle de Guy de Lusignan et de Conrad de Montferrat, qui refusa de recevoir le premier dans Tyr, querelle qui se prolongea par leur compétition pour la couronne, s'alimentait à cette polémique.

Reste qu'aujourd'hui les historiens ont scruté la conduite des protagonistes (Raymond III, Guy, Josselin d'Édesse) sans qu'on ait trouvé l'indice concluant à la trahison des uns ou des autres. En revanche, il semble certain que la défaite fut facilitée par l'affaiblissement de l'autorité royale, battue en brèche par la constitution des

grands lignages, mais aussi par le désintérêt relatif que lui
témoignait l'Occident. Sous les coups portés par les musulmans depuis le milieu du XIIᵉ siècle, les Latins d'Orient
avaient subi de lourdes pertes, sans que l'on répondît à
leurs appels au secours. Et, à plus d'une reprise, on avait
frisé la catastrophe. Une accumulation de fautes de tactique avait ainsi pu suffire à provoquer l'écroulement de
tout l'édifice du royaume latin, déjà miné par ses faiblesses, et avant tout par l'insuffisance d'une immigration qui
ne lui permettait pas de réparer ses pertes.

## La gloire paradoxale de Saladin

Mais les circonstances extérieures, elles aussi, avaient
changé. Le royaume de Jérusalem avait pu se constituer
à la faveur de l'émiettement de la Syrie musulmane entre
plusieurs dominations. Il avait survécu à l'unification de
la Syrie et à son union avec l'Égypte grâce à un véritable
protectorat byzantin. Or, après l'extinction de la dynastie des Comnènes, l'Empire byzantin était devenu hostile :
Isaac II l'Ange aurait conclu une alliance avec Saladin en
vue du partage des colonies latines. Quant à l'unification
des terres musulmanes voisines des États latins, Saladin
lui avait donné une solidité nouvelle.

Si l'on en croit les biographes du sultan et ceux qui écri-
vaient en son nom, l'écrasement des infidèles était le but
unique de sa vie. Le cadi al-Fadl écrivit au calife de Bagdad : « Votre serviteur n'a déployé tous ses efforts que
pour obtenir ce grand bonheur ; il n'a supporté tous ces
maux que dans l'espoir d'en être récompensé par cette
faveur ; il n'a fait la guerre contre ceux qui voulaient le
dominer et n'a tourné la pointe de sa lance contre ceux
qui lui voulaient du mal que pour réaliser l'unité et exalter la parole divine. »

Saladin n'avait cessé d'invoquer les nécessités du *jihād*
pour justifier la conquête d'Alep et ses campagnes contre

Mossoul ou la soumission de la Haute-Mésopotamie qui le mettait notamment en conflit avec les Seldjoukides d'Asie Mineure. Il se présentait comme le soldat du calife de Bagdad, rappelant qu'il avait œuvré pour restaurer l'autorité de celui-ci, éliminant le califat fatimide du Caire, persécutant le shi'isme, intimidant les Almohades d'Afrique du Nord : l'expulsion des infidèles de Syrie et de Palestine devait achever la réalisation de ce programme.

Or, quand il annonça sa victoire au calife, son émissaire fut reçu fraîchement. On lui prêtait le désir de détrôner les Abbassides pour prendre leur place ; on l'accusait de se couvrir du nom du lieutenant du Prophète pour se constituer à lui-même un empire. La victoire sur les Francs intervenait après plus de quinze années consacrées à des luttes contre les princes musulmans autant que contre les Latins...

Ainsi, la figure du « plus pur héros de l'islam » se trouvait-elle ternie parmi les musulmans eux-mêmes, et il se peut que la lutte de cinq années qu'il eut par la suite à soutenir contre les croisés ait contribué à lui valoir plus de gloire que la conquête de la Syrie et de la Palestine sur les Francs. Mais il est sans doute vain de scruter la sincérité du vainqueur de Hattin. Comme bien d'autres chefs musulmans au cours de l'histoire et jusqu'à notre temps, Saladin n'a pas séparé la réalisation de ses ambitions de caractère politique de la mission dont il se considérait comme investi sur le plan religieux. L'empire ayyûbide dont il fut le fondateur n'était-il pas un élément de la construction de l'État musulman idéal ? Cet empire, d'ailleurs, allait se montrer particulièrement fragile après la mort de son premier maître.

Assez curieusement, c'est chez ses adversaires chrétiens que la figure de Saladin a pris le plus de grandeur. La générosité calculée dont il fit preuve à l'égard des populations franques, les gestes chevaleresques qu'il sut prodiguer, notamment dans sa lutte avec Richard Cœur de Lion, firent oublier les massacres de sang-froid qu'il avait ordonnés après la capture des marins de Renaud de Châtillon, en 1183, ou après la bataille de Harim, en 1178, et qu'il renouvela après Hattin. Et il apparut comme l'adversaire généreux par excellence. L'*Estoire d'Outremer*, histoire romancée de la Terre sainte écrite au XIII$^e$ siècle, commence à exalter l'image du sultan. Le *Second Cycle de la croisade* fait de lui son véritable héros. On y apprend que Saladin est le petit-fils d'un comte de Ponthieu par sa mère, une captive devenue l'épouse d'un sultan ; qu'il épargne les captifs qui sont de sa parenté et va courir les aventures en Occident en leur compagnie. Et que, au moment de mourir, il se fait chrétien...

Ainsi, ce que l'épopée du Moyen Age tardif devait retenir de la bataille de Hattin, ce fut avant tout l'image du sultan idéalisé dont de grandes familles (les Montmorillon, les Anglure) tinrent à donner le nom à leur fils, alors même qu'il était presque oublié en terre d'islam.

## Pour en savoir plus

*Sur la bataille elle-même :*

P. Herde, *Die Kämpfe bei der Hörner von Hittin und der Untergang des Kreuzritterheeres*, dans *Romische Quartalschrift*, 1961, 1966.

Imad al-Din al-Isfahani, « Conquête de la Syrie et de la Palestine par Saladin », trad. H. Massé, Paris, Geuthner, 1972 (autres textes dans *Recueil des historiens des croisades*).

*Sur la crise du royaume latin de Jérusalem :*

R.N. Nicholson, *Joscelyn III and the Fall of the Crusader State*, Leyde, Brill, 1973.

R.C. Smail, *The Predicaments of Guy of Lusignan*, dans *Outremer Studies... presented to Joshua Prawer*, Jérusalem, 1982.

*Sur Saladin :*

A. Champdor, *Saladin. Le plus pur héros de l'islam*, Paris, 1956.
E. Sivan, *L'Islam et la Croisade*, Paris, Maisonneuve, 1968.
A.S. Ehrenkreutz, *Saladin*, Albany, 1972.

*Voir aussi la bibliographie générale, en fin d'ouvrage.*

# 18

## *Le sac de Constantinople*

**Michel Kaplan**

Lundi 12 avril 1204 : après quatre jours d'assaut, les croisés pénètrent dans Constantinople. Le lendemain, toute résistance cesse. Au milieu d'un incendie qui détruit plus de la moitié des maisons, l'armée victorieuse se livre à un pillage et à des atrocités qui dépassent de loin ceux commis par Saladin en 1187, lors de la prise de Jérusalem.

Écoutons un témoin, le métropolite d'Éphèse, Jean Masaritès :

« Alors, de partout, les places, les maisons à deux ou trois étages, les établissements sacrés, les couvents, les monastères d'hommes et de femmes, les divins sanctuaires et même la Grande Église de Dieu (Sainte-Sophie), le palais impérial furent envahis de guerriers, porte-glaives privés de raison qui respiraient le meurtre, portaient le fer, la lance, l'épée et le poignard, archers, cavaliers ; ils lançaient des regards terribles, criaient comme Cerbère et soufflaient comme Charon, pillaient les saintes maisons, saccageaient les objets divins, insultaient au sacré. Les saintes Images, murales ou mobiles, du Christ, de la Mère de Dieu et des saints, qui, depuis l'éternité, plaisaient à Dieu, ils les jetaient à terre. Ils proféraient insanités et blasphèmes, arrachaient les enfants aux mères et les mères aux enfants, violentaient sans honte les vierges dans les enceintes consacrées, sans craindre le châtiment divin ni la vengeance des hommes.

« Ils dénudaient la poitrine des femmes pour voir si une parure ou un objet d'or accroché s'y cachait ; ils défaisaient les coiffures et retiraient les voiles des têtes [...] Partout, ce n'était que lamentations, cris de douleur et de malheur [...] Ils massacraient les nouveau-nés, tuaient les femmes tempérantes, dénudaient même les femmes âgées et les outrageaient. Ils torturaient les moines, les frappaient du poing, leur foulaient le ventre de leurs talons, rouant de coups ces corps vénérables. Ils versaient du sang mortel sur les saintes tables et, sur chacune, à la place de l'agneau de Dieu sacrifié pour le salut du monde, on traînait des gens comme des moutons pour leur trancher la tête. Tel était le respect pour les choses de Dieu de ceux qui portaient sur leurs épaules la Croix du Christ ! Ainsi leurs propres évêques leur avaient appris à se conduire. Et comment qualifier ceux-ci ? Archevêques parmi les soldats ou soldats parmi les archevêques ? »

Le pillage terminé, les chevaliers croisés et leurs commanditaires vénitiens se partagent le territoire byzantin. Ceux qui avaient fait vœu de délivrer Jérusalem de l'infidèle s'installent en terre chrétienne : la croisade est terminée. Pourtant, elle avait commencé sous le signe de la foi. La Deuxième et surtout la Troisième Croisade, comme la tentative de l'empereur Henri VI à la fin du XIIe siècle, commandée par les souverains les plus puissants d'Occident – l'empereur germanique, les rois de France et d'Angleterre –, traînaient un arrière-goût d'intrigue politique. Ici, au contraire, l'initiative revient au pape Innocent III, et les prédicateurs enflammés comme Foulque, curé de Neuilly-sur-Marne, usent avec succès d'une argumentation rigoureusement spirituelle.

En novembre 1199, le jeune comte Thibaud de Champagne prend la tête de la croisade et, l'hiver suivant, les prises de croix se multiplient dans le nord de la France. Ainsi se constitue, par recrutement spontané, l'armée de la Quatrième Croisade : elle s'est fixé comme but de délivrer la Terre sainte. De Constantinople, il n'est pas question. Au reste, les croisés choisissent la voie maritime qui, précisément, permet d'éviter le Bosphore.

Encore faut-il trouver des bateaux, que seuls peuvent fournir les armateurs italiens, notamment les plus puissants d'entre eux, ceux de Venise. Contrat est donc passé : les Vénitiens fourniront passage et ravitaillement aux 33 500 soldats prévus, moyennant 84 000 marcs. Mais les croisés, effectivement présents à Venise au printemps 1202, sont moins nombreux et moins riches qu'escompté : il manque 34 000 marcs. Les chefs de la croisade, commandés désormais par le Piémontais Boniface de Montferrat, acceptent le marché proposé par les Vénitiens : remise de la dette contre la prise chrétienne de Zara, clef du commerce en Adriatique, sur la côte dalmate.

Seuls les chefs sont au courant ; les petits chevaliers croient partir pour la Terre sainte ; sur les nefs qui prennent la mer, retentit le *Veni Creator*. D'ailleurs, arrivés devant Zara en novembre 1202, certains, tel Simon de Montfort, refusent ce combat. Et Innocent III excommunie pour un temps Vénitiens et croisés.

Certes, Zara n'est pas Constantinople, mais c'est une ville chrétienne, et ce premier détournement en annonce un autre, permis par les intrigues de la politique byzantine. En 1195, en effet, Alexis III Ange a détrôné et aveuglé Isaac II. Six ans plus tard, le fils de ce dernier, Alexis, réussit à s'enfuir pour mener en Europe une tournée de propagande. Il trouve une oreille complaisante auprès de l'époux de sa sœur Irène, le roi des Romains Philippe de Souabe, soucieux d'affaiblir le rival oriental. Grâce à cette influence, les croisés acceptent les alléchantes propositions d'Alexis. D'autant que le commanditaire vénitien, représenté dans l'expédition par sa plus haute autorité, un énergique vieillard, le doge Enrico Dandolo, y trouve un puissant intérêt.

Si les croisés l'aident à rétablir sur le trône le « légitime » Isaac, Alexis leur fournira 200 000 marcs et 18 000 hommes pour poursuivre leur tâche. Avec, en prime, l'union des Églises : Innocent III désapprouve néanmoins l'assaut d'une nouvelle ville chrétienne. Mais les Vénitiens y voient le plus sûr moyen de retrouver, à Constantinople, leur position dominante, menacée par Gênes et surtout Pise et rendue précaire par la faiblesse même de l'Empire byzantin ; Dandolo espère aussi se faire ouvrir enfin la mer Noire. Ayant fait taire les réticences de ceux qui voulaient avant tout combattre l'infidèle, les croisés arrivent devant Constantinople le 23 juin 1203 et, le 17 juillet, pénètrent dans la ville où ils réintronisent Isaac et son fils Alexis IV.

Dès lors, une mécanique implacable conduit au deuxième et décisif assaut. Certes, Alexis IV parvient à faire sortir les croisés de sa capitale et commence à leur verser l'argent promis. Mais les croisés restent sur les rives du Bosphore, tant pour s'assurer qu'Alexis IV tiendra ses promesses jusqu'au bout que pour l'aider à conserver un trône chancelant. Le mécontentement de l'aristocratie et du peuple s'affirme peu à peu : réaction devant l'humiliation subie, la présence envahissante des Latins et les exigences fiscales nécessaires pour réaliser les paiements. Les émeutes antilatines se multiplient, les versements cessent complètement, l'affrontement paraît inévitable avant même qu'Alexis Murzuphle ne détrône Alexis IV le 5 février 1204.

Le nouvel empereur tente vainement une dernière négociation. Le doge Enrico Dandolo y met en effet des conditions politiques inacceptables. Les Byzantins consolident leurs murailles tandis que Vénitiens et « pèlerins » règlent le partage de la future dépouille. L'assaut est donné le vendredi 9 avril. Il échoue et cet échec ravive les scrupules de ceux qui avaient accepté d'aider un empereur chrétien à retrouver son trône, mais hésitaient à ruiner une ville chrétienne. Pour faire taire ces dernières réticences, le dimanche, bravant les interdictions d'Innocent III, « les évêques – écrit Robert de Clari – prêchèrent des sermons au travers du camp [...] et [...] montrèrent aux pèlerins que la bataille était légitime, car les Grecs étaient traîtres et meurtriers ; déloyaux, puisqu'ils avaient assassiné leur seigneur légitime : ils étaient pires que les Juifs. Les évêques disaient qu'ils absolvaient, de par Dieu et le pape, tous ceux qui donneraient l'assaut ; et les évêques commandèrent aux pèlerins de se confesser et de communier fort bien, et de ne pas avoir peur de donner l'assaut aux Grecs, car ils étaient ennemis du Seigneur Dieu ».

Encouragements efficaces : l'assaut du 12 avril est le bon. Les chroniqueurs occidentaux se montrent discrets sur les sévices physiques. Ainsi, l'ancien maréchal de Champagne et futur maréchal de Romanie, Villehardouin : « Alors vous auriez pu voir les croisés abattre les Grecs. Il y eut là tant de morts et de blessés que c'était sans fin ni mesure. » Les auteurs byzantins, comme Masaritès déjà cité, comblent cette lacune. Mais les uns et les autres s'accordent sur l'ampleur du pillage. Ainsi Villehardouin :

« Le marquis Boniface de Montferrat chevaucha tout le long de la mer, droit vers le Bouchelion [le Boukoléon]... Quant aux trésors qui étaient en ce palais, les mots ne sauraient les décrire : car il y avait tant de richesses que c'était sans fin ni mesure [...] [Le palais] des Blachernes fut [rendu] à Henri, frère du comte Baudouin de Flandre [...] Là aussi se trouvait un trésor énorme [...] Les autres, qui s'étaient répandus à travers la ville, ramassèrent aussi beaucoup de butin, et le butin gagné fut si grand que nul ne vous en saurait faire le compte... Depuis la création du monde, jamais ne se fit tant de butin dans une ville. » L'historien byzantin Nicétas Choniatès le confirme : « Les brigands qui se rendirent maîtres de Constantinople, affamés d'or, comme tous les peuples barbares, se livrèrent à des excès inouïs de pillage et de désolation. Ils ouvrirent les tombeaux des empereurs qui décoraient le sanctuaire du grand temple (l'église des Saints-Apôtres), ils enlevèrent les richesses qui s'y trouvaient, les perles, les pierres précieuses. Ils outragèrent le corps de l'empereur Justinien. On peut dire que ces conquérants féroces n'ont fait grâce ni aux vivants ni aux morts ; ils ont insulté Dieu, outragé ses ministres ; ils ont déchiré en lambeaux ce magnifique voile du grand temple, tissu d'or et d'argent pur, estimé plusieurs millions de mines, et beaucoup plus beau que celui que l'on voit à présent. »

Le pillage revêt une autre dimension, « sacrée », pourrait-on dire. Constantinople regorge en effet de reliques, dont les Occidentaux sont friands. Enrico Dandolo n'a pas seulement ramené les lions qui ornent la place Saint-Marc, mais aussi un morceau de la Vraie Croix, un peu de sang du Christ, un bras de saint Georges, un morceau de la tête de saint Jean Baptiste. Robert de Clari se plaint que les grands seigneurs n'ont rien laissé du butin aux petites gens comme lui, mais il rapporte à l'abbaye de Corbie un morceau de la Vraie Croix, du sang du Christ, un morceau du vêtement du Christ sur la Croix, de la couronne d'épines, de l'éponge et quarante-cinq autres reliques. Les ecclésiastiques ne sont pas en reste : Gunther de Pairis, d'une abbaye alsacienne, nous décrit son abbé Martin dans une église de Constantinople : « Quand il vit [le coffre aux reliques], l'abbé se hâta d'y plonger avidement, y allant des deux mains, puis, retroussant son vêtement du plus vivement qu'il put, il en remplit le creux. Le clerc qui l'accompagnait en fit de même. »

## La foire aux reliques

L'extraordinaire violence dont usèrent les croisés à Constantinople s'explique en partie par la longue attente depuis l'épisode de Zara et la première prise de la ville en juillet 1203. Mais elle traduit aussi une profonde inimitié accumulée depuis de longues années. Les différends religieux, même s'ils sont mis en avant pour galvaniser les foules, sont surtout un prétexte et une excuse : l'attitude d'Innocent III, qui accuse les Vénitiens d'avoir détourné la croisade, le montre nettement. La conscience d'appartenir à une même communauté religieuse subsistait alors et la séparation Orient-Occident est plus une conséquence qu'une cause des événements de 1204.

Les croisades précédentes ont développé chez les Latins une grande méfiance : Byzance refuse de participer à une croisade dont l'idée même lui est totalement étrangère ; elle tente d'en tirer profit et n'hésite pas, au besoin, à s'allier avec Saladin en 1183, puis en 1189 lors de la Troisième Croisade. Les Occidentaux, installés de plus en plus nombreux à Constantinople dont ils exploitent la position commerciale, ont subi maints assauts qui trahissent la haine des Byzantins pour ces barbares et créent chez les Latins crainte et méfiance : confiscation des biens des Vénitiens en 1171, massacres de 1182.

Pourtant, la richesse de Constantinople en objets précieux et reliques exerce sur les Occidentaux une véritable fascination, et bientôt naît une irrépressible envie de donner une réalité à ce mirage.

Militairement parlant, la prise de Constantinople représentait un bel exploit. Or celui-ci n'eut pas en Occident un grand retentissement. Les croisés durent même commencer par se justifier, ce que tenta Villehardouin dans sa chronique. Les États occidentaux, retenus par d'autres tâches, sourds aux appels de la papauté, ne se souciaient nullement de l'Empire latin du Bosphore et autres principautés. Un seul des conquérants de Constantinople est fêté comme un héros par les siens : le doge Enrico Dandolo.

Venise devient totalement maîtresse de la mer Égée jusqu'à la Crète, comme elle l'était de l'Adriatique. L'empire colonial vénitien est né, qui survivra plusieurs siècles aux autres possessions latines de Romanie. Venise n'est pas la seule cité italienne à profiter plus ou moins directement de l'occasion : ainsi Gênes se fera ouvrir la mer Noire pour avoir aidé les empereurs byzantins Paléologues à recouvrer leur capitale en 1261. Pour l'Occident, l'effet le plus net de la Quatrième Croisade rejoint le mobile essentiel du détournement : l'expansion économique de l'Occident, avec, à sa tête, les républiques portuaires italiennes. La Quatrième Croisade marque aussi une rupture dans la conception de la croisade, même si les prédicateurs et ceux qu'ils ont d'abord lancés sur les routes ne l'ont pas voulu. Dès 1202, les croisés partaient, non vers la Palestine, mais vers l'Égypte ; il en ira de même pour les croisades ultérieures. L'élan religieux s'efface, chez les chefs, devant les considérations géopolitiques. Surtout, en s'attaquant à des villes chrétiennes, à la plus grande d'entre elles, la croisade cesse d'être la guerre contre les musulmans de Terre sainte ou d'Espagne : elle devient une opération ouvertement économico-politique.

L'effet le plus net de cette croisade, c'est finalement la rupture définitive de l'unité chrétienne. L'éphémère patriarcat latin créé à Constantinople est sans effet sur ce plan ; les spectaculaires tentatives d'union (concile de Lyon de 1274) qui suivent le rétablissement de 1261 ne peuvent faire illusion. L'irréparable a été commis aux yeux des Byzantins.

Pour eux, les Occidentaux, suspects jusqu'alors, deviennent coupables. Face à ces brigands, dit Choniatès, à ces barbares dont les actes ont montré qu'ils n'appartenaient pas au monde civilisé, Byzance se raidit dans son originalité grecque et orthodoxe. L'orthodoxie devient le vecteur essentiel d'un nationalisme de plus en plus exacerbé et s'affirme plus que jamais par opposition aux Latins. Jusque dans la lointaine Russie, plus d'un siècle après, lorsque l'on compose une description de la Nouvelle Rome, on évoque encore les horreurs perpétrées par les Latins à Constantinople.

## Pour en savoir plus

*The Fourth Crusade. The Conquest of Constantinople, 1201-1204*, Leicester, 1978. Un ouvrage récent en anglais.
Geoffroy de Villehardouin, *Un chevalier à la croisade : l'histoire de la conquête de Constantinople*, texte établi et présenté par Jean Longnon, Paris, Tallandier, 1981.

*Voir aussi la bibliographie générale, en fin d'ouvrage.*

# 19

# La grande rupture
# avec l'Orient

**Cécile Morrisson**

Les jugements à l'emporte-pièce, les prises de parti, condamnations sans appel ou descriptions enthousiastes des croisades ne manquent pas. De l'admiration sans réserve des érudits du XVIIᵉ siècle au dénigrement outrancier des philosophes du siècle des Lumières, les passions inspirées par ce thème sont à la mesure de l'influence toujours vivante des croisades sur nos mentalités.

Plus difficile à définir est l'influence objective des croisades. En 1808, l'Institut mettait au concours la question suivante : « Quelle a été l'influence des croisades sur les libertés des peuples européens, leur civilisation, leur commerce et leur industrie ? » Aujourd'hui, les historiens s'interrogent plutôt sur leur retentissement dans le monde byzantin ou l'Orient chrétien, arabe ou juif. Parler d'« apports » semble préjuger de conséquences positives : essayons de rassembler les éléments d'un bilan des croisades. Mais, plutôt qu'une lecture discursive des différents « niveaux » des croisades (spirituel, militaire, intellectuel, « colonial », et économique) et des différentes civilisations qui s'y heurtèrent, on distinguera ici leur bilan à court terme, presque entièrement négatif de l'avis général, et leurs conséquences à plus long terme dont la détermination et l'évaluation font le centre du débat.

Dans le court terme, le bilan des croisades est incertain : tout dépend si l'on considère le succès inespéré des pre-

mières décennies ou bien les échecs et les déviations ultérieures. Pour l'Occident, dans un premier temps, le mouvement apparaît tout à fait bénéfique. La Première
Croisade et les expéditions du début du XIIe siècle ont en
effet atteint le but fixé par le pape Urbain II dans l'appel
de Clermont : libérer les chrétiens d'Orient et délivrer le
tombeau du Christ tout en assurant en Europe la paix de
Dieu ou du moins une atténuation des discordes entre chrétiens. Le sort de l'Asie Mineure envahie par les Turcs, l'un
des thèmes majeurs de la prédication pontificale et des
*excitatoria* (sermons, discours ou lettres destinés à émou-
voir en faveur de la croisade), est changé pour plus d'un
siècle par la croisade. Ce sont les armées occidentales qui,
en prenant Nicée (19 juin 1097), en battant les armées de
Kilidj Arslan à Dorylée (1er juillet 1097) et les Danishmen-
dites à Héraclée, ont donné un coup d'arrêt à la progres-
sion turque [1].

## Un succès miraculeux

Le succès des troupes croisées, parvenues si loin de leurs
bases malgré les pertes et les dangers encourus pendant
les trois années de l'expédition, parut miraculeux aux
contemporains. Il le paraît encore aujourd'hui, même s'il
fut incontestablement favorisé par la division du Proche-
Orient musulman, son indifférence même à l'établissement
des croisés, l'accueil favorable des populations chrétiennes de Syrie du Nord ou le soutien des flottes italiennes.
Mais l'exaltation religieuse reste le moteur essentiel du succès, à l'œuvre à tous les moments critiques.

Cette ferveur religieuse est aussi à l'œuvre contre tout
ce qui est étranger à l'idéal de chrétienté. Les foules de
paysans qui se mettent en route en 1096 imposent aux
communautés juives d'Allemagne et d'Europe centrale
l'apostasie ou la mort. Massacres, pillages, sévices de toutes sortes font du début de la croisade un des plus grands

« pogroms » de l'histoire de l'Europe médiévale, connu dans les sources hébraïques sous le nom de *Gzérot de 4856*. Certes, une fois les foules parties, la situation redevient normale – car jamais l'Église ni le haut clergé n'ont encouragé ce mouvement –, mais la haine et l'horreur ainsi engendrées influencent durablement les rapports entre chrétiens et Juifs.

Même en Terre sainte, les mêmes abus se reproduisent, et la prise de Jérusalem s'accompagne du massacre de la quasi-totalité des populations juives et musulmanes qui avaient combattu ensemble pour la défense de la ville. Pourtant, l'exaltation des premières années de la conquête passée, massacres et destructions aveugles cessent, alors que, en Europe, chaque prédication de croisade, notamment la Deuxième, rallume l'antisémitisme. Dans les États créés en Terre sainte par les croisés, s'établit peu à peu une société « coloniale » plus respectueuse de la population indigène non chrétienne dont l'activité est indispensable à l'entretien de la classe franque dominante.

Les Juifs, laissés en paix après 1110, s'installent à Ascalon, Tyr, Acre et en Galilée, mais sont interdits de séjour à Jérusalem où seul Saladin leur permettra de rentrer. Leur communauté s'élargit et se rajeunit grâce aux pèlerinages favorisés par les croisades. L'Orient latin devient même un refuge pour les Juifs persécutés, venus du Maghreb à la fin du XIIe siècle, ou de France en 1210, et la vague d'immigration juive en Palestine au XIIIe siècle est la plus importante avant celle du XVIe siècle. La croisade, par l'intolérance qu'elle entraîne en Occident mais aussi par les liens qu'elle contribue à renouer entre l'Occident et l'Orient, concourt ainsi, paradoxalement, à faire revivre l'idée du retour en *Eretz-Israël*. Pour le Catalan Rabbi Moïse ben Nahman, fixé à Jérusalem en 1267, ce précepte vaut tous ceux de la Torah et doit être mis en pratique ; la désolation même de la Terre sainte de son temps est pour lui la preuve qu'elle n'accepte pas les ennemis du peuple élu (Lévitique 26, 32).

La grande majorité, toutefois, de ceux qu'attire en Syrie-Palestine l'existence des États latins sont des chrétiens d'Occident. « Francs » les appelle-t-on et s'appellent-ils eux-mêmes : les Français, il est vrai, surtout ceux du Nord, forment l'essentiel de la population latine du royaume de Jérusalem, tandis que les Provençaux dominent dans le comté de Tripoli et les Normands d'Italie dans la principauté d'Antioche. A ces noyaux français s'ajoutent, dans une proportion non négligeable mais non mesurable, des éléments italiens mais aussi anglais, allemands, scandinaves ou hongrois. Exemple d'une « colonie » sans métropole définie, les États latins, indépendants des royautés occidentales comme de la papauté, sont bien une création originale des croisades, sans analogie dans l'histoire du Moyen Age [2].

## Les croisades et l'essor économique européen

Partir en croisade entraînait parfois de lourdes dépenses. Godefroy de Bouillon dut vendre ses domaines de Mouzon et Stenay à l'église de Reims et engager son propre duché à l'évêque de Liège. Robert de Normandie engagea le sien pour 10 000 marcs d'argent. Un siècle et demi plus tard, Joinville alla « lessier à Metz en Lorreinne grant foison de sa terre en gaige ». La pure et simple liquidation de leurs biens mobiliers par beaucoup de participants de la Première Croisade entraîna une baisse catastrophique des prix. Cet effet d'une conjoncture exceptionnelle passé, il ne resta que l'effet bénéfique d'une circulation active de personnes et de capitaux. La croisade accélérait la mobilisation des métaux précieux accumulés dans les trésors laïcs ou ecclésiastiques : pour honorer le prêt consenti à Godefroy de Bouillon, l'évêque de Liège retire l'or décorant la châsse de saint Lambert et puise, en outre, dans les trésors des abbayes de son diocèse. Mais cette déthésaurisation n'était pas la perte d'argent dénoncée par Voltaire. C'était au contraire un afflux de métal dans une économie où l'accroissement de la population et un relatif « démarrage » augmentaient la demande de monnaie. Monétarisation croissante et besoins des seigneurs croisés se conjuguent pour favoriser le grand mouvement de rachat qui libère alors les serfs contre le versement d'une redevance annuelle.

L'essor même de l'économie européenne, sensible à la fin du XIIe siècle avant l'apparition de l'idée de profit et la subordination croissante de l'économie rurale à celle des villes, sera l'une des causes de l'échec des croisades. L'idée de croisade s'essouffle au XIIIe siècle : la ferveur religieuse s'est tarie ou a pris d'autres formes. Les deux derniers grands efforts de l'Occident sont des échecs : la Troisième Croisade (1189-1192) ne réussit pas à reprendre Jérusalem, tandis que la Quatrième n'aboutit qu'à détourner contre Byzance des forces dont le royaume d'Acre avait le plus grand besoin. Grâce à Frédéric II (1229) et Richard de Cornouailles (1240-1241), le royaume récupère encore pour quelque temps une grande partie du territoire perdu, y compris Jérusalem, mais ne dispose plus des ressources nécessaires en argent et surtout en hommes pour conserver ses possessions. Dans le demi-siècle qui suit, les discordes entre chrétiens, les secours insuffisants ou inorganisés de l'Occident, les alliances maladroites avec les Mongols face à la détermination des Mamelouks ruinent la domination croisée en Terre sainte (Acre tombe en 1291). C'est l'échec ultime du projet essentiel de la croisade : les Lieux saints sont retombés définitivement aux mains des infidèles.

### Le triste destin des chrétiens d'Orient

Les papes avaient aussi à cœur la défense des chrétiens d'Orient. Or, sur ce point, la croisade a plus qu'échoué puisqu'elle n'a fait que contribuer à leur ruine et à leur asservissement. Vu de Byzance, le bilan est extrêmement lourd : déjà, au XIIe siècle, le passage des croisades à travers les Balkans avait été la source de malentendus et de conflits plus ou moins limités, qui permirent aux Normands de Sicile d'attaquer l'Empire byzantin dont les troupes étaient occupées à la surveillance des croisés. La chute de Constantinople en 1204 était peut-être rendue inévitable par la situation intérieure de l'Empire[3] ; la Quatrième Croisade et les entreprises antibyzantines qui suivirent ne lui portèrent pas moins un coup mortel.

Cet épisode transforma en haine inextinguible et universelle ce qui n'avait été jusque-là que préjugés et ressentiments populaires ou mépris de la part de l'élite[4]. Sur le plan religieux, c'est alors seulement « à cause de 1204, et de ce qui suivit, que le schisme prendra son importance et sa signification[5] ». De simple querelle entre prélats imbus de leur autorité, la division des Églises est devenue celle des peuples, et le sentiment antilatin, le ciment du patriotisme byzantin. La violence de ce sentiment fait obstacle à toutes les tentatives d'union dont les papes font un préalable à tout envoi de secours. La croisade avait trop longtemps été tournée contre Byzance : n'avait-elle pas été prêchée plusieurs fois au XIIIe siècle contre l'Empire pour satisfaire les revendications des empereurs latins déchus ou de leur successeur Charles d'Anjou[6] ? On ne pouvait plus croire qu'elle était menée pour sauver les chrétiens d'Orient.

### Début d'une longue haine

Quel fut alors le sort des autres communautés de la chrétienté orientale ? Les rapports des croisés avec les communautés syriennes non orthodoxes (jacobites, nestoriens, arméniens) furent relativement cordiaux. Reprenant la coutume de leurs prédécesseurs musulmans, les rois de Jérusalem contrôlaient ces différentes hiérarchies en se réservant le droit de confirmer les élections des patriarches et des évêques, mais leur laissaient entière liberté de culte et de juridiction, les exemptant même du paiement de la dîme. Cette relative apathie des autorités croisées fait place au XIIIᵉ siècle, surtout après l'installation des dominicains à Jérusalem, à un certain prosélytisme. Dialogues et négociations se multiplient, mais les rapports établis restent fragiles. La déclaration d'obéissance envers le Saint-Siège du patriarche jacobite en 1237 est sans lendemain. L'union de l'Église arménienne à l'Église catholique, proclamée en 1198 au moment du couronnement de Léon Iᵉʳ, ne résiste pas à la chute du royaume de Cilicie. La seule union durable est celle des maronites du Liban, qui reconnaissent en 1182 la suprématie pontificale. Rares sont ceux qui firent un pas aussi grand et durable vers la chrétienté occidentale. Néanmoins, l'ensemble des chrétiens d'Orient devient suspect à l'islam. Le statut des *dhimis* (« protégés » pourvu qu'ils paient la capitation qui les distingue), inchangé en droit, s'est détérioré en fait. Dans bien des pays du Proche-Orient, en Égypte surtout, les croisades ont fait des chrétiens (et des Juifs) ces minorités violentées en cas de crise et soumises à maintes vexations jamais encore poussées à ce point dans le monde musulman du début du Moyen Age.

## Renaissance du jihād

Les croisades ont donc entraîné un esprit d'exclusion qui a eu, pour les communautés orientales les plus anciennes de la chrétienté, des conséquences dont celles-ci ne se relevèrent jamais. Dans le monde musulman, sans avoir à proprement parler suscité de « contre-croisades », elles ont contribué à faire revivre l'idéal de la guerre sainte, le *jihād*. Au XIᵉ siècle, avant la prise de Jérusalem, il ne survivait guère que chez les Turcomans d'Asie Mineure et les Almoravides qu'il conduisit ainsi du Sahara occidental à la conquête de l'Espagne. Au XIIᵉ siècle, la guerre sainte islamique n'a pas le pouvoir unificateur qu'exerce en quelques occasions la croisade en Occident, mais elle soutient le rassemblement opéré par les Ayyubides en Syrie, celui de Saladin entre la Syrie et l'Égypte et surtout la création de l'État mamelouk. Dans la seconde moitié du XIIIᵉ siècle, le *jihad* est l'âme de la résistance mamelouke à l'avance mongole (1260, victoire d'Aïn Jalut). La guerre sainte n'est qu'accessoirement dirigée contre les Francs ou les Arméniens, qu'ils aient été ou non les alliés des Mongols. Mais leurs compromissions, réelles ou possibles, avec les envahisseurs scellent la condamnation des établissements croisés, du royaume de Cilicie et, à plus long terme, des communautés chrétiennes en Orient. Plus difficiles à estimer sont les conséquences lointaines des croisades, sur ou sous-estimées par beaucoup de modèles historiographiques.

## Le pouvoir accru du roi et du pape

Selon l'historien royaliste Michaud, auteur d'une monumentale histoire des croisades, la France fut « le royaume d'Occident qui profita le plus des croisades, et ces grands événements ajoutèrent à la force de la royauté par laquelle la civilisation devait arriver ». Du point de vue des institutions, le renforcement du pouvoir du roi coïncide en effet avec les croisades : c'est le roi lui-même qui rassemble et commande les contingents des Deuxième, Troisième, Septième et Huitième Croisades et affermit à cette occasion son autorité sur les grands vassaux tout en se faisant connaître des petits. La croisade est aussi l'occasion, en France et en Angleterre, de lever des « aides » qui, détournées de leur première destination et institutionnalisées à la fin du XIIᵉ siècle, sont à l'origine de l'impôt direct, un des fondements du pouvoir royal.

La papauté, elle aussi, fonde sur les croisades une doc-

trine théocratique et une autorité croissante que ses excès
mêmes contribueront à affaiblir. Dans le domaine religieux, deux termes résument fâcheusement cette
influence : inquisition et indulgences. La première est née
au cours de la « Croisade contre les Albigeois » et a été
généralisée en 1231. Les secondes, ou plus exactement
l'indulgence plénière – remise totale de la pénitence
encourue pour les péchés commis – accordée pour la première fois par Urbain II au concile de Clermont, deviennent l'objet de rachats ou de dons, élément essentiel du
financement de la croisade au XIIIᵉ siècle, puis la source
d'un trafic qui scandalisera Luther. A l'origine indirecte
de la Réforme, la croisade est naturellement condamnée
par celle-ci comme l'instrument de la papauté.

Au XVIIᵉ siècle, le pasteur Jurieu ne va-t-il pas jusqu'à
s'affliger de la défaite des Turcs, ces « instruments de la
vengeance de Dieu », devant Vienne en 1683 ? Les papes
ont en effet maintenu longtemps l'idéal unificateur de la
croisade. Ils ont renoncé à l'employer contre des ennemis
de leur pouvoir religieux (les hérétiques, tels les albigeois,
ou les hussites au XVᵉ siècle) ou politique (Frédéric II,
Manfred de Hohenstaufen et bien d'autres). Mais ils ont
continué, jusqu'au début du XVIIIᵉ siècle, à susciter ou à
soutenir avec plus ou moins de succès des « Saintes
Ligues » dirigées essentiellement contre les Ottomans. A
Lépante (1570), au siège de Candie, à Vienne, en Morée
(1715), se manifeste un esprit « européen » avant la lettre,
déjà sensible, au-delà des rivalités nationales, dans les croisades antérieures, et qui renaît plus tard, mêlé à d'autres
courants de pensée et d'autres motivations, dans le mouvement philhellène.

## Le résidu concret du grand rêve

Longtemps, les croisades ont été regardées comme
l'école à laquelle l'Occident devait l'essentiel des progrès

de son architecture militaire. Le modèle byzantin, encore visible à l'arrivée des croisés dans tant de remparts urbains comme ceux d'Antioche ou de Jérusalem, tant de *kastra* (citadelles) comme celui de Shaizar, est imité dans la forteresse de Belvoir bâtie par les hospitaliers de 1168 à 1187. Le crac des Chevaliers, Saphet, Château-Pèlerin, Montfort, de construction plus tardive, témoignent, à l'instar de la citadelle d'Alep, de plans et de structures élaborés : doubles enceintes, tours rondes, fossés secs ou réservoirs qui servent aussi de piscines, avant-cours, poternes, rampes d'accès couvertes menant les chevaux jusqu'à la cour centrale de la forteresse, appareillage de pierre lisse, toutes dispositions merveilleusement adaptées aux contraintes de chaque site. Et Château-Gaillard, construit par Richard Cœur de Lion à son retour de la croisade, s'inspire du crac relevé et agrandi à la même époque. Plus prudents maintenant sur ces influences orientales, les spécialistes parlent d'emprunts éclectiques faits par les croisés à l'est et à l'ouest, au présent et au passé, d'enseignements tirés d'une expérience longue et ininterrompue [7]. Les châteaux des croisés restent parmi les plus beaux exemples survivants de fortifications médiévales.

Les ressources énormes demandées par ces constructions parvenaient aux ordres sous forme de donations reçues non seulement en Orient mais surtout en Europe. Donations modestes comme celle d'un croisé italien léguant son armure à l'Hôpital des Allemands, pour y être enterré, afin que celle-ci serve à un autre chevalier. Ou legs importants comme ceux des testaments royaux : Henry II Plantagenêt fait ainsi don de 50 000 marcs d'argent (l'équivalent de 8 millions de deniers ou de quelque 12 tonnes d'argent). Philippe Auguste, pour « racheter » son peu de persévérance à la Troisième Croisade, laisse 3 000 marcs au roi de Jérusalem, 2 000 à la maison de l'Hôpital de Jérusalem, autant aux templiers d'outre-mer pour leur prochain passage (traversée) et 150 500 marcs au roi, aux templiers et aux hospitaliers pour prêter secours à la Terre sainte

en entretenant 300 soldats supplémentaires pendant trois
ans.

## Les grands bénéficiaires

On aborde ici l'influence économique des croisades.
Dans le domaine financier, elles ne sont pas la seule cause
des progrès des techniques bancaires en Occident au
XIIIe siècle. Mais elles ont entraîné un constant mouvement d'hommes vers l'Orient : les croisades ne sont pas
seulement, rappelons-le, la dizaine d'expéditions célèbres
que nous connaissons, mais aussi ces « passages » réguliers qui amenaient chaque année en Palestine, au printemps et en été, plusieurs milliers de pèlerins, armés ou
non. Ces passages et les dépenses ou les transferts de fonds
qu'ils demandaient – la location d'une nef équipée pour
le transport de soixante chevaux coûte 975 marcs au comte
Guy de Forez en 1248, le seul entretien d'un pèlerin sur
un bateau revient à 38 sous de mauvaise monnaie –
contribuent à la diffusion de techniques bancaires dans
toute l'Europe : emprunts et mises en gage de terres au
départ, procédés pour s'assurer la disposition de fonds en
Orient. Un manuscrit (Paris. lat. 17803) contient ainsi trois
cents pièces concernant la trésorerie des croisés : billets
à ordre, lettres de change, emprunts, lettres de garantie
souscrites outre-mer auprès de banquiers italiens.

Pisans, Génois et Vénitiens sont en effet les grands béné-
ficiaires des croisades. De là à considérer celles-ci comme
la simple expression d'une expansion européenne « tous
azimuts » – qui s'habille d'ailleurs, en Espagne, en
Europe orientale avec les chevaliers teutoniques, ou sur
les côtes d'Afrique, d'un utile manteau de croisé –, il n'y
a qu'un pas, trop vite franchi au temps des triomphes de
l'impérialisme européen par certains historiens. On ne peut
nier pour autant les « retombées » des croisades favorables au premier chef aux cités italiennes et à d'autres vil-

les marchandes de la Méditerranée occidentale comme Marseille ou Barcelone. Les croisades furent l'occasion pour la plupart d'acquérir des quartiers et des comptoirs privilégiés dans les États latins et créèrent les conditions favorables au développement du commerce du Levant.

A lui seul, le commerce des croisades – transport des troupes ou des pèlerins, ravitaillement en vivres, bois, fer et armes de la Terre sainte – fut une industrie florissante. Que l'on songe par exemple aux 50 000 marcs d'argent (sur les 85 000 promis) versés à Venise par les barons croisés en 1202 pour prix d'une partie du transport de l'armée. Argent d'ailleurs utilisé pour frapper les premières pièces de valeur supérieure au denier (de plus en plus déprécié et insuffisant pour des échanges de plus en plus actifs), ces « gros » ou « matapans » qui marquent le nouvel essor de l'économie monétaire en Occident. Que l'on songe encore aux 3 000 pèlerins que transportaient chaque année au XIIIe siècle depuis Marseille les deux bateaux des hospitaliers spécialement affectés à cette fin, ce qui ne préjuge pas du nombre de voyageurs embarqués en d'autres ports ou sur d'autres vaisseaux. Que l'on songe enfin aux sommes considérables exigées pour affréter ou construire les bateaux nécessaires au transport des troupes de Saint Louis en 1248 – construction qui fut, soit dit en passant, à l'origine de la marine française –, 26 000 marcs pour la construction de vingt nefs à Marseille, 44 000 à Gênes pour une vingtaine d'autres vaisseaux. Une évaluation des budgets des croisades reste à faire [8], leur effet stimulant sur l'activité commerciale et industrielle des villes méditerranéennes est incontestable.

Aussi a-t-on longtemps cru que les croisades avaient été la cause déterminante de la « révolution commerciale » du Moyen Age et du développement des échanges entre l'Occident et l'Orient. On connaît mieux aujourd'hui les facteurs endogènes du « démarrage » de l'économie occidentale à partir du XIIe siècle, et la part des influences orientales antérieures aux croisades. Leur rôle n'en est pas moins indéniable. La Syrie tient dans le commerce de Gênes une place aussi importante que celle d'Alexandrie et plus importante que celle de Constantinople, comme en témoigne, à la fin du XIIᵉ siècle, la répartition des actes dressés par le notaire Giovanni Scriba et qui couvrent toute la Méditerranée. En 1253 encore, le commerce génois avec la Syrie et l'Égypte constitue 40 à 70 % de l'ensemble des contrats conservés[9]. Après la chute d'Acre au XIIIᵉ siècle, le courant commercial en direction de la Syrie disparaît, causant le déclin des centres anciens de l'intérieur (Damas, Alep, Mossoul). Mais le commerce du Levant, qu'avait alimenté et stimulé celui des croisades, resta vivant pendant plusieurs siècles.

Les croisades avaient en effet donné d'autres fondements au commerce du Levant, plus durables que celui des États latins de Syrie-Palestine. La Quatrième Croisade avait jeté les bases de l'Empire colonial vénitien (XIIIᵉ-XVIIᵉ siècle) et la reconquête byzantine de 1261 avait ouvert aux Génois les ports de la mer Noire. Colonies ou comptoirs, ces établissements, issus indirectement des croisades, tissent le réseau sur lequel se fonde l'hégémonie commerciale italienne en cette fin du Moyen Age. Hégémonie responsable du déclin de Byzance[10] et qui survit en partie à sa chute.

A la faveur de ces contacts, des techniques ou des productions nouvelles furent introduites en Occident et, en plus petit nombre, en Orient. L'attribution de ces innovations aux croisades dépend en grande partie de l'évaluation, quasi impossible, du rôle des croisades dans le commerce du Levant. Et, sur ce point aussi, l'historiographie a cheminé d'un optimisme à un dénigrement tous deux exagérés et compliqués par des difficultés de datation. En matière de navigation, il est à peu près certain que les Latins ont emprunté à Byzance, pour l'avoir vu lors de l'expédition franco-byzantine de 1168 contre Alexandrie, le type de bateau spécialisé dans le transport des troupes et des chevaux, « l'huissier[11] ». Les problèmes posés par l'acheminement des croisades (toutes maritimes à partir du XIIIe siècle) ont d'ailleurs entraîné un accroissement des tonnages, mais ceux-ci restèrent en général insuffisants par rapport aux besoins. Instruments et techniques de navigation nouveaux apparaissent au XIIIe siècle : la boussole, connue en Chine à la fin du XIe siècle, est en Europe cent ans plus tard sans qu'on sache comment elle y est venue. La carte marine, longtemps attribuée aux Arabes ou aux Byzantins, est peut-être une invention des Génois. Son emploi est en tout cas mentionné pour la première fois sur le navire génois qui transportait Saint Louis en 1270. Les chiffres « arabes », empruntés par ceux-ci aux Indiens, ainsi que le zéro (appelé alors *cyfre*, du mot arabe signifiant vide), sont introduits en Occident par la traduction latine du traité de calcul d'al Khwarismi (d'où « algorithme ») effectuée vers 1120 par Adélard de Bath, un savant anglais qui, après avoir enseigné à Laon, avait séjourné sept ans en Syrie-Palestine. Et ce sont les Latins qui introduisirent ensuite la numérotation de position à Byzance après 1204 [12].

La Syrie est aussi le lieu où les Occidentaux se familiarisent avec des techniques comme la fabrication du verre – implantée à Venise – et des productions agricoles (canne à sucre, coton, fruits) ou artisanales nouvelles (soies et camelots, pourpres, brocarts). Les relations plus actives établies à la faveur des croisades contribuent à diffuser ces produits de luxe en Europe tandis qu'à leur tour les produits occidentaux pénètrent sur les marchés du Proche-Orient musulman ou byzantin, provoquant un retournement décisif de la balance des paiements.

Centre de transit commercial et financier fort actif, les États croisés sont parmi les premiers à frapper monnaie d'or – une imitation du dinar –, près d'un siècle avant le retour à l'or [13] en Italie qui marque l'apogée de l'expansion médiévale et le renversement de l'équilibre méditerranéen en faveur de l'Occident. En d'autres domaines de la civilisation matérielle, les croisés empruntent aussi à l'Orient des habitudes vestimentaires ou alimentaires et le goût d'un luxe inconnu jusque-là en Europe. Longtemps reproché aux « Poulains », ce luxe pénètre par le relais italien jusqu'au nord de l'Europe et caractérise l'âge gothique en sa floraison. Symbole de la richesse orientale, l'image de Constantinople, plus que celle des capitales musulmanes, hante la conscience des pèlerins dès l'origine des croisades. Elle exerce une fascination redoutable et le pillage de 1204 disperse ses trésors par toute l'Europe. L'austérité romane et cistercienne y fait alors place à un foisonnement de couleurs et d'ornements qui emprunte à l'Orient son esprit, sinon sa forme. Joyau de cet art, la Sainte-Chapelle n'a-t-elle pas été construite pour abriter les reliques de la Passion venues de Constantinople ?

## Un art « colonial »

Mais l'affrontement des croisades, même si l'état de guerre n'est pas permanent, ne laisse guère de place à des contacts moins superficiels. Les rapports courtois entre le père du gentilhomme syrien Usama et ses voisins francs ne sont que des échanges de service sans grande signification, ainsi que l'envoi de médecins arabes aux croisés par Saladin. Usama conclut d'ailleurs que « les Francs sont une race maudite qui ne se mêlent qu'avec ceux de leur sang ». De même y a-t-il juxtaposition plutôt que fusion ou influences réciproques dans le domaine artistique où les croisés se contentent d'utiliser traditions et spécialistes locaux. Sculpture et architecture françaises voisinent ainsi à Bethléem avec une décoration peinte par des Syriens traitant des thèmes occidentaux dans un style byzantinisant.

On a attribué à une « école croisée » un groupe d'icônes du mont Sinaï. Le psautier de la reine Mélisende (au British Museum), qui date de 1131-1143, est l'œuvre d'un atelier de Jérusalem où l'on peut déceler le travail d'un

artiste syrien dans la tradition byzantine et d'un autre
artiste (latin ?) s'inspirant pour les initiales enluminées des
entrelacs saxons. Mais la Bible de l'Arsenal[14], exécutée
à Acre pour Saint Louis (?) vers 1250, ne remonte qu'indirectement à des modèles byzantins et s'apparente plus à
des œuvres européennes de la même époque. Sauf en de
rares exceptions, les monuments issus des croisades, tant
en Terre sainte qu'à Chypre ou en Grèce, pour émouvants
et admirables qu'ils soient (voyez par exemple la cathédrale Saint-Nicolas de Famagouste ou celle de Nicosie, toutes deux transformées en mosquées), ne sont que le
témoignage d'un art « colonial » qui doit peu aux traditions ou aux conditions locales.

Les structures « coloniales » des États croisés[15], la
séparation des conquérants et des communautés indigènes, les préjugés à l'égard de l'islam, l'absence d'institutions culturelles, écoles ou universités, expliquent la
faiblesse des contacts intellectuels entre les deux mondes.
Du côté byzantin, la croisade ne favorise pas non plus la
pénétration des cultures, et l'œuvre de l'archevêque de
Corinthe (de 1278 à 1286), Guillaume de Moerbeke, tra-
ducteur de Proclus, d'Aristote et surtout d'Archimède,
ami d'Albert le Grand et de saint Thomas, reste une exception. En effet, la frontière créée par les croisades est peu
perméable et les échanges les plus féconds prennent place
en Espagne ou en Sicile. Les croisés avaient rarement une
connaissance approfondie des langues locales ; aussi les
sources signalent-elles ceux qui la possèdent. Guillaume
de Tyr écrivant d'après les sources arabes une histoire des
princes orientaux, le Pisan Étienne d'Antioche traduisant
des ouvrages de médecine arabes sont des figures isolées
dont l'œuvre ne peut se comparer à celle des écoles de
Tolède ou de Salerne.

C'est plutôt l'échec même des croisades qui suscite au
XIIIe siècle une réflexion et une interrogation fécondes.
Des missionnaires, comme Jacques de Vitry ou Ricoldo
de Monte Croce, font progresser une connaissance inté-

rieure de l'islam plus respectueuse de ses valeurs. De même, la recherche d'une solution « mondiale » des croisades, le mirage de l'alliance avec les Mongols, le rêve de leur conversion au christianisme poussent sur les routes de l'Asie des hommes comme Jean du Plan Carpin (1245-1247), André de Longjumeau (1249-1252), Guillaume de Rubruck (1253-1256) qui ouvrent la voie à la connaissance de l'Est. Connaissance dont les ordres mendiants sont alors les instruments les plus actifs ; connaissance souhaitée aussi par l'Église latine qui décrète au concile de Vienne (1311) la création de chaires de langues orientales dans les universités.

## Naissance des « Langues-O »

Ce vœu pieux ne trouve pas sa réalisation en un temps où l'esprit de croisade reste vivant, tourné contre la nouvelle menace musulmane qui pèse sur l'Europe, celle des Ottomans. Cette menace même et le recul des Occidentaux en Méditerranée orientale à partir du XVe siècle suscitent enfin des rêves, où chimères et réalités entrevues se mêlent comme dans le mythe du prêtre Jean. Et ces plans utopiques, alliant l'idée de croisade à celle de conversion, procurent un mobile noble aux expéditions que mènent Portugais et Espagnols à la découverte de nouveaux mondes.

Dans ces formes abâtardies des croisades, survit toute leur ambivalence. Comme si l'abnégation, l'esprit de sacrifice et le dévouement à une cause ne pouvaient être soutenus que par l'appât de la récompense céleste ou du gain matériel, cette soif de l'or latente ou exprimée qui meut une partie des croisés depuis les Normands du XIe siècle jusqu'aux conquistadores, et par l'ignorance fanatique de l'Autre. Forgée par les croisades, la chrétienté n'a pas encore fini d'exorciser les démons qu'elles y ont fait naître.

## Notes

1. S. Vryonis, *The Decline of Medieval Hellenism in Asia Minor and the Process of Islamization from the Eleventh through the Fifteenth Century*, Los Angeles, University of California Press, 1971.

2. Un seul parallèle pourrait être établi, avec les États-Unis. Serait-ce la source de l'intérêt constant des historiens américains pour cette forme de l'expansion européenne ?

3. C'est la thèse soutenue par H. Ahrweiler, *L'Idéologie politique de l'Empire byzantin*, Paris, PUF, 1975.

4. J. Darrouzès, « Le mémoire de Constantin Stilbès contre les Latins », *Revue des études byzantines*, 21, 1963, p. 50-100. D. Geanakoplos, *Interaction of the « Sibling » Byzantine and Western Cultures in the Middle Ages and the Italian Renaissance*, Yale University Press, 1976.

5. P. Lemerle, « Byzance et la Croisade » (X$^e$ Congrès international des sciences historiques, Rome, 1955), réimp. dans le recueil *Le Monde de Byzance, histoire et institutions*, Londres, Variorum Reprints, 1978.

6. K.M. Setton, *The Papacy and the Levant (1204-1571)*, t. I, *The Thirteenth and Fourteenth Centuries*, Philadelphie, The American Philosophical Society, 1976.

7. T.S.R. Boase, « Military Architecture in the Crusader States in Palestine and Syria », dans *A History of the Crusades*, vol. IV, University of Wisconsin Press, 1977.

8. Indications éparses pour les XIII$^e$ et XIV$^e$ siècles rassemblées par K.M. Setton, *The Papacy and the Levant, op. cit.*

9. M. Balard, « Les Génois en Romanie entre 1204 et 1261 », *Mélanges d'archéologie et d'histoire* (École française de Rome), 78, 1966.

10. Voir la thèse récente de M. Balard, *La Romanie génoise (XII$^e$-début du XV$^e$ siècle)*, BEFAR, 235, Rome, 1978, et le petit livre fort éclairant de N. Oikonomides, *Hommes d'affaires grecs et latins à Constantinople (XIII$^e$-XV$^e$ siècle)*, Conférence Albert le Grand, 1977, Montréal-Paris, Vrin, 1979.

11. Ainsi nommé d'après la porte ouverte, pour le passage des animaux, dans le flanc du bateau et que l'on étoupait ensuite avec soin.

12. P. Tannery, « Chiffres-Histoire », article de la *Grande Encyclopédie*, réimp. dans ses *Mémoires scientifiques*, t. IV, *Sciences exactes chez les Byzantins*, Toulouse-Paris, Privat, 1920. G. Ifrah, *Histoire universelle des chiffres*, Paris, Laffont, collection « Bouquins », 1994.

13. P. Spufford, *Money and its Use in Medieval Europe*, Cambridge, 1988, avec la bibliographie antérieure.


15. J. Prawer, *The Latin Kingdom of Jerusalem*, Londres, Weidenfeld & Nicolson, 1972. M. Balard et A. Ducellier éd., *La Colonisation occidentale au Moyen Age et à la Renaissance*, Paris, Éditions de la Manufacture, Lyon, 1989 ; Id., *Coloniser au Moyen Age*, Paris, Armand Colin, 1996 ; *Le Partage du monde*, Paris, Publications de la Sorbonne, 1998.

# ANNEXES

Cartes, chronologie, documents,
bibliographie, index, auteurs

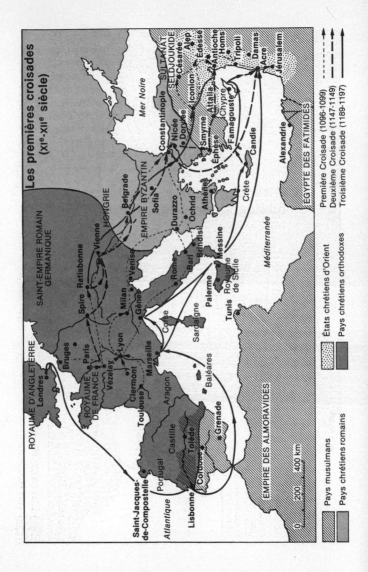

## Les premières croisades (XIe-XIIe siècle)

ROYAUME D'ANGLETERRE
Londres
Bruges
Paris
ROYAUME DE FRANCE
Clermont
Vézelay
Lyon
Toulouse
Marseille

SAINT-EMPIRE ROMAIN GERMANIQUE
Spire
Ratisbonne
Vienne
Milan
Venise
Gênes

Portugal
Lisbonne
Castille
Tolède
Cordoue
Aragon
Grenade
Baléares

Saint-Jacques-de-Compostelle

EMPIRE DES ALMORAVIDES

Corse
Sardaigne
Rome
Bari
Brindisi
Palerme
Royaume de Sicile
Messine
Tunis

HONGRIE
Belgrade
Durazzo
Ochrid
Sofia
Athènes

EMPIRE BYZANTIN

Mer Noire

Constantinople
Nicée
Dorylée
Smyrne
Éphèse
Attalia
Chypre
Candie
Crète
Famagouste

SULTANAT SELDJOUKIDE
Iconion
Césarée
Alep
Édesse
Antioche
Homs
Tripoli
Damas
Acre
Jérusalem

Méditerranée

Alexandrie

ÉGYPTE DES FATIMIDES

Atlantique

0  200  400 km

Pays musulmans

Pays chrétiens romains

États chrétiens d'Orient

Pays chrétiens orthodoxes

Première Croisade (1096-1099) - - - - -

Deuxième Croisade (1147-1149) – – –

Troisième Croisade (1189-1197) ———

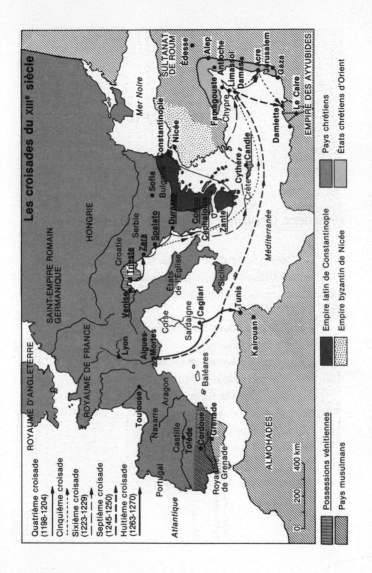

## Les croisades du XIIIᵉ siècle

Quatrième croisade (1198-1204)

Cinquième croisade

Sixième croisade (1223-1229)

Septième croisade (1245-1250)

Huitième croisade (1263-1270)

Possessions vénitiennes

Pays musulmans

Empire latin de Constantinople

Empire byzantin de Nicée

Pays chrétiens

États chrétiens d'Orient

ROYAUME D'ANGLETERRE

SAINT-EMPIRE ROMAIN GERMANIQUE

HONGRIE

ROYAUME DE FRANCE

Croatie

Serbie

Bulgarie

États de l'Église

SULTANAT DE ROUM

Mer Noire

Constantinople

Nicée

Édesse

Alep

Antioche

Limassol

Chypre

Famagouste

Damas

Saint-Jean-d'Acre

Jérusalem

Gaza

Le Caire

EMPIRE DES AYUBIDES

Damiette

Méditerranée

Crète

Candie

Cythère

Céphalonie

Zante

Corfou

Durazzo

Spalato

Zara

Trieste

Venise

Lyon

Aigues-Mortes

Toulouse

Aragon

Navarre

Portugal

Castille

Tolède

Cordoue

Grenade

Royaume de Grenade

ALMOHADES

Baléares

Corse

Sardaigne

Cagliari

Sicile

Tunis

Kairouan

Atlantique

Sofia

0 200 400 km

# Chronologie

## Première Croisade : Jérusalem (1095)

1095   A Clermont, le pape Urbain II appelle à la croisade.
Pierre l'Ermite prêche la croisade populaire.

1096   Départ pour la Première Croisade (15 août).

1097   Prise d'Édesse.
Formation du comté d'Édesse.

1098   Prise d'Antioche.
Formation du comté d'Antioche.

1099   Prise de Jérusalem (15 juillet).
Formation du royaume de Jérusalem.
Bataille d'Ascalon.

1100   Mort de Godefroy de Bouillon.
Baudoin I<sup>er</sup> roi de Jérusalem.

1102   Prise de Tortose.
Formation du futur comté de Tripoli.

## Deuxième Croisade : une croisade pour Édesse (1146)

1144 Chute d'Édesse.
1146 Le pape Eugène III proclame la croisade.
1147 A Vézelay, saint Bernard appelle au départ.
     Départ de Louis VII et d'Aliénor d'Aquitaine.
     Départ de l'empereur Conrad III.
1148 Siège de Damas.
     Échec de la Deuxième Croisade.
1149 Nur-ad-Dîn s'assure définitivement la possession d'Édesse et de tout le comté.
1175 Saladin devient gouverneur d'Égypte et de Syrie.
1183 Saladin prend le contrôle d'Alep.
1185 Prise de Mossoul.

## Troisième Croisade : au secours des Latins d'Orient (1187-1193)

1187 La croisade est proclamée pour aider les Latins d'Orient qui résistent à Saladin.
     Les croisés sont vaincus par Saladin à Hattin (juillet).
     Jérusalem capitule (2 octobre).
1190 Départ de Philippe Auguste et de Richard Cœur de Lion.
     Frédéric Barberousse se noie dans le Selef.
1191 Richard Cœur de Lion s'empare de Chypre aux dépens des Byzantins.
1192 La ville d'Acre, assiégée depuis deux ans, est reprise par les croisés.

Richard Cœur de Lion impose à Saladin une trêve de trois ans : les Francs gardent la côte, de Tyr à Jaffa, et la liberté de pèlerinage.

## Le détournement de la Quatrième Croisade (1204)

1198  Pour reprendre Jérusalem, Innocent III décide une nouvelle expédition dont il confie la direction au marquis Boniface de Montferrat.

1202  Les croisés traitent avec Venise : ils obtiennent une flotte contre la promesse de leur participation au siège de Zara.

Alexis (IV) Ange demande l'aide des croisés pour rétablir son père Isaac II sur le trône de Constantinople.

1203  Les croisés rétablissent Isaac II et Alexis IV.

1204  Isaac II est de nouveau renversé.

Les croisés s'emparent de Constantinople (avril).

Un Empire latin remplace l'Empire byzantin.

Venise fonde son empire oriental, Crète, Messénie, jusqu'à la mer Noire.

## Cinquième Croisade : une croisade pour rien (1215)

1207  Innocent III fait prêcher la croisade contre les albigeois.

1212  Le mouvement populaire de la « Croisade des enfants » précède la croisade proprement dite, qui est organisée en 1215 par le IV$^e$ concile de Latran.

1213  Simon de Montfort vainqueur à Muret du roi d'Aragon et de Raymond VI de Toulouse.

1217  Expédition du roi de Chypre et du roi de Hongrie contre le Mont-Thabor.

1219  Le roi de Jérusalem Jean de Brienne prend Damiette.

1221  L'armée des croisés, encerclée, doit renoncer à Damiette.

## Sixième Croisade : le grand rêve de Frédéric II (1223)

1223    L'empereur Frédéric II prend la croix.

1229    Par le traité de Jaffa, Frédéric II obtient la cession de Jérusalem, de Bethléem et de Nazareth (février).

1239    La Croisade des barons obtient la restitution d'une grande partie du royaume de Jérusalem, complétant l'œuvre de Frédéric II.

## Septième Croisade : la croisade de Saint Louis (1245)

1244    Le sultan d'Égypte s'empare de Jérusalem.

1245    Innocent IV lance un appel pour une septième croisade. Départ de Saint Louis.

1248    L'armée croisée débarque à Chypre.

1249    Elle s'empare de Damiette et entreprend la conquête de l'Égypte.

1250    Défaite franque à la bataille de la Mansourah, au cours de laquelle Louis IX est fait prisonnier. Il devra payer rançon et rendre Damiette.

## Huitième Croisade : la dernière... (1263)

1250    Le pouvoir en Égypte passe aux mains des Mamelouks.

1260    Le sultan mamelouk Baïbars s'empare de la Syrie. Il prend Césarée, Arsouf, Jaffa et Antioche (1268), Le Thabor, Beaufort et le crac des Chevaliers (1271).

1263    Urbain IV déclenche la Huitième Croisade.

1270  Saint Louis, en route vers la Terre sainte, meurt devant Tunis.

Édouard d'Angleterre amène le sultan à accorder une nouvelle trêve aux Latins.

1274  Grégoire X tente en vain d'associer les Mongols de Perse et l'empereur byzantin Michel Paléologue à la croisade.

1289  Le sultan Qalaoun prend Tripoli.

1291  Chute d'Acre.

Fin des États latins d'Orient.

1310  Une croisade, prêchée et financée par le pape, s'empare de l'île de Rhodes, que l'on confie aux hospitaliers.

1307  Les templiers, accusés d'hérésie, sont supprimés par le concile de Vienne.

# Documents

## 1. L'appel d'Urbain II (1095)

« Il est urgent d'apporter en hâte à vos frères d'Orient l'aide si souvent promise et d'une nécessité si pressante. Les Turcs et les Arabes les ont attaqués et se sont avancés dans le territoire de la Romanie jusqu'à cette partie de la Méditerranée que l'on appelle le Bras de Saint-Georges, et, pénétrant toujours plus avant dans le pays de ces chrétiens, les ont par sept fois vaincus en bataille, en ont tué et fait captifs un grand nombre, ont détruit les églises et dévasté le royaume. Si vous les laissez à présent sans résister, ils vont étendre leur vague plus largement sur beaucoup de fidèles serviteurs de Dieu.

« C'est pourquoi je vous prie et exhorte – et non pas moi, mais le Seigneur vous prie et exhorte comme hérauts du Christ –, les pauvres comme les riches, de vous hâter de chasser cette vile engeance des régions habitées par nos frères et d'apporter une aide opportune aux adorateurs du Christ. Je parle à ceux qui sont présents, je le proclamerai aux absents, mais c'est le Christ qui commande...

« Si ceux qui iront là-bas perdent leur vie pendant le voyage sur terre ou sur mer ou dans la bataille contre les païens, leurs péchés seront remis en cette heure...

« Que ceux qui étaient auparavant habitués à combattre méchamment, en guerre privée, contre les fidèles, se battent contre les infidèles, et mènent à une fin victorieuse la guerre qui aurait dû être commencée depuis longtemps déjà ; que ceux qui ont été autrefois mercenaires pour des gages sordides gagnent à présent les récompenses éternelles ; que ceux qui se sont épuisés au détriment à la fois de leur corps et de leur âme s'efforcent à présent pour une double récompense. »

> Foucher de Chartres, *Histoire du pèlerinage des Francs à Jérusalem.*

## 2. *La prise de Jérusalem (1099)*

« Le mercredi et le jeudi, nous attaquâmes fortement la ville de tous les côtés, mais avant que nous ne la prissions d'assaut, les évêques et les prêtres firent décider par leurs prédications et leurs exhortations que l'on ferait en l'honneur de Dieu une procession autour des remparts de Jérusalem et qu'elle serait accompagnée de prières, d'aumônes et de jeûnes.

« Le vendredi, de grand matin, nous donnâmes un assaut général à la ville sans pouvoir lui nuire ; et nous étions dans la stupéfaction et dans une grande crainte. Puis, à l'approche de l'heure à laquelle Notre-Seigneur Jésus-Christ consentit à souffrir pour nous le supplice de la croix, nos chevaliers postés sur le château se battaient avec ardeur, entre autres le duc Godefroi et le comte Eustache, son frère. A ce moment, l'un de nos chevaliers, du nom de Liétaud, escalada le mur de la ville. Bientôt, dès qu'il fut monté, tous les défenseurs de la ville s'enfuirent des murs à travers la cité et les nôtres les suivirent et les pourchassèrent en les tuant et les sabrant jusqu'au temple de Salomon, où il y eut un tel carnage que les nôtres marchaient dans leur sang jusqu'aux chevilles.

« De son côté, le comte Raymond, placé au midi, conduisit son armée et le château de bois jusqu'auprès du mur. Mais, entre le château et le mur, s'étendait un fossé, et l'on fit crier que quiconque porterait trois pierres dans le fossé aurait un denier. Il fallut pour le combler trois jours et trois nuits. Enfin, le fossé rempli, on amena le château contre la muraille. A l'intérieur, les défenseurs se battaient avec vigueur contre les nôtres en usant du feu grégeois et des pierres. Le comte, apprenant que les Francs étaient dans la ville, dit à ses hommes : "Que tardez-vous ? Voici que tous les Francs sont déjà dans la ville."

« L'amiral qui commandait la Tour de David se rendit au comte et lui ouvrit la porte à laquelle les pèlerins avaient cou-

tume de payer tribut. Entrés dans la ville, nos pèlerins poursuivaient et massacraient les Sarrasins jusqu'au temple de Salomon,
où ils s'étaient rassemblés et où ils livrèrent aux nôtres le plus
furieux combat pendant toute la journée, au point que le temple tout entier ruisselait de leur sang. Enfin, après avoir enfoncé
les païens, les nôtres saisirent dans le temple un grand nombre
d'hommes et de femmes, et ils tuèrent ou laissèrent vivant qui
bon leur semblait. Au-dessus du temple de Salomon s'était réfugié
un groupe nombreux de païens des deux sexes, auxquels Tancrède et Gaston de Béarn avaient donné leurs bannières. Les croisés coururent bientôt par toute la ville, raflant l'or, l'argent, les
chevaux, les mulets et pillant les maisons, qui regorgeaient de
richesses.

  « Puis, tout heureux et pleurant de joie, les nôtres allèrent adorer le Sépulcre de notre Sauveur Jésus et s'acquittèrent de leur
dette envers lui. Le matin suivant, les nôtres escaladèrent le toit
du temple, attaquèrent les Sarrasins, hommes et femmes, et,
ayant tiré l'épée, les décapitèrent. Quelques-uns se jetèrent du
haut du temple. A cette vue, Tancrède fut rempli d'indignation.

  « Alors, les prêtres décidèrent en conseil que chacun ferait des
aumônes et des prières, afin que Dieu élût celui qu'il voudrait
pour régner sur les autres et gouverner la cité. On ordonna aussi
de jeter hors de la ville tous les Sarrasins morts, à cause de
l'extrême puanteur, car toute la ville était presque entièrement
remplie de leurs cadavres. Les Sarrasins vivants traînaient les
morts hors de la ville, devant les portes et en faisaient des mon-
ceaux aussi hauts que des maisons. Nul n'a jamais ouï, nul n'a
jamais vu un pareil carnage de la gent païenne : des bûchers
étaient disposés comme des bornes et nul, si ce n'est Dieu, ne
sait leur nombre. »

Guillaume de Tyr, *Histoire des croisades*,
M. Guizot éd., Paris, Éd. Brière, coll. « Les
Mémoires relatifs à l'histoire de France », 1824,
t. 16.

## 3. *Le Coran vu par Pierre le Vénérable*

  « Si l'erreur musulmane doit être dite hérésie, et ses sectateurs,
hérétiques, ou s'il faut les appeler païens, je ne le discerne pas

clairement. Je les vois en effet tantôt, comme des hérétiques, accepter certains points de la foi chrétienne, en rejeter certains autres, tantôt, ce qu'on ne lit jamais qu'un hérétique ait fait, agir et également enseigner à la manière païenne. Avec certains hérétiques en effet, suivant ce qu'a écrit de manière impie Mahomet dans son Alcoran, ils enseignent que le Christ est né d'une Vierge : ils le disent supérieur à tout homme et à Mahomet lui-même ; ils affirment qu'il a vécu sans péché, a prêché la vérité, fait des miracles. Ils confessent qu'il y eut un verbe : l'Esprit de Dieu. Mais l'Esprit de Dieu, ou son verbe, ils ne l'exposent ni le comprennent comme nous. La passion du Christ, ou sa mort, ils ne se contentent pas, comme les manichéens, de la dire illusoire, mais, dans leur folie, ils disent qu'elle s'est montrée absolument sans effet. Voilà parmi d'autres les opinions qu'ils partagent avec les hérétiques ; avec les païens ils rejettent le baptême, repoussent avec mépris le Saint Sacrifice, bafouent la Pénitence et les autres sacrements de l'Église dans leur ensemble. [...]

« Voici, complètement exposée, la raison pour laquelle moi, Pierre, le plus petit abbé de la sainte église de Cluny, séjournant en Espagne pour y visiter les maisons que nous y avons, j'ai consacré beaucoup de soins et d'argent à faire traduire d'arabe en latin (les livres) de cette secte impie et la vie exécrable de son fondateur, et à la présenter sans voile à la connaissance des nôtres, afin qu'on sût combien cette hérésie était suspecte et sans fondement, et qu'un serviteur de Dieu en pût être incité, le Saint-Esprit l'illuminant, à la réfuter par écrit. »

> *Patrologie latine*, t. 189, col. 657-658 et 669, tra-
> duction C. de La Roncière, P. Contamine,
> R. Delort et M. Rouche, dans *L'Europe au*
> *Moyen Age*, Paris, Armand Colin, 1970,
> p. 352-353.

# 4. *Le jihād s'impose*

« Le Coran, la tradition et l'unanimité des docteurs de la Loi, tous sont d'accord que le *jihād* est un devoir collectif lorsqu'il est agressif et qu'il devient un devoir personnel dans certains cas, comme à l'heure actuelle où les troupes fondent à l'improviste sur le territoire musulman. La lutte contre ces troupes revient obligatoirement à tous les musulmans qui en sont capables.

« Appliquez-vous à remplir le précepte de la guerre sainte ! Prêtez-vous assistance les uns aux autres afin de protéger votre religion et vos frères ! Saisissez cette occasion d'effectuer chez l'infidèle cette incursion qui n'exige pas un effort trop grand et qu'Allāh vous a préparée ! C'est un paradis que Dieu fait approcher très près de vous, un bien de ce monde à posséder vite, une gloire qui durera pour de longues années. Gardez-vous de manquer cette occasion, de peur qu'Allāh dans la vie future ne vous condamne au pire, aux flammes de l'enfer.

« Donnez au *jihād* de vos âmes la première place avant le *jihād* de vos ennemis car les âmes sont pour vous des ennemis pires que ceux-ci. Écartez-les de la désobéissance envers le Créateur, c'est alors que vous remporterez la victoire tant espérée sur les Francs. »

> Al-Sulami, « Traité de la guerre sainte », trad. E. Sivan, *Journal asiatique*, 1966.

## 5. *Les effectifs mobilisables dans le royaume de Jérusalem au XIIᵉ siècle*

« La baronie de la conté de Japhe et d'Essalone, de qui Rames et Mirabel et Yvelin sont, deit C chevaliers. Et la devise :
De Japhe, XXV chevaliers
De Escalone, XXV chevaliers
De Rames et de Mirabel, XL chevaliers
De Ybelin, X chevaliers
La baronie de la princé de Galilée deit C chevaliers. La devise :
De la terre de sa le flum Jordain, LX chevaliers
De la terre de la le flum, XL chevaliers
La baronie de Seete, de qui Biaufort et Cesaire et Bessan sont, deit C chevaliers...
La seignorie dou Crac et da Mont Real et de saint Abraham deit LX chevaliers...
La seigneurie dou conte Jocelin deit XXIV chevaliers.
C'est le servise que les evesques dou reiaume de Jerusalem doivent, et la devise : l'evesque saint Jorge de Lidde, X chevaliers.
L'arcevesque de Nazareth deit VI chevaliers.

Le Thoron et le Marron deit XVIII chevaliers ; la devise :
Le Thoron, XV chevaliers.
Le Maron, III chevaliers...
Ce sont les services que les cités dou reiaume de Jerusalem doivent.
Ce est le service que la sainte cité de Jerusalem doit.
La sainte cité de Jerusalem deit XLI chevaliers...
Naples deit LXXXV chevaliers...
La seignorie d'Accre deit LXXX chevaliers...
La seignorie de Sur deit XXVIII chevaliers...
La seignorie de Baruth deit XXI chevaliers...
La some des chevaliers dou reiaume de Jerusalem si est VC et LXXVII.
Ce sont les aides que les yglises et les borgeis deivent, quant le grand besoin est en la terre dou reiaume de Jerusalem.
Et ce est la devise : Le patriarche de Jerusalem deit : sergenz V cenz.
Le chapitle dou Sepulcre deit : sergenz V cenz.
Josaphas deit : sergenz C et L.
Montecion deit : sergenz C et L etc.
La some des sergenz dessuz diz si est VM et XXV. »

> Livre de Jean d'Ibelin, dans *Recueil des histo-*
> *riens des croisades*, Lois, Paris, 1841, t. I,
> p. 422-427.

# 6. *La bulle d'Eugène III pour la Deuxième Croisade (1ᵉʳ décembre 1145)*

« Eugène évêque, serviteur des serviteurs de Dieu, à son très cher fils Louis illustre et glorieux roi des Francs, aux princes ses fils affectionnés, et à tous les fidèles de Dieu établis en Gaule, salut et bénédiction apostolique.

« Combien nos prédécesseurs, les pontifes romains, ont œuvré pour la libération de l'Église orientale, nous l'avons appris des récits des anciens et nous le trouvons écrit dans leurs actes. Notre prédécesseur d'heureuse mémoire, le pape Urbain, lança pour ainsi dire l'appel de la trompette et entreprit de rallier à sa déci-sion, de toutes les parties du monde, les fils de l'Église romaine. A sa voix, brûlant du feu de la charité, s'assemblèrent les Ultra-

montains, et en particulier les actifs et si courageux guerriers du
royaume des Francs, ainsi que les gens de l'Italie. De la sorte,
une puissante armée s'étant réunie, non sans payer un lourd tribut de leur sang, mais avec l'appui du secours divin, ils libérè-
rent de l'ordure païenne, outre cette ville où notre Sauveur a
voulu souffrir pour nous et où il nous laissa son glorieux Sépulcre en mémorial de sa passion, plusieurs autres, que pour faire
bref, nous nous abstenons de rappeler. La grâce de Dieu aidant
et le zèle de vos pères, lesquels, à certaines occasions et dans la
mesure de leurs forces, mirent leur zèle à les défendre et à répan-
dre dans ces régions la religion chrétienne, ces villes sont restées
jusqu'à nos jours aux mains des chrétiens et d'autres cités infidèles furent vaillamment conquises.

   « Mais voilà que maintenant, et nous ne pouvons en faire part
sans plaintes fort douloureuses, nos péchés et ceux du peuple
lui-même ont voulu que la cité d'Édesse, appelée chez nous
Rohais, cette cité qui servait seule, dit-on, le Seigneur sous un
pouvoir chrétien quand jadis toute la terre d'Orient était occupée
par les païens, Édesse soit prise par les ennemis de la Croix du
Christ, et qu'avec elle tombent entre leurs mains de nombreux
châteaux chrétiens. Dans cette même ville, l'archevêque avec ses
clercs et bien d'autres chrétiens ont été tués ; les reliques des saints
foulées aux pieds par les infidèles et dispersées. La gravité,
l'imminence du péril qui en résulte pour l'Église de Dieu et pour
la Chrétienté tout entière et dont nous avons pleine conscience
n'échappent pas, nous le croyons, à votre prudence. Et de fait,
ce qu'a acquis l'activité de vos pères, le plus grand et le plus clair
témoignage de votre noblesse et de votre loyauté serait de le
défendre, vous, leurs fils, activement. Si pourtant — plût au
ciel — il en est autrement, on aura la preuve que le courage des
pères s'est dégradé dans les fils.

   « C'est pourquoi nous conseillons, demandons, prescrivons et,
pour la rémission de leurs péchés, nous enjoignons, parmi vous
tous, à ceux qui sont de Dieu et particulièrement aux puissants
et aux nobles, de se disposer courageusement à opposer une telle
défense à cette masse d'infidèles que réjouissent presque
constamment des victoires à nos dépens ; d'apporter un tel soutien à l'Église d'Orient libérée par vos pères de la tyrannie païenne
au prix, nous l'avons dit, de pertes si sanglantes ; de vous atta-
cher à arracher si complètement de leurs mains vos frères captifs par milliers, que le prestige de la religion chrétienne en soit
accru à cette époque, la vôtre, et que votre courage, vanté dans
le monde entier, ne subisse aucune atteinte ni aucune tache [...].

« Pour nous, voulant pourvoir dans notre paternelle sollicitude à la satisfaction de vos intérêts et au rétablissement de ladite
Église, et en vertu de l'autorité à nous concédée par Dieu, nous
concédons et confirmons au bénéfice de ceux qui auront décidé,
dans une intention pieuse, d'entreprendre et de mener à bien une
œuvre et un labeur aussi saints et aussi indispensables, ce pardon de leurs péchés qu'institua notre dit prédécesseur, le pape
Urbain ; quant à leurs épouses et à leurs enfants, à leurs biens
et à leurs possessions, nous décidons qu'ils resteront sous la protection de la sainte Église, sous la nôtre aussi et celle des archevêques, des évêques et des autres prélats de l'Église de Dieu.

« Nous interdisons aussi, en vertu de l'autorité apostolique,
que, avant qu'on soit informé en toute certitude de leur retour
ou de leur décès, aucun procès ne soit désormais intenté concernant les biens qu'ils possédaient sans contestation au moment
de prendre la croix. [...]

« S'ils sont pressés de dettes, ceux qui auront, le cœur pur,
entrepris un voyage aussi saint, qu'ils n'acquittent pas d'intérêt
pour le temps écoulé. S'ils se sont eux-mêmes liés par serment
à l'occasion de cet intérêt, ou si d'autres le sont pour eux, nous
les délions, en vertu de notre autorité apostolique, de leur serment ou de leur garantie.

« Si, une fois requis, leurs proches, ou les seigneurs dont dépen-
dent leurs fiefs, ne veulent pas leur prêter de l'argent, ou ne sont
pas en mesure de le faire, qu'il leur soit permis d'engager librement et sans aucune réclamation leurs terres et leurs autres biens
auprès d'églises, de personnes ecclésiastiques ou d'autres fidèles encore.

« La rémission et l'absolution des péchés, conformément à
l'institution de notre dit prédécesseur et en vertu de l'autorité
du Dieu tout puissant et du bienheureux Pierre, prince des apôtres, à nous concédée par Dieu, voici comment nous l'accordons :
quiconque aura dévotement entrepris ce saint voyage, et l'aura
mené à bien, ou y sera mort, qu'il reçoive l'absolution de tous
les péchés qu'il aura confessés d'un cœur repentant. [...] »

C. de La Roncière, P. Contamine, R. Delort et
M. Rouche, *L'Europe au Moyen Age*, Paris,
Armand Colin, 1970, t. 2, p. 301 *sq.*

## 7. Saladin, stratège magnanime

« Je n'ai jamais remarqué qu'il trouvât l'ennemi trop nombreux ou trop fort : cependant il méditait et réfléchissait, se faisait exposer tous les problèmes et pour chacun d'eux prenait les mesures nécessaires, sans accès de courroux ou de colère. Le jour de la grande bataille dans la plaine d'Acre, les musulmans furent enfoncés jusqu'au centre de leur dispositif. Tambours et drapeaux tombèrent mais il tint bon avec une poignée d'hommes, jusqu'à ce qu'il pût se replier sur la montagne avec tous les siens, leur faire honte et les ramener au combat, si bien que Dieu donna enfin aux musulmans la victoire sur leurs ennemis dans cette journée où nous leur tuâmes près de sept mille hommes, tant fantassins que cavaliers. Et il ne cessa de faire front contre l'ennemi, qui disposait de forces écrasantes, jusqu'au moment où il constata la fatigue des musulmans. Alors il accorda la paix que l'ennemi demandait. Celui-ci était encore plus fatigué et avait subi plus de pertes que nous, mais il attendait des renforts alors que nous n'en attendions point ; c'était donc notre intérêt de faire la paix, comme on le vit clairement quand le destin montra ce qu'il tenait en réserve. »

> Bahâ' ad-Din, dans *Chroniques arabes des croisades*, Paris, Sindbad, 1977, p. 116 *sq.*

## 8. Prise d'Acre par Richard Cœur de Lion et Philippe Auguste en 1192

« Le roi de France, rapidement guéri de sa maladie, porta son attention sur la construction de machines et de "perrières", propres à l'attaque et qu'il employait jour et nuit ; il en avait une, d'une qualité supérieure, à qui on avait donné le nom de "Mauvaise voisine". Les Turcs en avaient une aussi qu'on appelait "Mauvaise cousine" et qui, par ses jets violents, mettait souvent "Mauvaise voisine" en pièces ; mais le roi de France la réparait toujours, jusqu'à ce qu'enfin, par des décharges constantes, elle abattît une partie du mur principal de la ville, et ébranla la Tour maudite. D'un côté, la perrière du duc de Bourgogne

harcelait, de l'autre, celle des templiers causait des ravages ;
cependant que celle des hospitaliers ne cessait de semer la ter-
reur parmi les Turcs. Il y avait encore une autre perrière dont
la construction avait été financée par tous, et qu'on appelait "la
perrière de Dieu". A côté d'elle, il y avait, prêchant assidûment,
un prêtre, un homme d'une grande probité, qui récoltait de
l'argent pour la réparer et payer des personnes afin de rassembler les pierres de jet. Grâce à cette machine, une partie du mur,
tout près de la Tour maudite, fut enfin abattue sur une distance
d'environ deux perches. Le comte de Flandre avait une remarquable perrière dont le roi Richard hérita après sa mort et une
autre plus petite et aussi bonne. Toutes deux tiraient sans trêve
sur une tour, à côté de la porte que les Turcs utilisaient souvent,
jusqu'à ce qu'elles abattent la moitié de la tour.

« En plus de ces deux-là, le roi Richard en avait construit deux
autres, d'une qualité et d'un travail remarquables, qui pouvaient
frapper une cible à une distance incalculable. Il en construisit
aussi une autre vulgairement appelée Berefrid, couverte de peaux
en poil et de cordes et qui avait des couches de bois très solide
pour la protéger de toutes charges et du feu grégeois. Il prépara
aussi des mangonneaux dont l'un avait une telle force et une telle
rapidité que les pierres qu'il lançait atteignaient le centre de la
cité sur les lieux du marché. Ces perrières tiraient jour et nuit
et il est bien connu qu'une seule de leurs pierres tua douze hommes d'un coup ; la pierre fut ensuite apportée pour qu'il l'exa-
minât à Saladin par des messagers qui lui dirent que ce diabolique
roi d'Angleterre avait rapporté de Messine, ville qu'il avait prise,
ces silex marins et des pierres parfaitement polies pour punir les
Sarrasins ; et rien n'y pouvait résister : ils mettaient en pièces
ou réduisaient en poussière la cible qu'ils touchaient. »

*Itinerarium peregrinorum et Gesta Regis*
*Ricardi*, W. Stubbs éd., dans *Rerum britanica-*
*rum medii aevi scriptores*, Londres, 1864, t. 38,
p. 218.

## 9. Venise et les croisés (1204)

« Quant li Dux vit qu'il ne povoient mie tous les deniers paier,
ains en estoient molt à malaise, si parla à sa gent et si leur dist :

"Seigneur, fist il, se nous laissons aler ces gens en leur pays, nous serons mais tous jours tenu pour malvais et pour tricheur. Mais alons jusques à eus, et si leur disons que, s'il nous veulent rendre ces trente six mile marcs que il nous doivent des premeraines conquestes qu'il feront et qu'il auront à leur partie, que nous les metrons outre mer.''

« Li Venicien s'acordèrent bien à ce que li dux avoir dit. Dont si alerent aus pelerins là où il s'estoient logié. Si comme il furent là venu, si leur dist li Dux : ''Seigneur, fist il, nous avons pris conseil entre moi et ma gent en tele manière que, se vous nous voulez creanter loiaument que vous paierez ces trente six mile marcs que vous nous devez à la premeraine conqueste que vous ferez de vostre partie, nous vous metrons outre mer.''

« Quant li croisié oïrent ce que li Dux leur avoit dit et monstré, si en furent molt lié, et si li chaïrent aus piés de joie, et si li creanterent loiaument qu'il feroient molt volontiers ce que li Dux avoit devisé. Si firent grant joie la nuit, qu'il n'y eut si povre qui ne fesist grant luminaire, et portoient en som les lances grans torches de chandelles entour leur loges et par dedens, que ce sambloit que toute l'oste fust esprise.

« Après vint li Dux à eus, si leur dist : ''Seigneur, il est ore yvers, ne nous ne porrions mie passer outre mer, ne ce n'est mie remés en moi, car je vous eusse pieça fait passer, s'il ne fust remés en vous. Mais faisons le bien, fist li Dux. Il a une cité près deci, Jadres a nom. Cil de la ville nous ont molt méfait, et je et mes hommes nous voulons vengier d'eus se nous povons. Et se vous me voulez croire, nous irons cest yver sejourner jusque vers la Pasque ; et adonc si atirerons nostre navie, si nous en irons outre mer à l'aide Damedieu. Et la ville de Jadres est molt bone et molt plentive de tous biens !''

« Li baron et li haut homme croisié s'asentirent à ce que li Dux avoit dit ; mais tout cil de l'ost ne surent mie cest conseil, fors li plus haut homme. Adonc si atirerent tout communaument leur oirre et leur navie tout entierement, si se misent en la mer. Et chascuns des haus hommes avoit sa nef à lui et à sa gent, et son uissier à se chevaus mener. Et li Dux de Venice avoit avec lui cinquante galies tout à son coust. La galie où ens il estoit ert toute vermeille, et si avoit un paveillon tendu par desus ele d'un vermeil samit ; si avoit quatre buisines d'argent devant lui qui buisinoient, et timbres qui grand joie demenoient. Et tout li haut homme, et clerc et lai, et petit et grant, demenerent si grant joie à l'esmouvoir, que onques encore si faite joie ne si faite estoire ne fu veue ne oïe. Et si fisent li pelerin monter aus chasteaus

des nefs tous les prestres et les clercs qui chanterent *Veni Crea-*
*tor Spiritus*. Et trestout et grand et petit plorerent de pec et de
la grant joie qu'il eurent.

« Et quant li estoires parti du port de Venice, et les dromons
et riches nefs, et tant d'autres vaisseaus, c'estoit la plus bele chose
à esgarder qui fust très le commencement du monde. Car il y
avoit bien cent paires de buisines, que d'argent que d'arain, qui
toutes sonnerent à l'esmouvoir, et tant de timbres et tabours et
autres estrumens, que c'estoit une fine merveille. Quant il furent
en la mer et il eurent tendu leur voiles, et leur banieres mises
haut aus chasteaus des nefs et leur enseignes, si sambla bien que
la mer fourmiast toute et qu'ele fust toute embrasée des nefs qu'il
menoient et de la grant joie qu'il demenoient.

« Adonc si alerent tant qu'il vinrent à une cité, Poles avoit à
nom. Illueques ariverent, si se rafreschirent ; si y sejournerent
un peu, tant qu'il furent bien rafreschi et qu'il eurent acheté des
nouvelles viandes à metre en leur nefs. Après si se remisent en
la mer. S'il eurent grant joie et grant feste demenée par devant,
encore demenerent il adonques aussi grant ou greigneur, si que
les gens de la ville s'en merveillierent trop de la grant joie et de
grant estoire de la grant noblesse qu'il demenoient ; et si disent
bien, et c'estoit voir, que onques si biaus estoires ne si riches
ne fu vus ne assemblé en nule terre comme il avoit illuesques. »

Robert de Clari, dans *Historiens et Chroni-*
*queurs du Moyen Age*, Paris, Gallimard,
« Bibliothèque de la Pléiade », 1952, p. 14-15.

## 10. *Prise de Constantinople par les croisés (1204)*

« L'emperères Morchufles s'ere venuz herbergier devant
l'assaut en une place à tot son povoir, et ot tendues ses vermeilles tentes. Einsi dura cil afaires trosque à lundi matin ; et alors
furent armé cil des nefs et des uissiers et cil des galies. Et cil de
la ville les doterent moins que il ne firent à premiers ; si furent
si esbaudi que sor les murs et sor les tors ne paroient se genz
non. Et lors comença li assaus fiers et merveilleus ; et chascuns
vaissiaus assailloit endroit lui. Li huz de la noise fu si granz que
il sembla que terre fondist. Einsi dura li assaus longuement, tant
que Nostres Sires lor fist lever un vent qu'on apele Boire ; et bouta

les nefs et les vaissiaus sor la rive plus qu'il n'estoient devant. Et deus nefs qui estoient liées ensemble, dont l'une avoir nom la Pelerine et li autre li Paravis, aprochierent tant à la tor, l'une d'une part et l'autre d'autre (si com Dieu et li venz les mena) que l'eschiele de la Pelerine se joinst à la tor. Et maintenant uns Veniciens et uns chevaliers de France qui avoit nom Andrieus d'Urboise, entrèrent en la tor ; et autre genz comence à entrer après eus, et cil de la tor se desconfisent et s'en vont.

« Quant ce virent li chevalier qui estoient es uissiers, si s'en issent à la terre et drecent eschiels à plain del mur, et montent contremont le mur par force ; et conquistrent bien quatre des tors. Et il comencent à saillir des nefs et des uissiers et des galies, qui ainz ainz, qui mieuz mieuz ; et peçoient bien trois des portes, et entrent enz ; et comencent les chevaus à traire des uissiers ; et li chevalier comencent à monter, et chevauchent droit à la heberge l'empereor Morchufle. Et il avoit ses batailles rengiées devant ses tentes ; et com il virent venir les chevaliers à cheval, si se desconfisent ; et s'en va l'empereres fuiant par les rues au chastel de Bouchelion. Lor veissiez Grifons abatre, et chevaus gaaignier et palefroiz, et muls et mules, et autres avoirs. Là ot tant des morz et des navrez qu'il en ere ne fins ne mesure. Granz partie des haus homes de Grece guenchirent vers la porte de Blacquerne. Et vespres iere jà bas ; et furent cil de l'ost lassé de la bataille et de l'ocision. Et se comencent à asembler en unes places granz qui estoient dedenz Constantinople ; et pristrent conseil que il se herbergeroient près des murs et des tors que il avoient conquises ; que il ne cuidoient mie que il eussent la ville vaincue en un mois, ne les forz églises ne les forz palais, et le pueple qui ere dedenz. Einsi com il fu devisé, si fu fait.

« Einsi se herbergièrent devant les murs et devant les tors, près de lors vaissiaus. Li cuens Baudoins de Flandres et de Hennaut se herbergera es vermeilles tentes l'empereor Morchufle qu'il avoit laissiées tendues, et Henris ses freres devant le palais de Blaquerne ; Bonifaces li marquis de Monferrat, il et la soe gens, devers l'espès de la ville. Einsi fu l'ost hebergié com vos avez oï, et Constantinople prise le lundi de Pasque florie. Et li cuens Loeys de Blois et de Chartain avoit langui tot l'iver d'une fievre quartaine, et ne se pot armer. Sachiez que mult ere granz domages à ceus de l'ost, que mult y avoir bon chevalier de cors ; et gisoit en un uissier.

« Einsi se reposèrent cil de l'ost cele nuit, qui mult erent lassé. Mais l'empereres Morchufles ne reposa mie, ainz assembla totes ses genz ; et dist que il iroit les Frans assaillir. Mais il nel fist mie einsi com il dist ; ainz chevaucha vers autres rues, plus loing qu'il port de ceus de l'ost, et vint à une porte que on apelle Porte Ore : par enqui s'enfui et guerpi la cité, et après lui s'enfui qui fuir en pot ; et de tot ce ne surent neient cil de l'ost. En cele nuit, devers la herberge Boniface le marquis de Monferrat, ne sai quels gens qui cremoient les Grecs qu'ines assaillissent, mistrent le feu entr'eus et les Grecs. Et la vile comence à esprendre et à alumer mult durement ; et ardi tote cele nuit et l'endemain trosque au vespre. Et ce fu li tierz feus qui fu en Constantinople dès que li Franc vindrent el païs ; et plus ot arses maisons qu'il n'ait es trois plus granz citez del roiaume de France.

« Cele nuis trespassa, et vint li jors qui fu au mardi matin ; et lors s'armèrent tuit par l'ost, et chevalier et serjant ; et traist chascuns à sa bataille. Et issirent des herberges, et cuidèrent plus grant bataille trover que il n'avoient fait le jor devant, qu'il ne savoient mot que l'empereres s'en fust fuiz la nuit. Si ne trovèrent onques qui fust encontre eus.

« Li marquis Bonifaces de Monferrat chevaucha tote la marine droit vers Boche de lion ; et quant il vint là, si li fu renduz, sauves les vies à ceus qui dedenz estoient. Là fu trové li plus des hautes dames qu estoient fuies au chastel, que là fu trovée la suer le roi de France, qui avoit esté empereris, et la suer le roi de Hongrie qui ravoit esté empereris, et des autres dames mult. Del trésor qui ere en cel palais ne covient mie parler, quar tant en avoit que ce n'iert ne fins ne mesure.

« Autresi com cil palais fu renduz au marquis Boniface de Monferrat, fu renduz cil de Blaquerne à Henri, frere le comte Baudoin de Flandres, saufs les cors à ceus qui estoient dedenz. Là refu li tresors si très granz trovez, que il en i ot mie moins que en celui de Boche de lion. Chascuns garni le chastel qui li fu renduz de sa gent, et fist le trésor garder ; et les autres genz qui furent espandu parmi la ville, gaaignièrent assez ; et fu si granz li gaainz faiz que nus ne vos en sauroit dire la fin, d'or et d'argent, et de vaisselement et de pierres precieuses, et de samiz er de dras de soie, et de robes vaires et grises et hermines et toz les chiers avoirs qui onques furent trové en terre. Et bien tesmoigne Joffrois de Vile-Hardoin li mareschaus de Champaigne, à son escient par vérité, que puisque li siecles fu estorez, ne fu tant gaaignié en une ville.

« Chascuns prist ostel tel com li plot, et il en i avoit assez. Ein'si se herbergera l'ost des pelerins et des Veniciens ; et fu granz la joie de l'onor et de la victoire que Dieu lor ot donée, que cil qui avoient esté en poverté, estoient en richece et en delit. Einsi firent

la Pasque Florie et la Grant Pasque après, en cele honor et en
cele joie que Dieu lor ot donée. Et bien en durent Nostre Sei-
gnor loer, que il n'avoient mie plus de vint mil homes armez entre
uns et autres, et par l'aide de Dieu si avoient pris quatre cens
mile homes ou plus et en la plus fort ville qui fust en tot le munde
(qui granz ville fu), et la mieuz fermée.

« Lor fu crié par tote l'ost, de par le marquis Boniface de Monferrat qui sires ere de l'ost, et de par les barons, et de par le duc
de Venise, que toz li avoirs fust aportez et assemblez, si com li
ere aseuré et juré et fais escomuniemenz. Et furent nomé li lieu
en trois églises ; et là mist-on gardes des François et des Veniciens des plus loiaus que on pot trover. Et lors comença chascuns à aporter le gaing et à metre ensamble. »

> Villehardouin, dans *Historiens et Chroniqueurs
> du Moyen Age*, Paris, Gallimard, « Bibliothè-
> que de la Pléiade », 1952, p. 136-139.

## 11. Lettre de Frédéric II à Malik al-Kamil

« Je suis ton ami. Tu n'ignores pas combien je suis au-dessus
de tous les princes de l'Occident. C'est toi qui m'as engagé à
venir ici ; les rois et le pape sont instruits de mon voyage : si je
m'en retournais sans avoir rien obtenu, je perdrais toute considération à leurs yeux. Après tout, cette Jérusalem n'est-elle pas
le berceau de la religion chrétienne ? N'est-ce pas vous qui l'avez
renversée ? Elle est maintenant réduite à la dernière misère. De
grâce, rends-la moi dans l'état où elle est, afin qu'à mon retour
je puisse lever la tête parmi les rois. Je renonce d'avance à tous
les avantages que je pourrais en retirer. »

> D'après la transcription de J.-F. Michaud, *His-
> toire des croisades*, éd. abrégée, Paris, Laffont,
> 1970, p. 392.

## 12. La restitution de Jérusalem (1229) d'après la lettre de Frédéric II à Henri III Plantagenêt

« Cette même année, Notre-Seigneur Jésus-Christ, sauveur et consolateur de tous les hommes, visita miséricordieusement son peuple. Grâce aux prières de l'Église universelle, il rendit aux chrétiens, en général, et à l'empereur des Romains Frédéric, en particulier, la cité sainte de Jérusalem et toute la terre que ledit Seigneur, Fils de Dieu et notre Rédempteur, avait consacrée de son sang. En effet, le Seigneur arrêta sa bienveillance sur son peuple, lui qui exalte les humbles dans le salut ; et il fit que les nations furent vengées et que les Sarrasins furent divisés par des dissensions : car, à cette époque, le soudan de Babylone se vit tellement pressé de tous côtés par des guerres domestiques qu'il craignit de ne pouvoir suffire à de nouvelles attaques, et qu'il se vit forcé de conclure avec l'empereur une trêve de dix ans et de rendre la Terre sainte aux chrétiens sans effusion de sang. Ainsi une bonne guerre fut envoyée par le Seigneur pour faire rompre une paix mauvaise. Mais le lecteur, qui veut connaître plus à fond ce bienfait de la grâce divine, peut lire la lettre suivante que l'empereur des Romains écrivit à ce sujet, et envoya scellée du sceau d'or au roi d'Angleterre Henri :

"Frédéric, par la grâce de Dieu, empereur des Romains, toujours auguste, roi de Jérusalem et de Sicile, à son très cher ami Henri, roi d'Angleterre, salut et témoignage de sincère dilection. Que tous se réjouissent et triomphent dans le Seigneur, et que ceux qui ont le cœur droit se glorifient.

"Nous sommes donc partis d'Acre avec confiance, quinzième jour du mois de novembre dernier, et nous sommes arrivés heureusement à Joppé dans l'intention de réédifier le château de cette ville, comme il convient afin de nous ouvrir, tant pour nous que pour tout le peuple chrétien, un accès non seulement plus facile mais encore plus court et plus sûr vers la cité sainte de Jérusalem. Alors, tandis que nous nous trouvions à Joppé sous la foi de l'espérance divine, et que nous nous occupions magnifiquement, comme il convenait, de la réédification du château... tandis que nous et tous les pèlerins y donnions attentivement nos soins, des députés envoyés vers nous par le sultan de Babylone, et par nous vers le même sultan, allèrent et revinrent plusieurs fois de part et d'autre. Or ce sultan et un autre sultan son frère, nommé Xaphat, se tenaient près de la ville de Gaza avec une nombreuse armée et étaient éloignés de nous d'une journée de marche. D'un autre côté, dans la ville de Sichem, qu'on appelle vulgairement Néapolis et qui est située en plaine, le sultan de Damas, son neveu, avait sous ses ordres une innombrable multitude de cavaliers et de fantassins de sa nation, et il se trouvait près de nous et des chrétiens également à une journée de marche. [...]

"Après qu'on eut débattu des deux parts la restitution de la Terre sainte, Jésus-Christ, Fils de Dieu, regarda du haut du ciel notre patience pieuse et notre piété patiente, et, compatissant miséricordieusement pour nous en lui-même, il fit en sorte que le sultan de Babylone nous rendît la cité sainte de Jérusalem. [...]

"Sachez que non seulement le corps de la ville nous a été rendu, mais encore toute la contrée qui s'étend à partir de Jérusalem jusqu'à la côte de Joppé; en sorte qu'à l'avenir les pèlerins pourront se rendre librement au Saint-Sépulcre et en revenir sans être inquiétés. Toutefois, la condition suivante a été stipulée : c'est que, les Sarrasins de ce pays ayant en grande vénération à Jérusalem un temple où ils se rendent fréquemment en pèlerinage pour y prier et s'y livrer aux exercices de leur culte, nous leur permettrions d'y venir librement désormais, nous réservant néanmoins d'en fixer le nombre : de plus, ils devront venir sans armes, ne point demeurer dans la ville, mais hors de la ville, et se retirer aussitôt leurs prières faites. On nous a rendu en outre la ville de Bethléem et toute la terre située entre Jérusalem et cette ville, la ville de Nazareth et toute la terre située entre Acre et cette ville ; toute la province du Thoron, qui s'étend en largeur, qui est fort vaste et très commode pour les chrétiens ; la ville de Sidon ou Saïde, avec la campagne environnante et les dépendances. Cette possession sera d'autant plus avantageuse pour les chrétiens que jusqu'ici les Sarrasins en ont tiré de plus grands profits. En effet, Sidon est un port excellent d'où l'on transportait à Damas, et de Damas très souvent à Babylone, des armes et d'autres provisions nécessaires. Quoique, d'après le traité, il nous soit permis de réédifier la ville de Jérusalem aussi bien qu'elle le fut jamais, ainsi que le château de Joppé, le château de Césarée, le château de Sidon et le château de Sainte-Marie-des-Teutoniques, que les frères de cet ordre ont commencé à élever sur les montagnes qui avoisinent Acre, chose qu'ils n'avaient pu faire jadis en aucun temps de trêve, le soudan ne doit ni faire ni édifier aucun bâtiment et château nouveau jusqu'à l'expiration de la trêve qui a été conclue entre nous et lui pour dix ans. Cette trêve a été confirmée par serment de part et d'autre, le dix-

huitième jour du mois de février dernier, un dimanche, jour où
le Christ, Fils de Dieu, est ressuscité d'entre les morts, et est
honoré et adoré dans l'univers, aussi généralement que solennellement, par tous les chrétiens, en mémoire de ladite résurrection. Il semble véritablement que pour nous et pour tous ce jour
a brillé de nouveau, où les anges chantèrent : 'Gloire à Dieu au
haut des cieux et paix sur la terre aux hommes de bonne volonté.'
Sachez aussi que, pour reconnaître un si grand bienfait et un si
grand honneur, que Dieu nous a accordés miséricordieusement,
malgré notre indignité et contre l'opinion de plusieurs, à la gloire
éternelle de sa miséricorde, et pour lui offrir en personne dans
son saint lieu le sacrifice de nos lèvres, nous sommes entrés, le
samedi dix-septième jour du mois de mars de cette seconde indic-
tion, dans la cité sainte de Jérusalem, avec tous les pèlerins qui
avaient embrassé fidèlement avec nous le service du Christ, Fils
de Dieu. Aussitôt, ainsi qu'il convenait à un empereur catholique, nous avons adoré respectueusement le saint sépulcre : le lendemain nous avons ceint la couronne que le Seigneur
tout-puissant avait songé à nous donner du haut de son trône
de majesté, en nous exaltant prodigieusement par une grâce spéciale de sa piété parmi tous les princes du monde, et en nous
faisant parvenir à une si grande dignité, qui nous revenait d'ailleurs à titre de royaume, pour qu'il soit de plus en plus notoire
à tous que la main du Seigneur a fait toutes ces choses. Et, comme
ses miséricordes sont sur toutes ses œuvres, les sectateurs de la
foi orthodoxe connaîtront et raconteront en tout lieu par le
monde que celui qui est béni dans les siècles a visité et a racheté
son peuple, et a élevé pour nous la trompette de salut dans la
maison de son père David. Enfin, avant de quitter la cité sainte
de Jérusalem, nous nous sommes proposé de régler la magnifique réédification de ses tours et de ses murs de telle façon, et
nous voulons nous en occuper avec tant de soin, qu'en notre
absence on s'en occupe avec autant de sollicitude et de diligence
que si nous y assistions en personne. De plus, pour que la pré-
sente lettre ne respire que la joie dans tout son contenu ; qu'en
fait de bonnes nouvelles sa fin réponde à son commencement, et que l'accroissement de la joie et de l'allégresse dont je
vous ai entretenu charme votre âme royale, nous désirons qu'il
soit notoire à votre amitié que ledit soudan doit nous remettre
sous peu tous les captifs qu'il n'a pas rendus, comme il l'aurait
dû faire, d'après le traité conclu entre lui et les chrétiens à l'époque de la perte de Damiette, ainsi que les autres qui ont été faits
prisonniers depuis. Donné dans la sainte ville de Jérusalem,

le dix-septième jour du mois de mars, l'an du Seigneur 1229.''

« Voici la forme du sceau d'or de l'empereur : d'un côté était frappé son portrait, autour duquel était écrit en rond : *Frédéric, par la grâce de Dieu, empereur des Romains, et toujours auguste*. Au-dessus de l'épaule droite du portrait de l'empereur était écrit : *Roi de Jérusalem*, et au-dessus de l'épaule gauche du même portrait était écrit : *Roi de Sicile*. Sur l'autre côté du sceau était frappée une ville représentant Rome, autour de laquelle était écrit en rond : *Rome, capitale du monde, tient les rênes de la terre*. Le sceau de l'empereur était un peu plus grand que le sceau du pape.

« L'armée chrétienne étant donc entrée, comme nous l'avons dit, dans la sainte cité de Jérusalem, le patriarche et les évêques suffragants purifièrent le temple du Seigneur, l'église du Saint-Sépulcre, celle de la Sainte-Résurrection, les autres églises et les lieux vénérables et sacrés de la ville, en lavant le pavé et les murailles avec de l'eau bénite, en conduisant des processions, en chantant des hymnes et des cantiques. Enfin, ils réconcilièrent avec Dieu tous les lieux longtemps profanés par les souillures des infidèles. Mais, tant que l'empereur, qui était excommunié, demeura dans l'enceinte de la ville, aucun des prélats ne prit sur lui de célébrer la messe. »

Lettre de Frédéric II conservée par Mathieu Paris, *Grande Chronique de Mathieu Paris*, trad. Huillard Bréholles, Paris, Paulin, 1840, t. 3, p. 408 *sq*.

## 13. *Le traité de 1229 signé entre Frédéric II et Malik al-Kamil, concernant la restitution de Jérusalem aux Francs (texte original)*

« I. Li soldans baille a l'impereour ou a ses baillis Jerusalem le exalchie, quil en face cho que ilh vora, de garnir ou autre chose.

« II. L'emperere ne doit touchier la Geemelaza cho est le temple Salomon ne le temple Domini ne nule rien de tot le porpris, ne ne doit soufrir que nus Francs de quelque generation quil soit, que ilh se mete sor les lius motis, mais ilh remandront sens rien cangier en la main et la garde des Sarrasins, qui les terront par lor oresons faire et por lour loie crier, sens cho que defendu ne contredit ne lor iert nulle riens de cho, et les cles des portes des porpris de ches lius, qui moti sunt seront es mains de chiex ki iki seront por les lius servir, et de lour mains tollues ne seront.

« III. Non sera defendu a nul Sarrasin quil ne voyse franchement en pelerinage en Bethleem.

« IV. Et si yl y a acuns Frans qui ayt ferme creanze en la hautece e en la dignite del temple Domini e il vuelt le lou visiter e fayre yki ses oresons, il les y puisse faire, e sil ne croyit en sa hautece e en sa dignite, non doyt estre soffers a entrer en tot le porpris de leu.

« V. Se acuns Sarrazins meffayit des estajanz en Jerusalem a Sarrazins com il est, doyt estre menez per l'esgart des Sarrazins.

« VI. L'empereres non aydera nul Franc, ki ke il soyt, en nule maniere per nule entention kil ayent de kelke diversite kil soyent, ne Sarrazin a combatre ni a guerre fayre contre les Sarrazins ly kel sunt en ceste trive moty, ni no mandra o eulz ni ne segra nul d'euls en nule des partyes ki motyes sunt, port battaille fayre ne no se asentyra a eulz en aucune maniere, ne no les soccoyra ne d'ost ne d'avoyr de genz.

« VII. L'empereres destornera toz cels qui auront entendement del mal fayre en la terre del soldan Melec el Kemel e en la terre ke est motye en la trive, e les defendra a son ost e a son avoyr et a ses homes e a tot kant kill aura de poer.

« VIII. Saucuns Frans ki ke il soyt a entendement de trapasser rien des fermetez ke recordees ou motyes sunt en ceste trive, li empereres.... e sor li est de deffendre le soldan e doster e destorner l'en a son ost e a son avoyr et a ses homes.

« IX. Triple e sa terre, le Chrach, Castel Blanc, Tortose, Margat e Antioche e kan ke est en lor terre, se soyt en son estat en guerre e en trive ; e sor l'empereor soyt kil deffendra a ses genz e a son ost e as apendanz a li e a cels ki a li venrunt. Frans prives e enstranges a li venanz, la aye des segnors de cels leus motiz sor nule entention kyl ayent en la terre de Sarrazins. »

*Monumenta Germaniae historica*, dans *Constitutions I*, doc. 120.

# 14. Épisodes de la bataille de la Mansourah (1250)

« Le soir, au soleil couchant, nous amena li connestables les arbalestriers le roy à pié, et s'arangièrent devant nous ; et quant li Sarrazin leur virent mettre pié en l'estrier des arbalestes ; il s'enfuient et nous laissièrent. Et lors me dist li connestables : "Seneschaus, c'est bien fait ; or vous en alez vers le roy, si ne le lessiés huimais jusques à tant que il i ert descendus en son paveillon." Si tost comme je ving au roy, messire Jehans de Waleri vint à li et li dist : "Sire, messires de Chasteillon vous prie que vous li donnez l'arrière-garde." Et li roys si fist mout volentiers, et puis si se mist au chemin. Endementieres que nous en venions, je li fis oster son hyaume, et li baillai mon chapel de fer pour avoir le vent. Et lors vint frères Henris de Ronnay, prevoz de l'Ospital, à li, qui avoit passé la riviere, et li besa la main toute armée. Et il li demanda se il savoit nulles nouvelles du comte d'Artois, son frère ; et il li dist que il en savoit bien nouvelles, car estoit certeins que ses frères li cuens d'Artois estoit en paradis. "Hé ! sire, dist li prevoz, vous en ayés bon récon-fort, car si grans honneurs n'avint onques à roy de France comme il vous est avenu. Car pour combattre à vos ennemis avez passé une rivière à nou, et les avez desconfiz et chaciez dou champ, et gaaigniés lour engins et lour heberges, là où vous gerrés encore ennui." Et li roys respondi que Dieus en fust aourez de tout ce que il li donnoit ; et lors li cheoient les lermes des yeus mout grosses.

« Quant nous venimes à la heberge, nous trouvames que li Sarrazin à pié tenoient les cordes d'une tente que il avoient desten-due, d'une part, et nostre menue gent, d'autre. Nous leur courumes sus, li maistres du Temple et je ; et il s'enfuirent, et la tente demeura à nostre gent. En celle bataille ot mout de gens, et de grant bobant, qui s'en vindrent mout honteusement fuiant parmi le poncel dont je vous ai parlé, et s'enfuirent effréement ; ne onques nen peumes nul arester delez nous ; dont je en nom-meroie bien, desquiels ne me soufferrai, car mort sont. Mais de monseigneur Guion Malvoisin, ne me soufferrai-je mie ; car il en vint de la Massoure honorablement. Et bien toute la voie que li connestables et je en alames amont, il revenoit aval. Et en la manière que li Turc amenèrent le comte de Bretaingne et sa

bataille, en ramenèrent il monsigneur Guion Malvoisin et
sa bataille, qui ot grant los, il et sa gent, de celle jornée. Et
ce ne fu pas de merveille se il et sa gent se prouvèrent bien
celle journée ; car l'on me dist, icil qui bien savoient son
couvine, que toute sa bataille (n'en failloit guères) estoit toute
de chevaliers de son linnaige et de chevaliers qui estoient sui
home lige.

« Quant nous eumes desconfiz les Turs et chaciés de leur
herberges, et que nul de nos gens ne furent demeuré en l'ost,
li Beduyn se ferirent en l'ost des Sarrazins, qui mout estoient grans gens. Nulle chose du monde il ne lessièrent en
l'ost des Sarrazins, que il n'emportassent tout ce que li Sarrazin avoient lessié ; ne je n'oy onques dire que li Beduyn, qui
estoient sousjet aus Sarrazins, en vausissent pis de chose
que il leur eussent tolue ne robée, pour ce que leur coustume
est tele et leur usaiges, que il courent tousjours sus aus plus
febles.

« Pour ce que il affiert à la matière, vous dirai-je quels gens
sont li Beduyn. Li Beduyn ne croient point en Mahommet, ain-
çois croient en la loy Haali, qui fu oncles Mahommet ; et aussi
y croient li Vieil de la Montaigne, cil qui nourrissent les Assacis. Et croient que quant li hom meurt pour son seigneur ou en
aucune bone entencion, que l'ame d'eus en va en meilleur cors
et en plus aaisié que devant ; et pour ce ne font force li Assacis
se l'on les occist quant il font le commandement du Vieil de la
Montaigne. Du Vieil de la Montaigne nous tairons orendroit,
si dirons des Beduyns.

« Li Beduyn ne demeurent en ville, ne en cités, n'en chastiaus,
mais gisent adès aus champs ; et leur mesnies, leur femmes, leur
enfans fichent le soir de nuit, ou de jour quant il fait mal temps,
en unes manières de herberges que il font de cercles de tonniaus
loiés à perches, aussi comme li char à ces dames sont ; et sur ces
cercles gietent peaux de moutons que l'on appelle peaux de
Damas, conrées en alun : li Beduyn meismes en ont grans pelices, qui leur cuevrent tout le cors, leur jambes et leur piés. Quant
il pleut le soir et fait mal temps de nuit, il s'encloent dedans leur
pelices, et ostent les frains à leur chevaus, et les lessent paistre
delez eus. Quant ce vient l'endemain, il restendent leur pelices
au soleil et les frotent et les conroient ; je nà n'i perra chose que
elles aient esté moilliées le soir. Leur creance est tele, que nus
ne puet morir que à son jour, et pour ce ne se veulent-il armer,
et quant il maudient leur enfans, si leur dient : "Ainsi soies tu
maudis, comme li Frans qui s'arme pour peeur de mort !" En

bataille, il ne portent riens que l'espée et le glaive. Presque tuit sont vestu de seurpeliz, aussi comme li prestre ; de touailles sont entorteillées leur testes, qui leur vont par desous le menton : dont laides gens et hydeuses sont à regarder, car li chevel des testes et des barbes sont tuit noir. Il vivent du lait de leur bestes, et achiètent les pasturaiges es berries aus riches homes, de quoy leur bestes vivent. Le nombre d'eus ne sauroit nulz nommer ; car il en a au reaume de Jerusalem et en toutes les autres terres des Sarrazins et des mescréans, à qui il rendent grans treus chascun an.

« J'ai veu en cest païs, puis que je reving d'outre mer, aucuns desloiaus crestiens qui tenoient la loy des Beduyns, et disoient que nulz ne povoit morir qu'à son jour ; et leur créance est si desloiaus, qu'il vaut autant dire comme Dieus n'ait povoir de nous aidier. Car il seroient fol cil qui serviroient Dieu, se nous ne cuidions que il eust povoir de nous eslongier nos vies et de nous garder de mal et de mescheance ; et en li devons nous croire, que il est puissans de toutes choses faire.

« Or disons ainsi que à l'anuitier revenimes de la perilleuse bataille desus dite, li roys et nous, et nous lojames au lieu dont nous avions chacié nos ennemis. Ma gent, qui estoient demeuré en nostre ost dont nous estions parti, m'aportèrent une tente que li Templier m'avoient donnée, et la me tendirent devant les engins, que nous avions gaingniés aus Sarrazins ; et li roys fist établir serjans pour garder les engins.

« Quant je fu couchiés en mon lit, là où je eusse bien mestier de reposer pour les bleceures que j'avoie eu le jour devant, il ne m'avint pas ainsi ; car avant que il fust bïen jours, l'on escria en nostre ost : "Aus armes ! aus armes !" Je fis lever mon chamberlain qui gisoit devant moy, et li diz que il alast veoir que c'estoit. Et il revint touz effraez, et me dist : "Sire, or sus ! or sus ! que vez-ci les Sarrazins qui sont venu à pié et à cheval ; et ont desconfit les serjans le roy qui gardoient les engins, et les ont mis dedans les cordes de nos paveillons."

« Je me levai et jetai un gamboison en mon dos et un chapel de fer en ma teste, et escriai à nos serjans : "Par saint Nicholas ! ci ne demourront il pas." Mi chevalier me vindrent si blecié comme il estoient, et reboutames les serjans aus Sarrazins hors des engins, jusques devant une grosse bataille de Turs à cheval, qui estoient tuit rez à rez des engins que nous avions gaaingniés. Je mandai au roy que il nous secourust ; car je ne mi chevalier n'avions povoir de vestir haubers, pour les plaies que nous avions eues ; et li roys nous envoia mon signour Gauchier de Chasteillon, liquels se logea entre nous et les Turs, devant nous. »

> Joinville, dans *Historiens et Chroniqueurs du Moyen Age*, Paris, Gallimard, « Bibliothèque de la Pléiade », 1952, p. 254-257.

## 15. « *Voici ton emblème !* »

« ''Sire, dit le blaireau, je vous assure de ma bonne foi : si vous consentez à lui donner votre pardon, Renart ne vous fera plus de peine, ni à vous ni à qui que ce soit [...]. Je lui ferai prendre la croix.''

« Alors le roi pardonna [...]. Il ordonna que l'on apporte la croix.

« Voici Brun l'ours qui l'apporte, appuyée sur son épaule. C'est une grande joie. Renart ne sait pas s'il fera jusqu'au bout le saint voyage, mais en tout cas il pose la croix sur son épaule droite. On lui apporte aussi la panetière et le bâton. La première au cou, le second à la main ; voici Renart pèlerin. Le roi lui demande de pardonner aux autres tous les maux qu'ils lui ont causés, et aussi de renoncer à ses ruses et à ses cruautés [...]. Renart ne refuse aucune de ces demandes. Tant qu'il n'a pas vidé les lieux, il abonde dans le sens du roi. Puis, un peu avant none, il quitte la cour. En son cœur il déteste tout le monde [...].

« Il éperonne son cheval et s'enfuit au grand trot [...]. Le voici dans le bocage. Au loin il aperçoit le roi et la reine, avec tant de barons [...]. C'est alors qu'il brandit sa croix et s'écrie : ''Seigneur roi, voici ton emblème ; que Dieu maudisse celui qui m'affubla de ce manteau, de ce bâton et de cette panetière ! [...] Je te salue au nom de Nour-ed-Din, moi Renart le bon pèlerin [...]''. »

> D'après *le Jugement de Renart*, vers 1399-1522.

## 16. Qui sont les « Poulains » ?

« Nous qui étions occidentaux, nous sommes devenus orientaux ; celui qui était romain ou franc est devenu galiléen ou palestinien, l'habitant de Chartres ou de Reims, tyrien ou antiochien. Nous avons oublié les lieux de notre origine ; plusieurs d'entre nous les ignorent ou même n'en ont jamais entendu parler. Un tel possède ici des maisons en propre et des domestiques comme par droit d'héritage, tel autre a épousé une femme non parmi ses compatriotes, mais syrienne, arménienne, parfois même une Sarrasine baptisée. Un autre a beau-père, belle-mère, gendre, descendance, parenté. Celui-ci a des petits-enfants et neveux. Celui-ci possède des vignes, celui-là des champs. On se sert alternativement des diverses langues du pays ; et les langues jadis parlées à l'exclusion les unes des autres sont devenues communes à tous et la confiance rapproche les races les plus éloignées. La parole de l'Écriture se vérifie : "Le lion et le bœuf mangeront au même râtelier." Le colon est maintenant devenu presque un indigène ; qui était étranger s'assimile à l'habitant.

« Chaque jour, des parents et des amis viennent d'Occident nous rejoindre. Ils n'hésitent pas à abandonner là-bas tout ce qu'ils possédaient ; car, ceux qui étaient là-bas pauvres, Dieu ici les a rendus riches. Celui qui n'avait que quelques deniers possède ici des trésors. Tel qui chez lui ne jouissait même pas d'une terre possède ici une ville : pourquoi retournerait-il en Occident, celui qui en Orient a trouvé une telle fortune ? »

Foucher de Chartres, *Histoire du pèlerinage des Francs à Jérusalem.*

# Bibliographie générale

## Généralités

Très nombreux ouvrages avec une bibliographie à jour.

M. Balard, *Les Croisades*, Paris, 1988.

*Les Croisades*, *L'Histoire*, hors-série, février 1986.

M. Erbstösser, *Le Temps des croisades*, Paris, La Courtille, 1978.

A. Grabdïs, *Le Pèlerin occidental en Terre sainte au Moyen Age*, Paris-Bruxelles, De Boeck-Université, 1998.

R. Grousset, *L'Épopée des croisades*, Paris, Plon, 1939, rééd. Marabout 1981.

R. Grousset, *Histoire des croisades et du royaume franc de Jérusalem*, Paris, Plon, 1934-1936, 3 vol.

H.E. Mayer, *The Crusades*, 2$^e$ éd., Oxford, 1988.

H.E. Mayer, *Kreuzzüge und lateinischer Osten*, Londres, Variorum Reprints, 1983.

J.-F. Michaud, *Histoire des croisades*, Paris, Éd. de Saint-Clair, 1966-1967, 6$^e$ éd., 4 vol. ; éd. abrégée, Paris, Laffont, 1970.

C. Morrisson, *Les Croisades*, Paris, PUF.

Z. Oldenbourg, *Les Croisades*, Genève, Beauval, P. Famot diff., 1977.

Z. Oldenbourg, *Histoire des croisades*, Paris, Gallimard, 1965.

D. Paladilhe, *Les Croisades*, Paris, Éd. du Seuil, 1982.

D. Paladilhe, *La Grande Aventure des croisés*, Paris, Librairie académique Perrin, 1979.

R. Pernoud, *Les Hommes de la croisade*, Paris, Fayard, 1982, n$^{lle}$ éd.

R. Pernoud, *Dans les pas des croisés*, Paris, Hachette, 1959.

J. Prawer, *The World of the Crusaders*, Londres-Jérusalem, Weidenfeld & Nicolson, 1972.

J. Richard, *Histoire des croisades*, Paris, Fayard, 1996.
J. Riley-Smith, *Les Croisades*, Paris, 1988.
J. Riley-Smith éd., *Atlas des Croisades*, préfacé et revu par M. Balard, Paris, Autrement, 1996.
P. Rousset, *Histoire des croisades*, Paris, Payot, 1957.
S. Runciman, *A History of the Crusades*, Cambridge, rééd. 1975, 3 vol.
K.M. Setton, *A History of the Crusades*, Philadelphie, University of Pennsylvania Press, 1955-1989, 6 vol.
G. Tate, *L'Orient des Croisades*, Paris, Gallimard, coll. « Découvertes », 1991.
T. Wise, *The Wars of the Crusades*, Londres, 1978.
M.A. Zaborov, *Vvedenje v istoriografiu Krestovyh pohgodov*, Moscou, Akademia Nauk, 1966.

## Les sources

*Bibliothèque des croisades*, Paris, 1834, *sq.*
*Christian Society and the Crusades*, Philadelphie, University of Pennsylvania Press, 1971.
Robert de Clary, *Ceux qui se croisèrent...*, Paris, Tallandier, 1981.
F. Cognasso, *Storia delle crociate*, Milan, 1967.
*Corpus inscriptionum cruce signatorum Terrae sanctae (1099-1291)*, Jérusalem, Franciscan Printing Press, 1974.
*Croisades et pèlerinages. Récits, chroniques et voyages en Terre Sainte (XIIᵉ-XVIᵉ siècle)*, D. Régnier-Bohler éd., Paris, Laffont, coll. « Bouquins », 1997.
G. Dedeyan (éd. et trad.), *La Chronique attribuée au connétable Smbat*, Paris, Geuthner, 1980.
J. Dufournet, *Les Écrivains de la Quatrième Croisade*, Paris, SEDES, 1974.
*The First Crusade*, Philadelphie, University of Pennsylvania Press, 1971.
F. Gabrieli, *Chroniques arabes des croisades*, Paris, Sindbad, 1977.
P. Geuthner, *Documents relatifs à l'histoire des croisades*, Paris, Inscriptions et Belles Lettres, 1946.
*Historia Hierosolymitana*, Wiesbaden, F. Steiner, 1972.
Metellus von Tegernsee, *Expeditio Ierosolomitana*, Stuttgart, 1982.
R. Pernoud, *Les Croisades*, Julliard, Paris, 1960.

D.E. Queller, *The Latin Conquest of Constantinople*, New York-Londres-Sidney, J. Wiley and Sons, 1971.

*Recueil des historiens des croisades*, Paris, Imprimerie royale (puis impériale, puis nationale), 1841-1906, 17 vol.

J. Richard, *L'Esprit de la croisade*, Paris, Éd. du Cerf, 1977, réimp. 2000.

G. de Villehardouin, *Un chevalier à la croisade : l'histoire de la conquête de Constantinople*, Paris, Tallandier, 1981.

## La notion de croisade

P. Alphandéry et A. Dupront, *La chrétienté et l'Idée de croisade*, Paris, Albin Michel, 1995.

J.A. Brundage, *Medieval Canon Law and the Crusader*, Madison-Milwaukee-Londres, University of Wisconsin Press, 1969.

F. Cardini, *Studi sulla storia e sull' idea di crociata*, Rome, 1993.

E. Delaruelle, *L'Idée de croisade au Moyen Age*, Turin, La Bottega d'Erasmo, 1980.

A. Dupront, *Le Mythe de croisade. Essai de sociologie religieuse*, Paris, 1997.

C. Erdmann, *Die Entstehung des Kreuzzugsgedanken*, Stuttgart, W. Kohlhammer, 1935.

K. Frischler, *Das Abenteuer der Kreuzzüge : Heilige, Sünder und Narren*, Munich-Berlin, F.A. Herbig, 1973.

A. Noth, *Heiliger Krieg und heiliger Kampf in Islam und Christentum*, Bonn, L. Röhrscheid, 1966.

J. Riley-Smith, *What where the Crusades ?*, Londres, MacMillan Press, 1977.

J. et M. Riley-Smith, *The Crusades : Idea and Reality*, Londres, E. Arnold, 1981.

P. Rousset, *Histoire d'une idéologie : la croisade*, Lausanne, L'Age d'homme, 1983.

F.H. Russell, *The Just War in the Middle Ages*, Cambridge-Londres-New York, Cambridge University Press, 1975.

P.-A. Sigal, *Les Marcheurs de Dieu*, Paris, Armand Colin, 1974.

P. Villemart, *Les Croisades. Mythe et réalité de la guerre sainte*, Vervier, Gérard et Cie, 1972.

M. Villey, *La Croisade. Essai sur la fondation d'une théorie juridique*, Paris, Vrin, 1942.

## Le monde des croisades

L. Bréhier, *L'Église et l'Orient au Moyen Age : les croisades*, Paris, V. Lecoffre, J. Gabalda, 1907, 5ᵉ éd., 1928.

C. Cahen, *Orient et Occident au temps des croisades*, Paris, Aubier, 1983.

A. Demurger, *La Croisade au Moyen Age*, Nathan, 1998.

P. Deschamps, *Terre sainte romane*, La Pierre-qui-Vire, Zodiaque, 1964.

J. Flori, *Pierre l'Ermite et la Première Croisade*, Fayard, 1999.

A. Luttrell, *Latin Greece, the Hospitaliers and the Crusades (1291-1440)*, Londres, 1982.

J. Prawer, *Crusaders Institutions*, Oxford, Clarendon Press, 1980.

J. Prawer, *Histoire du Royaume latin de Jérusalem*, Paris, CNRS, 1969-1971, rééd. 1977.

J. Prawer, *The Kingdom of Jerusalem*, Londres, Weidenfeld and Nicolson, 1972.

J.H. Pryor, *Commerce, Shipping and Naval Warfare in the Medieval Mediterranean*, Londres, 1987.

M. Rey-Delquie (éd.), *Les Croisades. L'Orient et l'Occident d'Urbain II à Saint Louis*, Milan, 1997.

J. Richard, *Croisés, Missionnaires et Voyageurs*, Londres, Reprints, 1983.

J. Richard, *Histoire des croisades*, Fayard, 1996.

J. Richard, *Orient et Occident au Moyen Age*, Londres, Reprints, 1976.

J. Richard, *La Papauté et les missions d'Orient au Moyen Age (XIIIᵉ-XIVᵉ siècle)*, nouvelle édition mise à jour, Rome, 1998 (Collection de l'École française de Rome, 33).

J. Richard, *Le Royaume latin de Jérusalem*, Paris, PUF, 1953.

G. Serbanesco, *De l'ordre des templiers et des croisades*, Paris, Éd. Byblos, 1969.

K.M. Setton, *The Papacy and the Levant (1204-1571)*, Philadelphie, The American Philosophical Society, 1976, 2 vol.

R.C. Smail, *The Crusaders in Syria and in the Holy Land*, Londres, Thames & Hudson, 1973.

**Musulmans, Juifs et autres**

S.W. Baron, *Histoire d'Israël*, t. IV, Paris, PUF, 1961.

G. Cipollone, *La liberazione dei « captivi » tra cristianità e islam. Oltre la crociata e il Gihad*, Cité du Vatican, 2000 (Collectanea Archivi Vaticani, 46).

A.L. Lueders, *Die Kreuzzüge im Urteil syrischer und armenischer Quellen*, Berlin, Akademie Verlag, 1964.

A. Maalouf, *Les Croisades vues par les Arabes*, Paris, J.-C. Lattès, 1983.

A. Morabia, *Le Gihâd dans l'Islam médiéval : le combat sacré, des origines au XIᵉ siècle*, Paris, Albin Michel, 1993.

E. Saïd, *L'Orientalisme. L'Orient créé par l'Occident*, Paris, Éd. du Seuil, 1980.

E. Sivan, *L'Islam et la Croisade. Idéologie et propagande dans les réactions musulmanes aux croisades*, Paris, Maisonneuve, 1968.

**Les différentes croisades**

P. Barnet et J.-N. Gurgand, *Si je t'oublie, Jérusalem. La prodigieuse aventure de la Première Croisade (1095-1099)*, Paris, Hachette, 1982, rééd. 1984.

E. Christiansen, *The Northern Crusades*, Londres, 1980.

*Le concile de Clermont de 1095 et l'appel à la croisade. Actes du colloque de Clermont-Ferrand (23-25 juin 1995)*, Rome, 1997 (Collection de l'École française de Rome, 236).

L. Cooper, *La gran conquista de ultramar*, 1979.

J. Delalande, *Les Extraordinaires Croisades d'enfants et de pastoureaux*, Paris, Lethielleux, 1962.

J. Godfrey, *1204 : The Unholy Crusade*, New York-Toronto, 1980.

N. Housley, *The Italian Crusades (1254-1343)*, Oxford, 1982.

N.J. Housley, *The Later Crusades from Lyons to Alcazar, 1274-1580*, Oxford, 1992.

W.C. Jordan, *Louis XI and the Challenge of the Crusade*, Princeton University Press, 1979.

S. Kindlimann, *Die Eroberung von Konstantinopel*, Zurich, Fretz & Wasmuth, 1969.

R. Lefèvre, « La crociata di Tunisi nei documenti del distrutto archivio angioino di Napoli », dans *Africa*, t. 5, Rome, 1977.

C. Pallenberg, *La Crociata dei bambini*, Milan, 1985.

D.E. Queller, *The Fourth Crusade*, Philadelphie, University of Pennsylvania Press, 1977.

D.E. Queller, *Medieval Diplomacy and the Fourth Crusade*, Londres, 1980.

H. Roscher, *Papst Innocenz III und die Kreuzzüge*, Göttingen, Vandenhœck & Ruprecht, 1969.

P. Rousset, *Les Origines et les Caractères de la Première Croisade*, Genève, Kundig, 1945, puis Neuchâtel, Éd. de la Baconnière, 1945.

I.P. Saskolskij, *Borba Rusi protiv krestjanskoj agressil*, Leningrad, Akad. Nauk, 1978.

W. Urban, *The Baltic Crusade*, Northern Illinois Press, 1975.

## Personnages

P. Aubé, *Baudouin IV de Jérusalem, roi lépreux*, Paris, Tallandier, 1981.

P. Aubé, *Godefroy de Bouillon*, Paris, Fayard, 1985.

J. Choffel, *Richard Cœur de Lion*, Paris, F. Sorlot, 1985.

M. Deroc, *Godefroy de Bouillon in the First Crusade*, Armidale, 1979.

J. Flori, *Richard Cœur de Lion*, Paris, 1999.

J. Leclercq, *Saint Bernard et l'Esprit cistercien*, Paris, Éd. du Seuil, 1966.

H. Möhring, *Saladin und der dritte Kreuzzug*, Wiesbaden, Steiner, 1980.

D. Paladilhe, *Le Roi lépreux*, Paris, Librairie académique Perrin, 1984.

J. Richard, *Saint Louis*, Paris, Fayard, 1985.

J. Richard, *Saint Louis et son siècle*, Paris, Tallandier, 1985.

# Index*

* Le choix des caractères permet de distinguer : les noms de lieu (en gras) ; les
noms des personnages historiques, des dynasties, des peuples (en romain).

# Les auteurs

.

**Michel Balard :** Ancien membre de l'École française de Rome, professeur d'histoire du Moyen Age à l'université Paris-I Panthéon-Sorbonne.

**Geneviève Bresc-Bautier :** Archiviste-paléographe, ancien membre de l'École française de Rome, conservateur en chef du Patrimoine au musée du Louvre.

**Philippe Contamine :** Membre de l'Institut, professeur à l'université Paris-IV Sorbonne, il a publié de nombreux travaux sur la guerre au Moyen Age.

**Robert Delort :** Ancien élève de l'ENS, agrégé d'histoire, docteur ès lettres, il a enseigné l'histoire du Moyen Age à la Sorbonne, à l'ENS et aux universités de Paris-VIII et de Genève.

**Charles-Emmanuel Dufourcq :** Professeur d'histoire du Moyen Age à l'université Paris-X.

**Jean Favier :** Membre de l'Institut, président de la Bibliothèque nationale de France, professeur à la Sorbonne, directeur d'études à l'École pratique des hautes études, directeur de la *Revue historique*.

**Claude Gauvard :** Professeur d'histoire du Moyen Age à l'université Paris-I Panthéon-Sorbonne, membre de l'Institut universitaire de France.

**Michel Kaplan :** Professeur d'histoire byzantine à l'université Paris-I Panthéon-Sorbonne.

**Françoise Micheau :** Maître de conférences à l'université Paris-I, elle est spécialiste de l'histoire du monde islamique médiéval.

**Cécile Morrisson :** Directeur de recherches au CNRS, Centre d'histoire et de civilisation de Byzance, Collège de France. Ancien directeur du Cabinet des Médailles de la BNF.

**Michel Parisse :** Professeur d'histoire médiévale à l'université Paris-I Panthéon-Sorbonne.

**Michel Pastoureau :** Directeur d'études à l'École pratique des hautes écoles, où il enseigne l'histoire des systèmes symboliques.

**Évelyne Patlagean :** Professeur émérite à l'université Paris-X Nanterre.

**Peter Raedts :** Professeur d'histoire médiévale aux universités de Leyde et de Nimègue.

**Jean Richard :** Professeur émérite à l'université de Dijon, membre de l'Institut.

**Pierre-André Sigal :** Professeur d'histoire du Moyen Age à l'université de Montpellier-III.

**Mohamed Talbi :** Historien médiéviste, professeur émérite à la Faculté des Sciences humaines et sociales de Tunis.

**André Vauchez :** Directeur de l'École française de Rome.

# Table

## I. L'aventure des croisés

## III. Orient-Occident : le grand choc

COMPOSÉ PAR CHARENTE-PHOTOGRAVURE À ANGOULÊME (CHARENTE)

*Imprimé en France sur Presse Offset par*

**BRODARD & TAUPIN**

GROUPE CPI

LA FLÈCHE (11-2000)
DÉPÔT LÉGAL : MARS 1998. N° 9996-4 (5023)